5

1094

ESSENTIALS of
RUSSIAN

ESSENTIALS of
RUSSIAN

READING ∿ CONVERSATION ∿ GRAMMAR

THIRD EDITION

A. v. GRONICKA
Columbia University

H. BATES-YAKOBSON
George Washington University

PRENTICE-HALL, INC., Englewood Cliffs, N. J.
1958

First printing .... *June, 1958*
Second printing .... *October, 1958*

PRINTED IN THE UNITED STATES OF AMERICA
28792

PREFACE TO THIRD EDITION

The third edition of *Essentials of Russian* has developed from intensive use of the earlier editions for a whole decade by colleges and universities throughout the United States and abroad, as well as by the United States Armed Forces and by private study groups. The basic organization and approach of this book have proved their effectiveness and have been retained. Revisions have been limited to the clarification of certain rules of grammar; a considerable shortening of the *Common Expressions and Idioms* units, especially those in the more advanced lessons; and the rewriting of four of the less successful reading selections.

The new reading units offer a survey of Russia's geography, a biography of Anton Chekhov, an introduction to the development of the Russian language, and a brief essay on the Russian Academy of Sciences. These units, it is felt, are more timely and functional, as well as better attuned to an "essentials" level, than were the units they replace.

Further innovations in this edition are the expansion of the introductory lessons on pronunciation; amplification of the Aspect lesson, to provide a more gradual presentation of the basic features of this central phase of the Russian verb system and to introduce advanced materials that have proved essential for a well rounded presentation of the conjugation of the Russian verb; addition of numerous *Review Reading* and *Vocabulary Building* units; addition of a second section to the *Translation into Russian* units, to afford a more comprehensive review of vocabulary and a more intensive drill on grammatical features; inclusion of a completely new *Appendix*, which offers a selection of Russian poems, songs, proverbs, and riddles; incorporation of numerous new key tables in the original *Grammar Appendix;* and thorough revision and expansion of the *Index* and the *Russian-English* and *English-Russian Vocabularies* at the end of the book.

The revisions, and especially the additions and expansions, should hold the old and gain new friends for *Essentials of Russian*.

The authors wish to take this occasion to thank their many colleagues for constructive contributions to the preparation of this new edition. They are especially grateful to Professor Edmund Zawacki, of the University of Wisconsin, and his fine staff for numerous suggestions which have helped greatly to make *Essentials of Russian* a better book.

Finally, the authors wish to take this opportunity to express their thanks to Hilde von Gronicka for her capable and patient assistance in guiding three editions of the *Essentials of Russian* through the press.

A. v. G.
H. B. Y.

PREFACE TO FIRST EDITION

This text is designed for classroom and individual instruction but can also be used for self-teaching. It has grown out of the authors' experience gained in the Army Intensive Language Courses and in subsequent experimental classes at colleges and universities. Emphasis is placed throughout on conversation and reading. At the same time a concise and systematic analysis of the *Essentials* of *Russian Grammar* has been provided, in order to solidify and to lend permanence to the results achieved by the direct approach.

The text is divided into thirty lessons preceded by two introductory units which set forth the Russian printed and cursive letters and give their approximate phonetic values. Each lesson is subdivided into seven closely interrelated parts:

> I: Common Expressions and Idioms
> II: Reading Exercise
> III: Vocabulary
> IV: Grammar
> V: Questions
> VI: Grammar Exercise
> VII: Translation into Russian

The *Reading Exercises* (II) are the core around which each lesson is organized. They contain all the *new* grammar and vocabulary introduced in each lesson. A basic principle of the text is to introduce the student to all new material *first* in the context of the Reading Exercise and only then have him turn to the explanation and systematic treatment of the material given in the Grammar section and the Vocabulary. Common Expressions, idioms, and grammatical features introduced in the Reading Exercise for the first time are given in bold type beginning with Lesson 2.

The Reading Exercises are carefully graded and lead the student from the simple dialogue of the first lesson to selections from the works of N. Nekrassov, L. Tolstoï, A. Pushkin, M. Gorkiï, and N. Simonov. They present living, idiomatic Russian speech of inherent interest and functional value and develop in the student that feeling for the language which is indispensable for freedom in conversation and for reading enjoyment.

The *Questions* (V) are especially designed to develop and test the student's detailed knowledge of the *Reading Exercises*. The student should strive to answer all questions in *complete* sentences, freely referring to the Reading on which the questions are based.

The *Common Expressions and Idioms* (I) contribute that essential quality of the Russian language which cannot be caught up and studied in grammatical rules. They should be memorized and applied in short conversations developed by the student with the help of the teacher.

The *Vocabulary* (III) of the first fifteen lessons is limited to between 20 and 30 words per lesson and in the subsequent lessons to between 30 and 40. Thus the text is built up on a total vocabulary not exceeding 1200 words.[1] In spite of its rigid limitation in quantity, this basic vocabulary is representative of the literary Russian language, as well as of the everyday conversation idiom. The vocabulary of any one lesson is repeated in subsequent ones. Attention is also called to the special treatment of the *verb*. Instead of burdening the student with classifications, the authors give those verbs which do not follow *exactly* the basic pattern of the first or second conjugation (читáть or говорúть) in four "key" forms. Thus the student is at once equipped with functionally useful verb-forms and is enabled to derive other conjugational forms as the need for them arises.[2]

The *Grammar Sections* (IV) introduce in concise, tabular form essential grammatical elements. Their discussion should develop out of the analysis of the Reading Exercise. They should never be treated as an unrelated, theoretical unit.

The student's *active* command of grammar is to be further developed and tested with the help of the *Grammar Exercises* (VI). These are keyed to the grammar units and utilize the newest pedagogical devices to provide the student with the maximum of effective practice.

The *Translation Sentences* (VII) serve as a final, overall review of the entire lesson. They are constructed to include all the features of the lesson from common expressions to grammatical detail. At the same time they aim to develop the student's ability to render in Russian an organically connected compositional unit.

The *Vocabulary-Building* sections are placed at convenient intervals to help the student acquire an adequate vocabulary. They

---

[1] Verb aspects are counted as one vocabulary unit.

[2] The aspects of the Russian verb are presented in accordance with the method used by Ooshakov in his authoritative work. А. П. Ушакóв, Толкóвый Слóварь Рýсского Языкá, ОГИЗ, Москвá, 1940.

indicate to the student some convenient means of attaining this important goal. They must not be confused with so-called "word-building."

The two introductory lessons contain a brief analysis of the Russian sound system. Experience has shown that the beginner profits little and is often discouraged by a lengthy theoretical description and classification of Russian sounds. Competent guidance by an experienced teacher throughout the course, intelligent imitation of native speakers, frequent listening to recorded speech, in brief, concrete example rather than abstract analysis have proved to be the effective means of establishing good pronunciation habits. For this reason the authors have decided to encumber their text as little as possible with technical explanations of Russian sounds even at the risk of being criticized for inaccuracy and incompleteness. One basic departure from the formal method of exposition, dictated by pedagogical and functional considerations, must be pointed out. The authors have decided *not* to classify *consonants* into "hard" and "soft." The "hardness" or "softness" of a consonant is made to depend on the absence or presence of a "soft" *vowel* directly after the consonant. Inadequate as this manner of presentation certainly is from the linguist's point of view, it has proved altogether adequate to impart satisfactory pronunciation habits. Moreover, it has the great advantage of being concise and far less confusing and discouraging to the beginner. It was therefore adopted in keeping with the author's central aim: to provide student and teacher with the simplest and most concise exposition of Russian sounds. Those interested in a thoroughgoing analysis of the Russian sound system are referred to the following texts:

S. C. Boyanus, *A Manual of Russian Pronunciation,* London, 1935.

S. C. Boyanus and N. B. Jopson, *Spoken Russian,* London, 1939.

In conclusion the authors wish to express their gratitude to Professors Ernest J. Simmons and Roman Jakobson and Mr. Leon Stilman of Columbia University, as well as to Professor Francis J. Whitfield of the University of Chicago, for their encouragement and many valuable suggestions.

A. v. G.

H. B. Y.

CONTENTS

ВВЕДЕНИЕ I

INTRODUCTION I

The Russian alphabet—System of handwriting—Capitalization
Punctuation—Syllabification—Stress

The Russian alphabet as we know it now was established under Peter the Great. It is based on the Church Slavonic alphabet, the so-called "Cyrillic" (кири́ллица). This alphabet was introduced into Bulgaria in the tenth century and displaced the first Slavonic alphabet, the "Glagolitic," which was devised in the middle of the ninth century by the monk St. Cyril, who brought Christianity to the Slavs (first to the Slavs of Greater Moravia).

The alphabet set up under Peter the Great was somewhat simplified by the elimination of certain letters in the decree on the new orthography enacted on October 10, 1918.[1]

The Russian alphabet as currently used in the Soviet Union consists of 32 symbols.[2] Each symbol stands for one basic sound, with few and relatively minor exceptions. Thus the Russian alphabet must be considered one of the more "phonetic" alphabets.

This phonetic quality and the fact that Russian sounds have their approximate equivalents in the English language greatly simplify the task of mastering the Russian phonetic system. Moreover, changes in the sound value of any one symbol that occur under certain conditions can be summarized and explained in a relatively short set of simple rules (see Introduction II). Thus, once the student has memorized the basic sound for which each symbol stands and has acquainted himself with the few phonetic rules, he will find himself able to pronounce and spell Russian words with considerable accuracy. Of course, finesse in Russian pronunciation can be acquired only under the guidance of the trained teacher or by intelligent imitation of a native speaker. Russian language records are also a valuable help.

---

[1] This decree was based on a far more radical reform proposed by the Russian Academy in 1917.

[2] The symbol Ё is not counted.

1

I. TABLE OF RUSSIAN LETTERS

Russian Letters Printed	Written	Names of Letters	Transcription and Approximate English Sound Equivalents[1]	Examples	English Transcription	English Meaning
А а	$\mathcal{A}\,a$	ah	*a* in father	а	(a)	and, but
Б б	$\mathcal{Б}\delta$	beh	*b* in boy	ба́ба	(bába)	woman
В в	$\mathcal{B}\ell$	veh	*v* in voice	Во́лга	(Vólga)	Volga
Г г	$\mathcal{F}_{z}$	geh	*g* in go	гром	(grom)	thunder
Д д	$\mathcal{D}g\partial$	deh	*d* in day	да	(da)	yes
Е е	$\mathcal{E}\,e$	yeh	*ye* in yet[2]	еда́	(yedá)	food
Ё ё	$\mathcal{E}\ddot{e}$	yo[3]	*yo* "yaw" in yawn[2]	ёлка	(yólka)	Christmas tree
Ж ж	$\mathcal{Ж}\!\mathscr{ж}$	zhe	*zh* "s" in measure	жена́	(zhená)	wife
З з	$\mathcal{Z}_{\mathfrak{z}}$	zeh	*z* in zero	зада́ча	(zadácha)	problem
И и	$\mathcal{U}\mathscr{u}$	ee	*i* "ee" in feel	и	(i)	and

2

Printed	Cursive	Name	Sound	Russian	Transliteration	English
И и	*Ии*	Short ee (ee krátkoe)				
й	*Йй*	i	"y" in boy (only after vowels)	трамвай	(tramváǐ)	streetcar
К к	*Кк*	kah	k	"c" in Scot	каша	(kásha)	gruel
Л л	*Лл*	el	l	in lamp	лампа	(lámpa)	lamp
М м	*Мм*	em	m	in map	мама	(máma)	mother
Н н	*Нн*	en	n	in now	нос	(nos)	nose
О о	*Оо*	oh	o	"aw" in shawl	он	(on)	he
П п	*Пп*	peh	p	in speak	пол	(pol)	floor
Р р	*Рр*	err	r, fronted, strongly trilled	рот	(rot)	mouth
С с	*Сс*	es	s	in less	стол	(stol)	table
Т т	*Тт*	teh	t	in stop	там	(tam)	there
У у	*Уу*	oo	oo	in moon	урок	(oorók)	lesson
Ф ф	*Фф*	ef	f	in fun	фабрика	(fábrika)	factory

Russian Letters Printed	Russian Letters Written	Names of Letters	Transcription and Approximate English Sound Equivalents I	Examples	English Transcription	English Meaning
Х х	$\mathcal{X}x$	kha	*kh*, "ch" in Scotch pronunciation of "loch"	ха́та	(kháta)	hut
Ц ц	$\mathcal{U}_{\mathfrak{z}}\,\mathcal{u}_{\mathfrak{z}}$	tseh	*ts* in cats	центр	(tsentr)	center
Ч ч	$\mathcal{U}\,\mathcal{n}$	cheh	*ch* in chair	чай	(chái̯)	tea
Ш ш	$\mathcal{U}\!\mathcal{u}\,\mathcal{u}$	shah	*sh* in she	шко́ла	(shkóla)	school
Щ щ	$\mathcal{U}\!\mathcal{u}_{\mathfrak{z}}$	shchah	*shch* in rash choice	щи	(shchi)	cabbage soup
Ъ ъ	$\hbar$	hard sign (tvyordïĭ znak)	indicates hardness of preceding consonant transcription —'⁴	отъе́зд	(ot'ézd)	departure
Ы ы	$\mathcal{M}$	"yerry"	*î* "i" in till	ты, вы,	(tî), (vî),	thou, you.
Ь ь	b	soft sign (myakhkiĭ znak)	indicates softness of preceding consonant transcription ʸ	мать пальто́	(matʸ) (palʸtó)	mother overcoat

э	*Э э*	reversed "e" (e oborótnoe)	*e* in let	э́то	(éto)	this
ю	*Ю ю*	yoo	*yoo*, "yu" in yule[2]	люблю́	(lyooblyoo)	I love
я	*Я я*	ya	*ya* in yard[2]	я	(ya)	I

[1] Deviations in pronunciation under certain conditions are explained in the section on "Pronunciation Rules," pp. 10-13. Throughout the text the Moscow, Central, or literary dialect serves as the norm of pronunciation.

[2] This pronunciation applies only when the symbol is used in *initial* position or when it follows a *vowel*. For an explanation of its pronunciation when it follows a *consonant* see Introduction II, p. 12.

[3] This symbol is always stressed.

[4] The new orthography of 1918 has eliminated this symbol except as a mark which separates a hard consonant from a soft vowel within a word. In that position it was sometimes replaced by an apostrophe.

Note. The system of transcription will be used only in the Introduction. It is furnished as a help to self-instruction. The experienced teacher may well disregard it and ask the student to imitate his pronunciation without attention to the transcription, which at best is only an approximation of expert or native enunciation.

II. THE SYSTEM OF HANDWRITING

The system of Russian script as set forth in the "Table of Russian Letters" contains a considerable number of familiar Latin symbols. This makes its mastery relatively simple. Nevertheless, there are some characteristic peculiarities which have to be carefully observed and practiced.

a. Note that, although many of the symbols are identical in form with Latin symbols, they stand for different sounds:

Russian Symbol	English Sound	Pronunciation
в	**v**	*v* in voice.
п	**p**	*p* in pet.
р	**r**	*r* in trill.
с	**s**	*s* in less.
у	**oo**	*oo* in look.
х	**kh**	*kh* in loch (Scotch).

b. It is very important to set off the letters *л, м, я* from the preceding letters by a clearly marked arch or hook, thus: *ла́мпа, фами́лмия, и́лми*

c. In rapid writing, the up and down strokes of *и, т, ш, п* are likely to run into each other. To prevent confusion, a line is often placed below the *ш* (sh) and above the *т* (t), thus: *ты пи́шешь*
ты лети́шь

d. Notice how the letters *л, м, я* are joined to a preceding *о*:

ол: по́ле, гольф.
ом: ко́мната, рома́н.
оя: моя́, роя́ль.

e. Notice the difference between $\mathcal{U}$ and $\mathcal{U}$: *голъф* and *чай*.   The "head" of $\mathcal{U}$ is a smooth curve; that of $\mathcal{U}$ is angular, with a slight downward dip.

III. CAPITALIZATION

In Russian only the first word of a sentence, a proper name (**Ива́н, Аме́рика**), and the first letter in a line of verse are capitalized.

NOT capitalized in Russian are:

a. Words derived from proper names: **Пу́шкин** but **пу́шкинский.**

b. Words designating nationality: **ру́сский, америка́нец.**

c. Titles and modes of address: **до́ктор, това́рищ.**

IV. PUNCTUATION

The period, colon, comma, semicolon, question mark, exclamation mark, dash, hyphen, parentheses, and brackets are used much as in English. Note, however, the following special uses:

a. A comma *must* separate *every* subordinate clause from the rest of the sentence.

b. The dash often replaces quotation marks, especially when dialogue is reported without introductory phrases:

— **Он до́ма?** (on dóma?) "Is he at home?"

The dash can also stand in place of present tense forms of the verb "to be" (see Lesson 1).

V. SYLLABIFICATION

It is sufficient to remember that:

a. A single consonant between two vowels goes with the following vowel:

ка́-ша (ká-sha) gruel   **же-на́** (zhe-ná) wife

b. Of two (or more) consonants the last one usually goes with the following vowel:

ко́м-на-та (kóm-na-ta) room

c. й is never separated from the preceding vowel:

чай-ник (chaĭ-nik) tea pot

VI. STRESS

There is no simple set of workable rules on the position of stress in Russian. Throughout the text, the position of the stress on the Russian word will always be indicated, and the student is urged to observe it carefully. A change in the position of the stress will often cause a change in the meaning of a word, thus:

у́же (óozhe) "narrower" as against уже́ (oozhé) "already"
му́ка (móoka) "torment, suffering" as against мука́ (mooká) "meal, flour"

VII. EXERCISES[1]

a. Read all Russian words given in the "Table of Russian Letters."

b. Read the following words:

брат	(brat)	brother	по́чта	(póchta)	mail
вор	(vor)	thief	рабо́та	(rabóta)	work
до́брый	(dóbrĭĭ)	kind	тут	(toot)	here
Евро́па	(Yevrópa)	Europe	уро́к	(oorók)	lesson
её	(yeyó)	hers	фунт	(foont)	pound
журна́л	(zhoornál)	journal	Христо́с	(khristós)	Christ
зима́	(zimá)	winter	цена́	(tsená)	price
их	(ikh)	theirs	число́	(chisló)	number,
ко́мната	(kómnata)	room			date
ла́мпа	(lámpa)	lamp	ша́пка	(shápka)	cap
мост	(most)	bridge	юри́ст	(yooríst)	lawyer
но́вый	(nóvĭĭ)	new	язы́к	(yazîk)	tongue,
о́рган	(órgan)	organ			language

---

[1] It is advisable that the teacher read and repeat the exercises aloud, having the students repeat by ear. Only after such aural practice should the students be asked to *read* the exercises. In self-teaching it is very important to refer constantly to the Table on pages 2-5 and never to read or practice the exercises of this or the following lessons without being certain of the proper pronunciation of every letter.

c. Read and write (do not print):

кто	(kto)	who	*кто*
он	(on)	he	*он*
он рабо́тает	(on rabótayet)	he works	*он рабо́тает*
он чита́ет	(on chitáyet)	he reads	*он чита́ет*
гражда́нка	(grazhdánka)	citizen (fem.)	*гражда́нка*
сейча́с	(seïchás)	now	*сейча́с*
до́ма	(dóma)	at home	*до́ма*
граждани́н	(grazhdanín)	citizen (masc.)	*граждани́н*
то́же	(tózhe)	also	*то́же*
там	(tam)	there	*там*

VIII. ADDITIONAL EXERCISES IN READING AND WRITING

In carrying out these exercises the advice given in the footnote on page 8 should be carefully observed. When copying the Russian words the written characters as given in the "Table of Russian Letters" should be studied and the suggestions on how to link letters (p. 6) should be followed.

English Meaning

---

1. Practice of the sounds Д and Т

да	да́ма	до́ма		yes, lady, at home
там	том	тут		there, volume, here

2. Practice of the sounds З and С

за́ла	са́ло			hall, fat
зо́на	сон	зима́	си́ла	zone, dream, winter, force

3. Practice of the sounds В and Ф

ва́за	фа́за	ва́та	фат	vase, phase, cotton, fop
звук	фунт	ве́ра	фетр	tone, pound, faith, felt

4. Practice of the sounds Б and П

ба́ба	па́па	боб	поп	woman, father, bean, priest
би́тва	пи́во	бу́хта		battle, beer, bay

5. Practice of the sounds Г, К, and Х

горá   корá   хор   гул   курс   mountain, bark, chorus,
                                   rumble, course

6. Practice of the sounds Ж, Ш, and Щ

жар   шар   жук   щýка   heat, ball, beetle, pike
щи и кáша, пúща нáша   cabbage soup and porridge
                              are our food

7. Practice of the sounds Ч and Ц

час   цáпля   центр   hour, heron, center
чýдо   числó   ценá   miracle, number, price

8. Practice of the sounds У, Ы, Ю, *and* Я

усы́   зýбы   мýзыка   сын   moustache, teeth, music, son
ю́мор   я мóю   я даю́   ую́т   humor, I wash, I give,
                                 comfort/cosiness

The characteristic features of "unvoicing" and "palatalization" will be explained and practiced in the next introductory lesson.

ВВЕДЕНИЕ II

INTRODUCTION II

Principal Rules of Pronunciation—Principal Forms of Address

I. PRINCIPAL RULES OF PRONUNCIATION[1]

A. Russian vowels may be conveniently classified as soft or hard

	Soft Vowels		Hard Vowels
я	(as in *y*ard)	а	(as in f*a*ther)
е	(as in *y*et)[1]	э	(as in l*e*t)
ё	(as in *y*awn)[1]	о	(as in l*aw*)
ю	(as in *yu*le)	у	(as in m*oo*n)
и	(as in f*ee*l)[1]	ы	(as in t*i*ll)
й	(i kratkoye, short i); never initial; always the second element in a diphthong like the *y* in sa*y*		

A *soft* vowel has the following characteristics:

a. In initial position or after a *vowel* it has a strong initial "y" glide, very much like the *y* in yes. Я ем (*Ya yem*) "I eat."

b. When following a *consonant*, except ж, ш, and ц, it "palatalizes" that consonant. A "palatalized" or "softened" consonant "is produced by flattening the mouth resonator (i. e. by bringing the tongue up against the roof of the mouth) and is subsequently marked by a raised timbre."[2]

A *hard* vowel has no such initial "y" glide and does not palatalize a preceding consonant.

---

[1] For a fuller treatment see L. Stilman, *Russian Alphabet and Phonetics,* Columbia University Press, New York, 1949; also, S. C. Boyanus, *A Manual of Russian Pronunciation,* London, 1935.

[2] After ж (zh), ш (sh), and ц (ts), these three soft vowels, though written е, ё, и, are pronounced like their hard equivalents:

e is pronounced like э (let)   in жесть (zhest') "tin";
ё is pronounced like o (sha*wl*)   in жёлтый (zhóltïĭ) "yellow";
и is pronounced like ы (t*i*ll)   in жизнь (zhîzn*y*) "life."

11

B. Russian consonants may be conveniently classified as voiced or voiceless

Voiced Consonants		Voiceless Consonants		Resonants	
б	(as in *b*oy)	п	(as in *s*peak)	л	(as in *l*amp)
в	(as in *v*oice)	ф	(as in *f*un)	м	(as in *m*ap)
г	(as in *g*o)	к	(as in *s*cot)	н	(as in *n*ow)
д	(as in *d*ay)	х	(Scotch: lo*ch*)	р	(as in t*r*ill)
з	(as in *z*ero)	т	(as in *t*op)		
ж	(as in a*z*ure)	с	(as in le*ss*)		
		ш	(as in *sh*e)		
		ц	(as in ca*ts*)		
		ч	(as in *ch*air)		
		щ	(as in ra*sh choice*)		

C. Typical changes in the sound value of consonants

1. *Unvoicing*:

Voiced consonants before *voiceless* consonants or in *final* position are pronounced as *voiceless, though retaining their original spelling*:

Before Voiceless Consonants				In Final Position		
б as п:	трýбка	(tróopka)	pipe	гроб	(grop)	coffin
в as ф:	втóрник	(ftórnik)	Tuesday	готóв	(gatóf)	ready
г as х:	мя́гкий	(myakhkiĭ)	soft	Бог	(bokh)	God
г as к:	....	....		юг	(yook)	south
д as т:	пóдпись	(pótpis ͬ)	signature	год	(got)	year
ж as ш:	лóжка	(lóshka)	spoon	нож	(nosh)	knife
з as с:	блúзкий	(blískiĭ)	near	глаз	(glas)	eye

Briefly, the difference between the *voiced* and the *voiceless* consonants is that in producing the former, the vocal chords in the throat (larynx, glottis) are used (i. e. are made to vibrate), making a buzzing sound, while in producing the latter, the chords are out of action[1].

---

[1] An effective way of determining the type of consonant involved is to close the ears with one's fingers and pronounce the consonant. If a local hum is heard, the consonant is voiced; if not, it is voiceless. (Examples in English: "d" as against "t," "b" as against "p.")

2. *"Palatalization" or "Softening"*:

Consonants, when followed by a *soft* vowel or by ь (soft sign), become "palatalized" or "softened"; that is, they are produced by flattening the mouth resonator (pressing the tongue up against the roof or *palate* of the mouth) and are subsequently marked by a raised timbre.[1] This process of palatalization or softening is particularly strong with the consonants д, л, н, and т.[2] Palatalization will be indicated in our transcription system by a small, raised ʸ. This symbol must never be pronounced as a distinct, separate letter, but rather as a kind of "y" glide such as is heard, for instance, in the words "few" or "pew" directly after the "f" or "p", though it is not quite as strong in Russian. (This "y" glide is also called "jotation" by some phoneticians.)

Examples

Д as in "*d*uke," not as in "do"			**Л** as in "fai*l*ure," not as in "*l*amp"		
день	(dʸenʸ)	day	поле	(pólʸe)	field
дюжина	(dʸóozhina)	dozen	любить	(lʸoobítʸ)	to love
дядя	(dʸádʸa)	uncle	неделя	(nʸedʸelʸa)	week
			гольф	(golʸf)	golf

Н as in "new," not as in "nose"			**Т** as in "tune," not as in "top"		
нет	(nʸet)	no	тепло	(tʸepló)	warm
ничего	(nichʸevó)	nothing	тихий	(tíkhiĭ)	quiet
нюхать	(nʸookhatʸ)	smell	тюк	(tʸook)	bale
кухня	(kóokhnʸa)	kitchen	тятенька	(tʸátʸenʸka)	daddy
день	(dʸenʸ)	day	работать	(rabótatʸ)	to work

3. *Pronunciation of* Г:

Г in the Genitive endings -ого and -его is pronounced like "v" in "voice": ничего (nichʸevó) "nothing" (*Lit.*: "of nothing"). *Yet in the stem of a word, as for example in* много (mnógo) *"much," the symbol has its normal value.*

---

[1] Compare with statement on "soft" vowels given on p. 11.

[2] Only the consonants ж, ш, ц are never palatalized. Soft vowels following these consonants are hard (cf. p. 11, fn. 1).

4. *Consonant clusters* :

In consonant clusters one consonant is often dropped in pronunciation, though not in spelling. Thus in the word здра́вствуйте (zdrá[v]stvooït^ye) "How are you?; good day," the first в is not pronounced, and in счастли́вый (schas[t]livîï) "happy, fortunate, lucky," the т is virtually inaudible. Moreover, the сч in счастли́вый is pronounced like щ (shch). In со́лнце (so[l]ntse) "sun," the л is not audible.

D.   Effect of the stress on vowels

Only *stressed* vowels receive their full value as indicated in the Table (pp. 2-5).[1] Unstressed vowels tend to neutralize into comparatively muted sounds, as do the unstressed vowels in many English words, as for instance the "e" in "belong" or the "a" in "arise." This distinction between the stressed and unstressed vowels is particularly striking in the case of o. Stressed, it has its full value comparable to the "aw" in "law." Unstressed o *in a syllable immediately preceding the stressed syllable*, has the same sound as a. In all other positions, unstressed o has a sound value comparable to the sound of "a" in "arise." This sound will henceforth be designated by the symbol ə in our transcription.

Example

молоко́	məlakó	milk
молодо́й	məladóï	young
зо́лото	zólətə	gold

---

[1] The differentiation of all the minute nuances in the sound of the various unstressed vowels would bring a confusing complexity to our system of transcription. Therefore we retain the symbols of the stressed vowels, except in the case of unstressed o. When reading the *Exercises* of this lesson and the Russian material of the following ones, the student is urged to observe the position of the stress and to keep the suggested pronunciation of unstressed vowels (muted) in mind. It may be noticed, for instance, that unstressed **a** (e. g. in ла́вка) has the same sound value as the unstressed o (e. g. in ло́вко), that is, ə, though our transcription fails to indicate this for the reason given.

II. PRINCIPAL FORMS OF ADDRESS

In greeting or otherwise addressing a person, the Russian generally uses the person's first name along with his patronymic (his father's name), with the ending -ович or -евич if the person addressed is a man, or the ending -овна or -евна[1] if the person addressed is a woman:

Алекса́ндр Ива́нович[2]   Alexander Ivanovich
                        (Alexander, son of Ivan)

Алексе́й Алексе́евич[2]   Alexei Alexeevich
                        (Alexis, son of Alexis)

Алекса́ндра Ива́новна[2]   Alexandra Ivanovna
                        (Alexandra, daughter of Ivan)

Ни́на Алексе́евна[2]   Nina Alexeevna
                        (Nina, daughter of Alexis)

The terms граждани́н (grazhdanín) "citizen," гражда́нка (grazhdánka) "citizeness," and това́рищ (tavárishch) "comrade," "party member" (referring to both man and woman) are also used, usually along with the family name:

Граждани́н Семёнов   Citizen Semyonof

Гражда́нка Семёнова   Citizeness Semyonova

These terms are more commonly used in Soviet Russia than the terms господи́н (gəspadín) "Sir," "Mr." and госпожа́ (gəspazhá) "Mrs." "Lady."

---

[1] -ович, -овна are used after consonants or hard vowels; -евич, -евна are used after soft vowels.

[2] Ива́нович   is usually pronounced Ива́ныч (Ivánich)
  Алексе́евич is usually pronounced Алексе́ич (Alyeksyéich)
  Ива́новна   is usually pronounced Ива́нна (Ivánna)
  Алексе́евна is usually pronounced Алексе́вна (Alyeksyévna)

EXERCISES

a. Read and write (do not print):

Баку́	(Bakóo)	*Баку́*	Baku
Ленингра́д	(Lʸeningrát)	*Ленинград*	Leningrad
Москва́	(Maskvá)	*Москва́*	Moscow
Сталингра́д	(Stalingrát)	*Сталинград*	Stalingrad
фронт	(front)	*фронт*	front
инжене́р	(inzhen″er)	*инжене́р*	engineer
журна́л	(zhoornál)	*журна́л*	journal
студе́нт	(stoodʸént)	*студе́нт*	student
гольф	(golʸf)	*гольф*	golf
чай	(chaï)	*чай*	tea
меха́ник	(mekhánik)	*меха́ник*	mechanic
поэ́т	(paét)	*поэ́т*	poet
юг	(yook)	*юг*	south
центр	(tsentr)	*центр*	center
това́рищ	(tavárishch)	*това́рищ*	comrade

b. Read until fluent (for English meaning see General Vocabulary).

тру́бка	(tróopka)	про́бка	(própka)	гроб	(grop)
всегда́	(fsʸegdá)	за́втра	(záftra)	здоро́в	(zdaróf)
лёгкий	(lʸʸokhkiï)	мя́гкий	(mʸʸakhkiï)	сапо́г	(sapók)
во́дка	(vótka)	ре́дко	(rʸʸetkə)	наро́д	(narót)
но́жка	(nóshka)	дро́жки	(dróshki)	муж	(moosh)
ни́зкий	(nískiï)	ре́зкий	(rʸeskiï)	раз	(ras)

ло́вко (lófkə) ла́вка (láfka) ко́жа (kózha) ка́ша (kásha)
бить (bitʸ) быть (bîtʸ) ми́ло (mílə) мы́ло (mîlə) вал (val)
вол (vol) вёл (vʸol) круг (krook) крюк (krʸook) крик (krik)
мёд (mʸot) медь (mʸetʸ) мо́дный (módnîi) дива́н (diván)
дю́жина (dʸóozhina) где (gdʸe) всё (fsʸo) в кино́ (f kinó)
без сло́ва (bʸes slóva)

честь (ch^{y}est^y)   шесть (shest^y)   жесть (zhest^y)
царь (tsar^y)   шар (shar)   жар (zhar)
тряпка (tr^y′apka) травка (tráfka) сядь (s^{y}at^y) сад (sat)
дача (dácha)   дочь (doch^y)   брат (brat) брать (brat^y)

Мóлотов (Mólətəf) Ломонóсов (Ləmanósəf) звонóк (zva-nók) ясно (yásnə) объяснять (əb′^{y}asn^{y}át^y) ученица (ooch^{y}e-nítsa) учительница (oochít^{y}el^{y}nitsa) щётка (shch^{y}ótka) ещё (yeshch^{y}o) щéпка (shch^{y}épka) ничегó (nich^{y}evó) мнóгого (mnógəvə) счáстье (shchást^{y}e) спокóйной нóчи (spakóïnəï nó-chi) здрáвствуйте (zdrá[v]stvooït^{y}e) до свидáния (də svi-dáni^{y}a)

мы (mî) ты (tî) вы (vî) дым (dîm) сын (sîn)

c. Read and write:

дверь	(dv^{y}er^y)	door
здесь	(zd^{y}es^y)	here
щётка	(shch^{y}ótka)	brush
извóзчик	(izvóshchik)	cabman
где	(gd^{y}e)	where
ещё	(yeshch^{y}ó)	still, yet
лёд	(l^{y}ot)	ice
гéний	(g^y′eniï)	genius
чýвство	(cho′o[v]stvə)	feeling
учительница	(oochít^{y}el^{y}nitsa)	woman teacher
мягко	(m^y′akhkə)	soft
корóбка	(karópka)	box
окнó	(aknó)	window
хорошó	(khərashó)	good, well
быстро	(bîstrə)	quickly
мнóго	(mnógə)	much
юмор	(yo′omər)	humor
тяжелó	(t^{y}azheló)	heavy
язык	(yazî′k)	tongue, language
ничегó	(nich^{y}evó)	nothing
дóбрый день	(dóbrïi d^{y}en^y)	good day
как поживáете?	(kak pozhiva^{y}et^{y}e)	how are you?
госпожá	(gəspazhá)	lady, Mrs.
господин	(gəspadín)	sir, Mr.
тут	(toot)	here
где э́то?	(gd^{y}e éto)	where is this?
что э́то?	(chto éto)	what is this?
кто э́то?	(kto eto)	who is this?

НАШ ПЕРВЫЙ РАЗГОВОР OUR FIRST CONVERSATION

This exercise can be expanded at the discretion of the teacher by introducing a greater number of parts of, and objects in, the classroom and by adding the names of those actually present to the fictitious ones.

	Transcription	Translation
Это комната.	Etə kómnata.	This is a room.
Это класс.	Etə klass.	This is a classroom.
Это окно, а там дверь.	Etə aknó, a tam dvʸerʸ.	This is the window and there is the door.
Тут стол, а там стул.	Toot stol, a tam stool.	Here is the table and there is the chair.
— Что на столе? —	Chto na stalʸé?	What is on the table?
— На столе книга. —	Na stalʸé kníga.	On the table is a book.
— Мы на уроке. —	Mí na oorókʸe.	We are having class. *Lit.*: We are at lesson.
— Кто это? —	Kto étə?	Who is this?
— Это учитель, господин Джонс. —	Etə oochítʸel, gəspadín Dzhons	This is the teacher, Mr. Jones.
— Кто это? Это студент Пётр Иванов? —	Kto étə? Etə stoodʸént Pʸotr Ivanóf?	Who is this? Is this the student Pётr Ivanof?
— Нет, это студент Питер Браун. —	Nʸet, étə stoodʸént Pʸítʸer Bráoon.	No, this is the student Peter Brown.
— Пётр Иванов тут? —	Pʸotr Ivanóf toot?	Is Pётr Ivanof present? *Lit.*: Is Pётr Ivanof here?
— Да, вот он! —	Da, vot on!	Yes, here he is!
— Студентка Смит тут? —	Stoodʸéntka Smit toot?	Is Miss Smith present? *Lit.*: Is the girl student Smith here?
— Да, вот она! —	Da, vot aná!	Yes, here she is!

18

КЛАСС

ПЕРВЫЙ УРОК

FIRST LESSON

Present tense of "to be"—Question form—Negative sentence—Adverb—Conjunctions **a** *and* **и**

I. COMMON EXPRESSIONS

Дóма	At home	На завóде	At the plant (factory)
До-свидáния!	Good bye	На рабóте	At work
Здрáвствуйте!	How are you! How do you do! Hello!	Спасúбо!	Thank you!

II. READING EXERCISE

Звонóк.

Вéра Алексéевна открывáет дверь.

— Здрáвствуйте! Дóма гражданúн Семёнов?

— Сейчáс... Он úли дóма úли на рабóте... Нет, сегóдня он не дóма, а на рабóте.

— Где рабóтает Пётр Ивáнович?

— Он рабóтает на завóде. Он механúк.

— Спасúбо, товáрищ. До-свидáния.

III. VOCABULARY

а	and, but	нет	no
быстро	quickly	он,	he
быть	to be	онá	she
где	where	(он) отвечáет	(he) answers
гражданúн	citizen	(онá) открывáет	(she) opens
граждáнка	citizeness	рабóта	work
да	yes	(он) рабóтает	(he) works
завóд	plant, factory	сегóдня[1]	today
звонóк	bell	сейчáс	in a minute, now
úли	or	там	there
мéдленно	slowly	товáрищ	comrade, friend
механúк	mechanic	(он) читáет	he reads
не	not		

---

[1] pronounced "s'evodn'a," since "-evo" is a genitive ending, the word literally meaning "of this day."

20

IV. GRAMMAR

A. The verb

1. The present tense of the verb "to be" (**быть**) is generally not expressed:

Он сегодня на заводе.	He [is] at the factory today.

When a noun is linked to another noun, the form of "to be" is replaced by a dash:

Москва́ — го́род.	Moscow [is] a city.
Ива́н — студе́нт.	Ivan [is] a student.

2. Russian does not have an exact equivalent of the progressive or of the emphatic forms of the verb:

Он рабо́тает.	He works, is working, does work.

3. A *question* is expressed by:

a. The introduction of an interrogative:

Кто он?	Who [is] he?
Где он?	Where [is] he?

b. The inflection of the voice:

Он рабо́тает?	Is he working?
Он чита́ет?	Does he read?

c. Placing the verb before the subject:

Отвеча́ет она́?	Does she answer?
Рабо́тает он сего́дня?	Is he working today?

In this form of the question, the particle ли may be introduced, usually immediately after the verb:

Рабо́тает **ли** он?	Is he working?

4. In the *negative* sentence, не is placed before the verb or directly before the word which is to be negated:

Он **не** рабóтает дóма.	He does not work at home.
Он рабóтает **не** дóма, а на завóде.	He does not work at home, but at the plant.

5. It is very important not to confuse **не** meaning "not" with **нет** meaning "no": Нет, он не читáет. *No,* he does *not* read.

B. The adverb

The Russian *adverb*, like the English, does not change in form (it is not declined). Its position in the sentence is **not** rigidly fixed.

It often stands between the subject and the verb:

Он читáет **бы́стро**.	He reads quickly.
Он **мéдленно** отвечáет.	He answers slowly.

Or can introduce the sentence:

Сегóдня онá рабóтает.	Today she is working.

C. Conjunctions **a** and **и**

a and **и** are both translated by "and."

a, however, is a *separating* conjunction, used to **bring out** *contrast*:

Он рабóтает, **a** онá читáет.	He works *and* (but) she reads.

When used after a *negative*, it must be translated by "but":

Он не читáет, **a** рабóтает.	He is not reading, *but* working.

и is a *joining* conjunction, the exact equivalent of our "and," "also":

Он рабóтает **и** онá рабóтает.	He works *and* she works.

V. QUESTIONS
(*Based on the Reading Exercise*)

1. Кто открывáет дверь? 2. Дóма ли Пётр Ивáнович? 3. Где Пётр Ивáнович? 4. Пётр Ивáнович механик? 5. Где он рабóтает?

VI. GRAMMAR EXERCISES

a. Read in Russian and translate into English:

1. Он. 2. Она́. 3. Она́ чита́ет. 4. Он чита́ет бы́стро. 5. Она́
чита́ет ме́дленно. 6. Он рабо́тает. 7. Пётр Ива́нович рабо́тает.
8. Она́ рабо́тает до́ма. 9. Пётр Ива́нович сего́дня не рабо́тает.
10. Он сего́дня до́ма. 11. Она́ открыва́ет дверь. 12. Где това́рищ
Ивано́в? 13. Он на заво́де. 14. Спаси́бо, това́рищ! 15. До
свида́ния!

b. Change the following sentences into the various possible
question forms.:

1. Она́ отвеча́ет бы́стро. 2. Он рабо́тает ме́дленно. 3. То-
ва́рищ Ивано́в рабо́тает сего́дня на заво́де. 4. Гражда́нка
Ве́ра Алексе́евна до́ма. 5. Она́ чита́ет до́ма.

c. Replace the dash by the proper conjunction, а or и:

1. Ива́н — Пётр до́ма. 2. Он не до́ма, — на заво́де. 3. Он
чита́ет не бы́стро, — ме́дленно. 4. Ве́ра — Алексе́й на заво́де.
5. Пётр рабо́тает на заво́де, — Ве́ра до́ма.

VII. TRANSLATION INTO RUSSIAN[1]

1. He. 2. She. 3. He works. 4. She reads. 5 She reads at
home. 6. He works today. 7. He works at the factory. 8. Véra
Alexéevna opens the door (дверь). 9. Where [does] citizen
Péter Ivánovich work? 10. Today he does not work; today
he [is] at home. 11. [Is] he a mechanic? 12. Yes, Péter Ivánovich is a mechanic. 13. Where [is] Véra Alexéevna? 14. Véra
Alexéevna [is] at home. 15. Thank you, comrade. Good bye!

---

[1] Words in [ ] are to be omitted;
   Words in ( ) are to be included, or they are explanatory.

ВТОРОЙ УРОК | SECOND LESSON

Gender of nouns—Nominative case—Article—Pronouns and pronoun-adjectives: он, э́тот, тот, мой

I. COMMON EXPRESSIONS

До́брый день	Good day
До́брое у́тро	Good morning
Как поживáете?	How are you?
Как вы поживáете?	How are you?
Хорошó, спаси́бо	Fine, thank you
Ничегó, спаси́бо	Quite well, thank you
А вы?	And you?
Очень хорошó!	Very well!
Как женá?	How is your wife?
Как рабóта?	How is the work?
Вот нóвость!	That is news!
Как фами́лия?	What is the last name?
Как вáша фами́лия?	What is your last name?
Что э́то?	What is this?

II. READING EXERCISE [1]

— Здрáвствуйте, Ивáн Сергéевич!

— Пётр Ивáнович! **До́брое у́тро!**

— **Как поживáете?**

— **Ничегó, спаси́бо.**

— **Как женá?**

— **Хорошó, спаси́бо.** Вот фотогрáфия: моя́ женá, мой дом . . .

— Дом? **Вот нóвость!**

— Да, э́то мой дом. Тут сад, а там пóле. Это окнó — кýхня, а то окнó — моя́ кóмната.

— А э́то здáние — гóспиталь?

— Нет, э́то здáние не гóспиталь, а музéй.

— А э́то кто?

---

[1] For words and phrases in bold type in this and the following Reading Exercises, look under Common Expressions or in the Grammar section of the lesson, *not* in the Vocabulary.

— Это мой товáрищ.
— Как фамúлия?
— Чéхов.
— Он не инженéр?
— Да, он и инженéр, и дóктор, и поэ́т . . .
— Да, он гéний!
— Да, энéргия, мой друг! Он рабóтает день и ночь.
— Ну, до-свидáния.
— До-свидáния.

III. VOCABULARY

вот	here is, are[1]	музéй	museum
гéний	genius	ночь	night
гóспиталь (m.)[2]	hospital	пóле	field
день (m.)	day	поэ́т	poet
дождь (m.)	rain	сад	garden
дóктор (m.)	doctor	тут	here
дом	house	у́тро	morning
друг	friend	хорошó	good, well
женá	wife	фамúлия	last (family)
здáние	building		name
инженéр	engineer	фотогрáфия	photograph,
как	how		snapshot
кóмната	room	энéргия	energy
ку́хня	kitchen		

IV. GRAMMAR

A. The noun

1. The Russian noun has three *genders*: *masculine, feminine,* and *neuter*.

2. The ending of a noun indicates its gender:[3]

Masculine are:

Hard 1. Nouns ending in a *consonant*   дóктор doctor
Soft { 2. Nouns ending in й   музéй museum
       { 3. Nouns ending in ь[4]   дождь rain

---

[1] Вот is used when pointing to a place, person, or thing. Тут simply designates location, usually without exclamatory force.

[2] Masculines ending in -ь (soft sign) will be marked (m.) in vocabularies. The change of initial "h" to Russian "г": *H*eine becomes Гéйне; *H*egel becomes Гéгель; *H*itler: Гúтлер, etc.

[3] For exceptions see Lesson 22.

[4] Since the ending -ь is common to both the masculine and the feminine genders, masculines ending in -ь will be marked (m.): дождь (m.) "rain."

Feminine are:

Hard	1. Nouns ending in **а**[1]	ко́мната	room
Soft	2. Nouns ending in **я**	ку́хня	kitchen
	3. Nouns ending in **ь**[2]	дверь[2]	door

Neuter are:

Hard	1. Nouns ending in **о**	ме́сто	place
Soft	2. Nouns ending in **е**	по́ле	field
Soft	3. Nouns ending in **ё**	ружьё[3]	rifle

3. Notice that all of the above nouns are given in the *nominative* case. This is the basic form in which nouns will appear in the vocabularies. It is the case of the *subject* of the sentence. It answers the question *"who?" "what?"*:

My friend is at home. *Who* is at home?: *My friend* (subject of sentence, *nominative* case!)

The *nominative* case can also be the case of the *predicate* noun:

This is *my house*. What is this?: *My house* (predicate noun, *nominative* case!)

4. There is no *article* in Russian:

до́ктор $\left\{\begin{array}{l} \text{the doctor} \\ \text{a doctor} \\ \text{doctor} \end{array}\right.$

B. Pronouns; pronoun-adjectives

1. The following table presents the nominative case of pronouns and pronoun-adjectives (demonstrative and possessive). Note that the Russian possessive pronoun renders both the English possessive pronoun and the English possessive adjective; e. g. **мой** renders both "mine" (pron.) and "my" (adj.).

---

[1] See footnote 3 on preceding page.
[2] See footnote 4 on preceding page.
[3] This ending is always stressed.

(Noun)	Masculine (дом)		Feminine (кómната)		Neuter (окнó)	
Personal Pronoun	он	he	онá	she	онó	it
Demonstrative Pronoun-Adjective	этот тот	this that	эта та	this that	это то	this that
Possessive Pronoun-Adjective	мой	my mine	моя́	my mine	моё	my mine

2. Он, онá, онó, refer to animate beings and inanimate objects in accordance with their *grammatical* gender:

учи́тель — он, дáма — онá, стол — он, дверь — онá, ружьё — онó.

3. The pronoun-adjective э́тот, э́та, э́то "this" (pl.: э́ти "these") when used as an adjective agrees, like all adjectives, in gender, number and case with the noun to which it refers. But the form э́то is also an impersonal verbal expression — uninflected and indeclinable — and means "this (that) is," "these (those) are":

Этот дом   This house
Эта кóмната   This room
Это окнó   This window
(Эти кóмнаты   These rooms)[1]

BUT

Это — дом.   This is a house.
Это — кóмната.   This is a room.
Это — окнó.   This is a window.
(Это — кóмнаты.   These are [the] rooms.)

V. QUESTIONS

(Based on the Reading Exercise)

1. Как поживáете? 2. Как женá? 3. Как рабóта? 4. Что на фотогрáфии? (What is on the photograph? *Answer:* На фо-

---

[1] The plural is taken up systematically in later lessons.

тогра́фии мой дом. На фотогра́фии моя́ жена́, etc.) 5. Это
зда́ние — го́спиталь и́ли музе́й? 6. Кто э́тот господи́н? 7. Как
фами́лия? 8. Он меха́ник? 9. Рабо́тает он на заво́де?

VI. GRAMMAR EXERCISES

a. Write out all nouns given in the Reading Exercise. Give their
gender and English meaning, thus: дом — masculine — "house."

b. Read the following sentences. Substitute the proper pronouns
(он, она́, оно́) for the forms in bold type. Translate into English.

1. **Этот дом** — мой; **э́та ко́мната** — моя́. 2. **Это зда́ние**
не го́спиталь, а музе́й. 3. **Мой друг** рабо́тает сего́дня на за-
во́де, а **моя́ жена́** до́ма. 4. **Граждани́н Семёнов** сего́дня на ра-
бо́те, а **гражда́нка Семёнова** до́ма. 5. **Никола́й Ива́нович** не
чита́ет. 6. **Мой това́рищ** рабо́тает на заво́де день и ночь.
7. **Пётр Ива́нович** — инжене́р и́ли до́ктор? 8. **Мой друг**
бы́стро отвеча́ет «Он и инжене́р и до́ктор и поэ́т. Ое
ге́ний!»

c. Give the Russian equivalents of the words in parentheses:

1. Вот мой (doctor). 2. Это мой (friend). 3. Это мой
(house). 4. Тут моя́ (room). 5. До́брое (morning). 6. Она́ моя́
(wife). 7. Он — (engineer). 8. Тут мой (house), а там (hospital).
9. Он (poet), а не (doctor). 10. Серге́й Андре́евич мой (friend).
11. Вот (news)! 12. Это моя́ (photograph).

d. Replace the words in parentheses by the proper forms of the
pronoun-adjectives мой, моя́, моё:

1. Вот (my) сад. 2. Это (my) до́ктор. 3. Он (my) друг.
4. Она́ (my) жена́. 5. Тут (my) това́рищ. 6. Там (my) дом.
7. Это (my) гара́ж. 8. Вот (my) фотогра́фия. 9. Как (my)
фами́лия? 10. Там (my) го́спиталь.

e. Replace the words in parentheses by the proper forms of the
pronoun-adjectives э́тот, э́та, э́то, тот, та, то:

1. Что э́то? (This) — дверь. 2. А что э́то? (This) — окно́.
3. (This) дверь тут, а (that) окно́ там. 4. Что э́то? (This) —
дом. 5. (This) дом — музе́й, а (that) — го́спиталь. 6. (This)
окно́ — ку́хня, а (that) — моя́ ко́мната. 7. Что э́то? (This)
— по́ле, а (that) — сад. 8. А что э́то? (This) — моя́ ко́мната.
9. А кто э́то? (This) — мой друг. 10. А кто э́то? (This) —
моя́ жена́.

VII. TRANSLATION INTO RUSSIAN

A

1. This is my house. 2. Here is the kitchen and there is my room. 3. Is this building a hospital? 4. No, it is a museum. 5. My friend, Peter Ivánovich, works there. 6. Is he a poet or a doctor? 7. He is an engineer, a genius! 8. He works day and night. 9. He works at a factory. 10. Today he does not work; he is not at the factory, but at home.

B

1. How are you? 2. What is your last name? 3. This is my wife, Alexandra Ivanovna. 4. She is not working today; she is reading. 5. That is news! 6. Where is citizeness Alekseeva? 7. My wife answers: — She is at the factory.— 8. How does she work? 9. She works very well and very fast. 10. The bell. My wife opens the door. 11. Who is it? 12. This is citizen Semyonof. 13. My friend Ivan Ivanovich Semyonof answers slowly. 14. He is not a genius.

REFERENCE TABLE I

Cases

(This table is for reference only and need not be memorized.)

There are *six* cases in Russian. They are the *nominative, genitive, dative, accusative, instrumental,* and *prepositional* (or *locative*).

Cases and main uses:	For further explanation see:
Nominative: used as the case of the *subject*	Lesson 2
used as the case of the *predicate noun,* always answers the questions *"who?" "what?"*	Lesson 2
Genitive: used to denote *possession,* answers the questions *"whose?" "of what?"*	Lesson 6
also used in *negative* expressions	Lesson 6
also used with certain *prepositions*	Appendix
Dative: used as the case of the *indirect object,* denoting the *recipient* of something, answers the questions *"to whom?" "to what?"*	Lesson 7
also used with certain *prepositions*	Appendix
Accusative: used as the case of the *direct object,* denoting the *person* or *object directly* affected by an action, answers the questions *"whom?" "what?"*	Lesson 3
also used with certain *prepositions*	Appendix
Instrumental: used to denote the *instrument* or *agent* by which an action is performed, answers the questions *"by whom?" "by what?" "with what?"*	Lesson 8
also used with certain *prepositions*	Appendix
also used as the case of the *predicate noun* with certain verbs	Lesson 21
Prepositional: always preceded by certain *prepositions* ..	Lesson 4
often indicates *locality,* answers the questions *"where?"*	Appendix
(never *"where to?"*), *"about whom?" "about what?"*	Lesson 4

REFERENCE TABLE II

Vowel Mutation Rules A, B, C

There are in Russian three rules of special importance. They explain many of the "irregularities" in the declension of the Russian noun, pronoun, and adjective, as well as in the conjugation of the Russian verb. They will be referred to frequently.

Rule A: After the consonants г, к, х, ж, ч, ш, щ, ц the *soft* vowel я changes to its *hard* equivalent **a.** and the *soft* vowel ю changes to its *hard* equivalent **y.**

Rule B: After the consonants г, к, х, ж, ч, ш, щ (not ц!) the *hard* vowel ы changes to its *soft* equivalent и.[1]

Rule C: After the consonants ж, ч, ш, щ, ц the *hard* vowel o, if *unstressed,* changes to the *soft* vowel e.

---

[1] Notice, however, that after ж and ш the vowel и, though always written и, is pronounced hard (i. e. like ы): жить (zhît^y) "to live"; пиши́ (pishî)! "write"!

ТРЕТИЙ УРОК

THIRD LESSON

*Accusative singular of masculines and neuters — Indeclinable
neuters — Present tense of the first conjugation —
Double negative — Use of* что

I. COMMON EXPRESSIONS AND IDIOMS

По-ру́сски	In Russian, Russian
В Росси́и	In Russia
Вот кто мно́го рабо́тает!	Here is someone who works a lot!
Так мно́го, как . . .	As much as
Це́лый день	The whole (entire) day

II. READING EXERCISE

Сего́дня инжене́р Бра́ун[1] мой гость. Он америка́нец, а я
ру́сский. Он хорошо́ понима́ет **по-ру́сски.** Я спра́шиваю
го́стя:

— Вы не скуча́ете в Росси́и?

— Нет, я не скуча́ю. Я рабо́таю на заво́де. Когда́ я кон-
ча́ю рабо́тать, я чита́ю журна́л и́ли слу́шаю ра́дио.

— А я сейча́с так мно́го рабо́таю, что я **ничего́**[2] не чита́ю
и **никогда́** не слу́шаю ра́дио.

— Да, **в Росси́и** все мно́го рабо́тают. Вы зна́ете до́ктора
Че́хова[3]?

— Да, коне́чно. До́ктора Че́хова все зна́ют!

— **Вот кто мно́го рабо́тает!** Никто́ не рабо́тает **так мно́-
го, как** до́ктор Че́хов! —

III. VOCABULARY [4]

америка́нец	an American	журна́л	periodical, magazine
все	all, everybody	когда́	when
гость (m.)	guest	коне́чно	of course

---

[1] Бра́ун "Brown" (proper name).

[2] Ничего́ pronounce "nichyevo."

[3] Note that proper names are declined in Russian.

[4] The student is reminded to look for the boldfaced words of the
Reading Exercise in the Common Expressions and Grammar sections,
not in the Vocabulary.

по-ру́сски	in Russian, Russian	ру́сский	a Russian, Russian (adj.)
ра́дио	radio	что	what, that[1]
Росси́я	Russia		

Personal Pronouns

Person	Singular		Plural	
First	я	I	мы	we
Second	ты	thou, you	вы, Вы[2]	you
Third	он, -а́, -о́	he, she, it	они́	they

Verbs

знать (I)[3]	to know	скуча́ть (I)	to be bored
конча́ть (I)	to end, finish	слу́шать (I)	to listen (to)
понима́ть (I)	to understand	спра́шивать (I)	to ask (a question)
рабо́тать (I)	to work		

IV. GRAMMAR

A. Noun. Accusative case

1. *Its use.* One of the principal uses of the *accusative* case is to express the *direct* object; that is, the person or thing immediately affected by the action expressed in the verb. It answers the question "whom? " "what? "

| Он чита́ет журна́л. | He is reading the periodical. |
| Он зна́ет э́то ме́сто | He knows this place. |

2. *Its form.* The *accusative singular* of masculine nouns

---

[1] Consult note on p. 35 for the use of что.

[2] The personal pronoun ты is used when addressing relatives, close friends, children, and animals. Otherwise the polite personal pronoun вы should be used. The capitalized form of Вы is used mainly when addressing one person in writing.

[3] For an explanation of the use of this device of indicating the conjugation of a verb see p. 35.

that indicate *inanimate* things, and of *all* neuter nouns, is exactly like their nominative:

		Hard[1]	Soft	Soft[1]
Masculine	Nominative	стол	музе́й	дождь
	Accusative	стол	музе́й	дождь
Neuter	Nominative	ме́сто	по́ле	
	Accusative	ме́сто	по́ле	

The *accusative* of masculine nouns that indicate *animate* beings (persons, animals, but *not* plants) has the ending **-a** when "hard" and **-я** when "soft":

	Hard	Soft
Nominative	до́ктор	гость
Accusative	до́ктора	го́стя

Он хорошо́ зна́ет до́ктора.   He knows the doctor well.
Он спра́шивает го́стя.   He asks the guest.

When a soft *neuter* noun has the stress on the ending, the **e** of the ending changes to **ё** in the nominative and accusative cases: Nom. ружьё; Acc. ружьё "the rifle."

Neuter nouns of foreign origin such as ра́дио "radio," метро́ "subway," пальто́ "overcoat," and кино́ "movie" never change in form (are not declined). Adjectives modifying them, however, are declined.

B. Verb

Russian verbs fall into two basic groups according to the type of endings which they take in their conjugation. We shall call these two basic groups the *first* and *second* conjugations, respectively. In this lesson is introduced the *present* tense of the regular *first* conjugation.[2] The regular verb чита́ть "to read" is used as an example.

1. To conjugate this type of verb in the present tense, drop from the infinitive form чита́ть the ending **-ть**.[3]

---

[1] See Introduction II for an explanation of the terms "hard" and "soft."

[2] For the *second* conjugation, see Lesson 8.

[3] The infinitive of Russian verbs usually ends in **-ть**; sometimes in **-ти** or **-чь**.

2. To the resulting stem **читá**, add the personal endings **-ю, -ешь, -ет, -ем, -ете, -ют,** thus:

Person		*Singular*
First	я читá-**ю**	I am reading; I read
Second familiar	ты читá-**ешь**	you are reading; you read
Third	он, онá онó читá-**ет**	he, she, it is reading; reads

Person		*Plural*
First	мы читá-**ем**	we are reading; we read
Second familiar and polite	вы читá-**ете**	you are reading; you read
Third	онú читá-**ют**	they are reading; they read

Note: Beginning with this lesson, verbs are given in a special section of the Lesson-Vocabulary. Verbs of the *first* conjugation, unless irregular, will be given in the vocabulary followed by the Roman numeral I, thus: **читáть**(I) to read.

C. The double negative

The *double negative,* avoided in English, is used in Russian. The negative particle **не** is *never* omitted no matter how many other negative words are used and it always immediately precedes the word it negates:

Он **ничегó не** читáет.	He does not read anything.
	Lit.: He nothing not reads.
Никтó не читáет.	Nobody reads.
	Lit.: Nobody not reads.
Он **никогдá не** читáет.	He never reads.

Note that the **не** usually *follows* the other negative parts of the sentence: **никтó не читáет; ничегó не знáет.**

Use of что

Что is used both as an interrogative pronoun:

Что он читáет?	*What* is he reading?

and as a conjunction:

Я так мнóго рабóтаю, **что** я ничегó не читáю.
I work so much *that* I read nothing.

The conjunction **что** is *always* preceded by a comma.

Что, the interrogative pronoun is always stressed;
Что, the conjunction is never stressed.

V. QUESTIONS

1. Кто — инженéр Брáун? 2. Понимáет ли он по-рýсски?
3. Где рабóтает инженéр Брáун? 4. Когдá он читáет журнáл?
5. Когдá он слýшает рáдио? 6. Мнóго ли мы сейчáс рабóтаем?
7. Читáем ли мы сейчáс? 8. Слýшаем ли мы сейчáс рáдио?
9. Как все рабóтают в Россúи? 10. Кто знáет дóктора Чéхова?

VI. GRAMMAR EXERCISES

Exercise with Grammar A

Read and supply endings wherever necessary:

1. Где мой (дом)? 2. Я слýшаю (рáдио). 3. Ты читáешь
(журнáл). 4. Инженéр Брáун — мой (гость). 5. Ты спрáши-
ваешь (гость). 6. Я знáю э́то (здáние). 7. Знáешь ли ты
(дóктор) Чéхова? 8. Я не рабóтаю так мнóго как э́тот (дóктор). 9. Это здáние (завóд), а то (гóспиталь). 10. Товáрищ
Брáун — (инженéр), а товáрищ Чéхов (дóктор). 11. Он спрáшивает (дóктор). 12. Он не понимáет (друг).

Exercises with Grammar B

a. Conjugate in the *present* tense.

1. Я рабóтаю на завóде. 2. Я читáю журнáл.

b. Supply the correct *present* tense forms of the verbs in
parentheses:

1. Где ты (рабóтать)? 2. Что он (читáть)? 3. Онá (слý-
шать) рáдио. 4. Мы (знать) э́то здáние? 5. Онú (спрáшивать)
дóктора. 6. Вы сегóдня не (рабóтать)? 7. Ты (скучáть) в
Россúи? 8. Да, я не (понимáть) по-рýсски. 9. Онú (рабóтать)
цéлый день. 10. Мой гость хорошó (понимáть) по-рýсски.

Exercise with Grammar C

Change the following sentences into the negative, using the
words in parentheses:

1. Онá читáет (ничегó). 2. Сейчáс рабóтает (никтó).
3. Он слýшает рáдио (никогдá) 4. Ты скучáешь (никогдá).

VII.   TRANSLATION INTO RUSSIAN

A

1. My guest is an engineer. 2. He is an American. 3. He understands Russian well. 4. He is not bored in Russia. 5. He is working at a plant. 6. When he finishes working, he listens [to] the radio or reads a periodical. 7. Everybody (all) works a lot in Russia. 8. I work so much now that I do not read anything. 9. My guest knows Doctor Chékhov. 10. Here is one who works a lot! 11. Nobody works as much as Doctor Chékhov.

B

1. What is Doctor Petrov reading? 2. He is reading a periodical. 3. He reads slowly. 4. He does not understand Russian very well. 5. Do you understand Russian? 6. Yes, I understand Russian well and read Russian very quickly. 7. Do you (pl.) listen to the radio? 8. Yes, we listen to the radio, and when we listen, we are never bored. 9. I ask Mr. Pavlov: Do you know the mechanic, Mr. Chekhov? 10. Yes, he answers, I know Mr. Chekhov very well. 11. How does he work? 12. He works well and very quickly, day and night. 13. Fine, thank you, Mr. Pavlov! 14. You are my friend. 15. I ask and you answer quickly. 16. Thank you! Good bye.

ЧЕТВЕРТЫЙ УРОК

FOURTH LESSON

Prepositional singular of masculines and neuters—Prepositions **в, на, о** *— Verbs* **кушать, есть** *"to eat" — Use of* **где** *and* **когда** *—* **есть** *"there is," "there are"*

I. COMMON EXPRESSIONS AND IDIOMS

Утром	In the morning
Днём	In the daytime, during the day
Вечером	In the evening
На обед	For dinner
«Русский Народ»	"The Russian People"
О чём?	About what?

II. READING EXERCISE

Моя фамилия — Петров. Мой друг Иван и я работаем **в** городе. Мой друг — доктор. Он работает **в** госпитале. Я работаю **в** банке.

В здании, **где** я работаю, **есть** ресторан. Мой друг и я часто там обедаем.

На обед в ресторане мы иногда **едим** суп. Иван всегда **ест** мясо, а я часто **ем** только сыр, хлеб и масло.

Я работаю целый день, а **вечером** я всегда дома. Дома я думаю **об** отдыхе. Дома моё место **на** диване! Я слушаю радио или читаю. Я часто читаю журнал «Русский Народ». Сейчас в журнале я читаю **о** поэте Пушкине[1].

Утром я опять **в** городе и опять работаю целый день **в** банке.

III. VOCABULARY

банк	bank	город	city
вечер	evening	диван	divan, sofa
всегда	always		

---

[1] Aleksàndr Sergéyevich Púshkin (1799-1837) is generally considered the father of modern Russian literature and its greatest representative.

иногда́	sometimes	рестора́н	restaurant
ма́сло	butter	суп	soup
ме́сто	place, room	сыр	cheese
мя́со	meat	то́лько	only
наро́д	people, nation	хлеб	bread
опя́ть	again	ча́сто	frequently, often
о́тдых	rest		

Verbs

де́лать (I) to do   обе́дать (I) to dine
ду́мать (I) to think   (*Cf.* "Grammar" B and D.)

IV. GRAMMAR

A. Noun. Prepositional case

1. *Its use.* As the name implies, the prepositional case can be used only after certain prepositions.

With the preposition **о** (**об, о́бо**)[1] it renders the English preposition "about," "concerning":

Ты ду́маешь **о** дру́ге.   You think about [your] friend.
Он ду́мает **об** о́тдыхе.   He thinks about rest.

With the prepositions **в** (**во**)[2] "in" and **на** "on," this case serves to express the *position* of an object or person. It answers the question "where?":[3]

Я рабо́таю **в** го́роде.   I am working in the city.
На столе́ хлеб и ма́сло.   On the table are bread and butter.

2. *Its form.* The *prepositional* singular of masculine and neuter nouns ends in **-е**.

---

[1] Об is used before vowels: об о́тдыхе; о́бо before certain double consonants: о́бо мне "about me."

[2] Во is used before certain double consonants: во мне "in me."

[3] For the use of в and на with the *accusative* see Grammar Section A of Lesson 5.

An important exception are neuter nouns in -ие (зда́ние), which end in -и:

		Hard	Soft	Soft
Masculine	Nominative	стол	музе́й	дождь
	Prepositional	столе́	музе́е	дожде́
Neuter	Nominative	ме́сто	по́ле	зда́ние
	Prepositional	ме́сте	по́ле	зда́нии.

B. Verb. The verbs кýшать and есть "to eat"

1. Both есть and кýшать mean "to eat." Есть is by far the more widely used term.

Я ем суп.   I eat soup.
Мы еди́м до́ма.   We eat at home.

Кýшать is found only in polite forms and is usually used in the second person:

Вы кýшаете там?   Do you eat there?

2. *Conjugation in the present tense of the "irregular" verb* есть *"to eat"*:

Person	Singular	Plural
First	Я ем	мы еди́м
Second	ты ешь	вы еди́те
Third	он, она́, оно́ ест	они́ едя́т

**C.   Где and Когда́ as interrogative adverbs and
        as conjunctions**

Где "where" and когда́ "when" are used in Russian as they are in English:

a. as *interrogative* adverbs:

Где вы обе́даете?   Where do you dine?
Когда́ вы обе́даете?   When do you dine?

b. as *conjunctions,* joining two clauses:

Я зна́ю, **где** вы обе́даете.   I know where you dine.
Я зна́ю, **когда́** вы обе́даете.   I know when you dine.

Remember that in Russian dependent clauses are *always* set off by commas.

D.   Есть "there is," "there are"

Есть *must* be used whenever the fact of the existence of a person or a thing is to be established:

1.   **Есть хлеб?**   Is there bread?
     Да, **есть** or simply: **Есть!**   Yes, there is!

On the other hand whenever the existence is not in question, есть is *not* used:

2.   Где хлеб?   Where is the bread?
     Хлеб на столе́.   The bread is on the table.

Notice that in these sentences the existence of bread is not questioned, the query refering to its location only. (For the negative "there is, there are *not,*" see Lesson 6, Grammar Section C.)

V.   QUESTIONS

1.Кто рабо́тает в го́роде? 2. Где рабо́тает до́ктор Ивано́в? 3. Где рабо́тает Петро́в? 4. Есть ли рестора́н в зда́нии, где Петро́в рабо́тает? 5. Ча́сто ли Петро́в и Ива́н там обе́дают? 6. Что они́ иногда́ едя́т на обе́д в рестора́не? 7. Всегда́ ли Ива́н ест мя́со? 8. Что Петро́в ча́сто ест на обе́д? 9. Где Петро́в ве́чером? 10. Что де́лает Петро́в ве́чером? 11. Что он ча́сто чита́ет? 12. О чём он чита́ет сейча́с в журна́ле «Ру́сский Наро́д»?

VI.   GRAMMAR EXERCISES

Exercises with Grammar A

a. From the Reading Exercise write out all nouns,[1] giving their *gender, case,* and English meaning, for example:

фами́лия   feminine   nominative   "last name"

---

[1] Leave out those in "idiomatic" expressions.

b. Supply the correct case forms of the nouns in parentheses:

1. Они работают в (город). 2. В (здание), где я работаю, есть (ресторан). 3. Ты сегодня обедаешь в (ресторан). 4. Когда я работаю, я не думаю об (отдых). 5. Они читают в (журнал) о (доктор) Чехове. 6. Она сегодня не работает на (завод). 7. На (стол) хлеб, сыр и масло. 8. Дома моё место на (диван). 9. Мой дом в (город). 10. Мой друг работает в (госпиталь), а я в (банк).

Exercise with Grammar B

In the following phrases supply *present* tense forms of есть or кушать "to eat," according to context:

1. Утром я ..... сыр, а вечером я ..... мясо. 2. Она ..... суп. 3. ..... он хлеб? 4. Да, он ..... и хлеб, и масло и сыр. 5. ..... вы суп? 6. Да, мы иногда ..... суп. 7. Ты ..... в ресторане или дома? 8. Утром я ..... дома, а днём и вечером я ..... в ресторане. 9. Они часто ..... тут. 10. А где ты ..... ? 11. Вы тут никогда не ..... ? 12. Да, мы часто тут .....

Exercises with Grammar C and D

Supply где or когда according to context (state whether they are used as interrogative adverbs or as conjunctions) and place есть "there is, are" wherever necessary:

1. ..... ресторан в здании? 2. Да, в здании, ... я работаю ..... ресторан. 3. ..... я читаю, я никогда не скучаю. 4. Он не знает, ... доктор Чехов. 5. Он спрашивает друга, ... журнал. 6. ..... вы кушаете? — В ресторане. 7. ..... тут радио? 8. Да, ... ! 9. ..... вы слушаете радио? — В комнате. 10. ..... вы слушаете радио? — Вечером. 11. ..... он дома, он никогда не работает. 12. ..... он работает? — На заводе? 13. Я не знаю, ... он работает. 14. ..... хлеб и масло? — На столе. 15. ..... хлеб на столе? Да, ... !

VII. TRANSLATION INTO RUSSIAN

A

1. My name is Petróv. 2. I am a doctor. 3. I work in a hospital in the city. 4. In the building where I work [there] is a restaurant. 5. I often eat there. 6. For dinner I eat soup and meat. 7. Sometimes I eat only bread, butter, and cheese. 8. My friend Iván always eats bread, butter, soup, and meat. 9. When you work all day, in the evening you think of rest.

10. In the evening my friend Iván and I are frequently at home. 11. We listen to the radio or read. 12. Now I am reading about the poet Púshkin in the periodical "Russian People." 13. In the morning we are again in the city and work all day.

B

1. Where do you (sing. fam.) eat? 2. I often eat at home and sometimes at the restaurant. 3. What do you (pl.) eat? 4. When do you (sing. pol.) eat? 5. We always eat soup and meat for dinner and sometimes bread and butter. 6. Where do you work? 7. In the morning and during the day, I work in the bank. 8. In the evening I work at the hospital. 9. Where is the periodical? 10. There on the table! 11. What does Mr. Chekhov read in the periodical "The Russian People"? 12. I don't know what he is reading about. 13. Of course, he is again reading about the engineer, Mr. Pavlov. 14. Mrs. Semyonova always thinks about rest — in the morning, in the daytime, in the evening. 15. At home her place is on the sofa. 16. In the evening she is always at the movies. 17. She never works, never reads, and never listens to the radio. 18. She is bored all day long.

ПЯТЫЙ УРОК

FIFTH LESSON

Prepositions в, на — *Present tense of the "irregular" verbs*
класть, жить, идти, éхать

I. COMMON EXPRESSIONS AND IDIOMS

Идёт снег	It is snowing
Идёт дождь	It is raining
Ну!	Well!
Ну и день!	What a day!
Ничегó!	It does not matter!
Вот как!	Is that so!
Как поживáете? ⎫ Как живёшь? ⎬ ————	How are you?
Или ... или	Either . . . or
Что идёт в кинó?	What is playing at the movies?
Ехать так éхать!	If we want to go, we had better go!
Идý	I am coming!
Едем?	Are we going (leaving)?
На автомобúле	By car, in the car
На метрó	On the subway

II. READING EXERCISE

— Ну, Пáвел Николáевич, éдем?

— Да, да сейчáс ..... А вы знáете **идёт снег!** Или э́то дождь? ..... **Ну и день!**

— **Ничегó!** Мы éдем на автомобúле. А Кóля тóже éдет в гóрод?

— Нет, Кóля тепéрь живёт в гóроде.

— **Вот как!** ..... Здрáвствуй, Мáша[1] **как живёшь?** А ты éдешь в гóрод?

— Нет, я сейчáс **идý на** урóк, а потóм **на собрáние.** А вы сегóдня не рабóтаете, товáрищ Петрóв?

---

[1] Мáша is an endearing diminutive form of Марúя "Mary."

44

— Конéчно, я рабóтаю. Я сейчác éду прямо **на** завóд.
А кудá вы **идёте** сегóдня вéчером, Пáвел Николáевич?
— Я ещё не знáю. **Или в** теáтр **йли на** концéрт **йли в**
кинó. А **что** сегóдня идёт **в кинó**?
— Я не знáю ..... Ну, Пáвел Николáевич, **éхать так éхать!**
— Хорошó, хорошó ..... Идý! До-свидáния Мáша!

III. VOCABULARY

автомобйль (m.)	auto, car	**прямо**	straight, directly
гарáж	garage	**снег**	snow
ещё	yet, still, more	**собрáние**	meeting, gathering, collection
концéрт	concert	**студéнт**	student
кудá	where, whereto	**теáтр**	theater
но	but	**тепéрь**	now
пóезд	train	**тóже**	also, too
потóм	afterwards, then	**трамвáй**	streetcar
		урóк	lesson

(*Verbs* are in Grammar B.)

IV. GRAMMAR

A. Prepositions в (во) and на (continued)

1. In Lesson 4 it was explained that **в** and **на** with the
prepositional case express *position* (location). Now we must
remember that these same prepositions when used with the
accusative case express *direction* (motion) *into* or *on* a place,
respectively. They answer the question "where to?"

Я éду **в** гóрод.	I am going (driving) into the city (down town).
Он кладёт журнáл **на** стол.	He puts (places) the periodical on the table.

2. *Special uses of the preposition* **на**:

a. **На** with the *prepositional* case often renders the
English preposition "at":

Он **на** концéрт**е**.	He is at the concert.
Онá **на** урóк**е**.	She is at [her] lesson.

b. На with the *accusative* often renders "to," "into":

Мы идём **на** концéрт.   We are going to the concert.
Они́ иду́т **на** уро́к.   They are going to [their] lesson.

The preposition **на** instead of **в** is ordinarily used when attendance at a function is expressed:

на концéрте, **на** уро́ке, **на** обéде.   At the concert, lesson, dinner.

B. "Irregular" first conjugation verbs

Many first conjugation verbs have endings that differ slightly from those we studied in Lesson 3. Instead of ending in -ю, -ешь, and so on, these verbs have the present tense endings -у́, -ёшь, -ёт, -ём, ёте, -у́т when stressed, and -у, -ешь, -ет, -ем, -ете, -ут when unstressed. At the same time their stem consonants usually change, as we can see in the sample verbs **класть** "to put" and **жить** "to live":

Present tense of **класть** "to put, place":

Person	Singular	Plural
First	я кладу́	мы кладём
Second	ты кладёшь	вы кладёте
Third	он, онá, онó кладёт	они́ кладу́т

Present tense of **жить** "to live":

Person	Singular	Plural
First	я живу́	мы живём
Second	ты живёшь	вы живёте
Third	он, онá, онó живёт	они́ живу́т

C. The "irregular" verbs идти́ and éхать

Present tense of идти́[1] "to go":

Person	Singular	Plural
First	я иду́	мы идём
Second	ты идёшь	вы идёте
Third	он, онá, онó идёт	они́ иду́т

---

[1] See also Lesson 8.

Идти́ means "to go on foot." There are, however, some important idiomatic expressions using идти́, such as:

Идёт снег.	It is snowing.
Идёт дождь.	It is raining.
Что идёт в кино́?	What is being shown in the movies?
По́езд идёт.	The train is going, running.
Трамва́й идёт.	The streetcar is going, running.

In order to express the English "to go" in the meaning of "to go by vehicle," "to ride," the verb е́хать must be used in Russian.

Present tense of е́хать[1] "to go by vehicle," "to ride":

Person	*Singular*	*Plural*
First	я е́ду	мы е́дем
Second	ты е́дешь	вы е́дете
Third	он, она́, оно́ е́дет	они́ е́дут

Note that е́хать has the stress on the first syllable throughout its conjugation, in contrast to идти́, which has it on the last. Also notice the change of the stem consonant **x** of the infinitive to **д** in its conjugational forms.

"Irregular" verbs such as the above that do not follow exactly the conjugational pattern of the regular first conjugation (see Lesson 3: чита́ть) will be given in *four "key" forms*:

Infinitive	*First Pers. Singular*	*Second Pers. Singular*	*Third Pers. Plural*
класть	я кладу́	ты кладёшь	они́ кладу́т

Of these forms, the *second* person *singular* is the key to all forms not explicitly given, and fixes the position of the stress for all persons, except the *first* person *singular*:

ты кладёшь:	он, -а́, -о́	кладёт;	мы кладём;	вы кладёте
ты живёшь:	он, -а́, -о́	живёт;	мы живём;	вы живёте
ты идёшь:	он, -а́, -о́	идёт;	мы идём;	вы идёте
ты е́дешь:	он, -а́, -о́	е́дет;	мы е́дем;	вы е́дете

---

[1] See also Lesson 8.

When a verb is completely irregular, its full present tense conjugation and all other irregular forms will be given either in the grammar section or in the Lesson-Vocabularies.

V. QUESTIONS

1. Куда́ мы идём сего́дня? 2. Как мы е́дем? 3. Идёт ли дождь? 4. Идёт ли снег? 5. Едет ли Ко́ля в го́род? 6. Где живёт тепе́рь Ко́ля? 7. Едет ли Ма́ша в го́род? 8. Куда́ е́дет Ма́ша? 9. Рабо́тает сего́дня това́рищ Петро́в? 10. Куда́ е́дет това́рищ Петро́в? 11. Едет он на метро́ и́ли на автомоби́ле? 12. Куда́ идёт Па́вел Никола́евич? 13. Зна́ет ли он, что идёт сего́дня в кино́?

VI. GRAMMATICAL EXERCISES

Exercises with Grammar A

a. From the Reading Exercise write out all nouns, giving their *gender, case,* and English meaning. (For pattern see Lesson 4.)

b. Supply endings wherever necessary:

1. Мой автомоби́ль в гараж—'. 2. Утром, я е́ду в го́род—. 3. Ве́чером мы идём в теа́тр—. 4. Вы е́дете на автомоби́л—. 5. Я рабо́таю в ба́нк—. 6. Он ду́мает о дру́г—. 7. Что идёт сего́дня в кин—'. 8. Сейча́с она́ на уро́к—. 9. Сего́дня ве́чером мы идём на собра́ни—. 10. На собра́ни— никто́ не скуча́ет. 11. Идёте вы на конце́рт—? 12. Нет, я е́ду в го́род и иду́ в музе́—, а пото́м на уро́к—.

c. Supply the prepositions в or на according to context:

1. Он е́дет . . . . . го́род. 2. Я иду́ . . . . . уро́к. 3. Она́ кладёт журна́л . . . . . стол. 4. Хлеб . . . . . столе́. 5. Ты живёшь . . . . . го́роде? 6. Мы идём сего́дня ве́чером . . . . . конце́рт. 7. До́ма моё ме́сто . . . . . дива́не. 8. Едешь ты . . . . . теа́тр и́ли . . . . . кино́? 9. Автомоби́ль . . . . . гараже́. 10. Они́ тепе́рь . . . . . конце́рте и́ли . . . . . уро́ке? Они́ . . . . . собра́нии.

Exercises with Grammar B and C

a. Conjugate in the *present* tense:

1. Я живу́ в го́роде. 2. Я кладу́ журна́л на стол. 3. Я иду́ на собра́ние. 4. Я е́ду в го́род.

b. Supply the correct *present* tense forms of the verbs in parentheses:

1. Кто (идти) в музей? 2. Ты (ехать) на автомобиле?
3. Они (ехать) на собрание. 4. Мы (идти) на урок. 5. Она
(идти) в госпиталь. 6. Где (жить) инженер Петров? 7. Он
(жить) тут. 8. Я (жить) в городе. 9. Я (спрашивать) друга:
10. Что (идти) сегодня в кино? 11. (Идти) снег или дождь?
12. (Идти) поезд? 13. Нет, поезд сейчас не (идти). 14. Что
вы (класть) на стол?

VII. TRANSLATION INTO RUSSIAN

A

1. Pável Nikolá.evich, are we going downtown (into the city) today? 2. No, it is raining and snowing. 3. What a day! 4. It doesn't matter! 5. We are going by car. 6. Is Kólʸa also going? 7. No, Kólʸa lives in the city now. 8. Másha, are you going downtown? 9. Yes, now I am going to the museum and in the evening to a meeting. 10. Aren't you going to the theater? 11. No, not today. 12. Comrade Petróv, are you working today? 13. Yes, I am driving straight to the plant. 14. Well, Pável, well Másha, if we want to go, we had better go!

B

1. Where does Comrade Petrov live? Citizen Petrov lives in the city. 3. Where do you live? 4. We also live in the city. 5. Do they live in this (этом) house? 6. No they live and work in a hospital. 7. Are you going to the museum today? 8. No, today I am going to the theater. 9. What is playing at the movies? 10. I never know what is playing at the movies. 11. Are you (pol.) driving down town by car today? 12. No, today I am going on the subway. 13. My car is again in the garage. 14. But my friend Pavlov is going by car. 15. Do they always put the magazine on the table? 16. No, they sometimes put this magazine on the sofa or on a chair. 17. He puts the bread and the meat on the table. 18. Where do you (sing. fam.) put the butter? 19. Always on the table, of course! 20. Fine! Thank you!

ADDITIONAL READING MATERIAL

Based on the vocabulary and grammar of preceding lessons

ГОСПОДИН СОКОЛОВ

Моя фамилия — Соколов. Я — доктор. Мой брат Иван — инженер. Мы работаем в городе. Утром Иван едет в город на автомобиле. Когда он в городе, он идёт прямо на завод, где он работает.

Утром я тоже еду в город, но на метро. Я работаю в госпитале. Мой друг Павел работает в банке. В здании, где работает Павел есть ресторан. Павел, я и Иван часто обедаем там. Павел иногда ест или суп или хлеб и масло. Я всегда ем только мясо.

На заводе Иван работает быстро и хорошо целый день. В госпитале никто не работает много и я целый день думаю об отдыхе. Когда Иван кончает работать, он идёт на собрание в клубе. Он скучает дома вечером!

Вечером я часто дома. Дома я слушаю радио или читаю. Иногда вечером я еду опять в город. В городе я иду или в театр или на концерт или в кино. Но когда идёт снег или дождь я всегда дома.

Когда мой друг Павел кончает работать, он в городе и идёт иногда на урок, а иногда на собрание.

ШЕСТОЙ УРОК

SIXTH LESSON

Genitive singular of masculines and neuters—Negative expressions with the genitive — Сколько, мало, много *with the genitive—Prepositions* без, после, у — *Translation of "to have"—Verbs* мочь, уметь *"to be able"*

I. COMMON EXPRESSIONS AND IDIOMS

Читать по-русски	To read (in) Russian
Читать по-английски	To read (in) English
Я совсем не умею читать.	I cannot read at all.
Мне всё равно, что ты думаешь.	It's all the same to me (I don't care) what you think.
Мне и дома хорошо.	I am just as happy at home.
Ни ... ни	Neither . . . nor

II. READING EXERCISE

Сегодня никто не работает. Сегодня праздник. Мой брат и я дома. Брат читает у окна, а я слушаю радио.

— Что ты сейчас читаешь? — спрашиваю я брата.

— Диккенса.

— **По-русски** или **по-английски**?

— Конечно, по-русски; я очень плохо читаю **по-английски**.

— А **я** совсем не умею читать по-английски!

— Ты так мало читаешь, что я не знаю, **умеешь** ли ты **читать по-русски**!

— **Мне всё равно, что ты думаешь!** Ты идёшь сегодня вечером на собрание в клубе?

— Нет, сегодня у меня в клубе **нет** собрания.

— А что ты делаешь утром?

— Я не знаю. Утром я ничего не делаю.

— А куда ты идёшь **после** обеда?

— Никуда! **Мне и дома хорошо!**

Я хорошо знаю брата. Он никогда не скучает. Он **может** читать **без** отдыха, целый день.

51

III VOCABULARY

брат	brother	потому́ что	because
здесь	here	почему́	why
клуб	club	пра́здник	holiday
никуда́	nowhere	профе́ссор	professor
обе́д	dinner	совсе́м	completely,
перо́	pen, feather		entirely
письмо́	letter	так	so, thus
пло́хо	badly	учи́тель (m.)	teacher
по-англи́йски	English, in English		

Verbs

писа́ть; пишу́, пи́шешь, пи́шут   to write

(See also Grammar D.)

IV. GRAMMAR

A. Noun. Genitive case

1. *Its use*:

a. One of the principal uses of the genitive case is to indicate *possession*. It answers the questions "whose?" "of what?":

Дом до́ктора	The doctor's house
Журна́л учи́теля на столе́.	The teacher's magazine is on the table.

b. In *negative* expressions the *genitive* is used instead of the *accusative* to express the *direct* object:

Positive	Я зна́ю го́род.	I know the city.
Negative	Я **не** зна́ю го́рода.	I do not know the city.
		Lit.: I know not of the city.

c. **Нет (не+есть)** "there is (are) no" is always used with the *genitive* case:

Здесь **нет** стола́.	There is no table here.
Нет ме́ста.	There is no room (space).

d. **Ско́лько** "how much, how many," **ма́ло** "little," "few," **мно́го** "much," "many," "a lot" are always followed by the *Genitive* case:

Ско́лько хле́ба?	How much (of) bread?
Мно́го хле́ба	Much (of) bread
Ма́ло мя́са	Little (of) meat

2. *Its form*:

The *genitive* singular of masculine and neuter nouns has the ending **-a** when hard and **-я**[1] when soft.

		Hard	Soft	Soft
Masculine	Nominative	стол	музе́й	дождь
	Genitive	стола́	музе́я	дождя́
Neuter	Nominative	ме́сто	по́ле	
	Genitive	ме́ста	по́ля	

Compare these endings with the accusative endings of the animate masculine nouns in Lesson 3.

B. Prepositions with the genitive case

The prepositions	у	at, near
	без	without
	по́сле	after

are always followed by the *genitive* case:

Я чита́ю **у** окна́.	I read at the window.
Он ест хлеб **без** ма́сла.	He eats bread without butter.
По́сле теа́тра мы е́дем домо́й.	After the theater we go home.

Note that the preposition **у** means "at," "next to" when followed by an inanimate noun; it means "at," "at one's home," "in one's possession" (See Section C) when followed by an animate noun.

Он **у стола́**.	He is (stands) at the table.
Она́ сейча́с **у до́ктора**.	She is now at the doctor's.
Сего́дня мы обе́даем **у дру́га**.	Today we are having dinner at [our] friend's home.

---

[1] For Vowel Mutation Rule, see p. 31.

C. Translation of "to have"

Another very important use of **у** with the *genitive* is in the translation of "to have":

У брáта журнáл.	The brother has a magazine. *Lit.*: At the brother's [is a] magazine.

Note that the *direct object* ("magazine") of the English sentence becomes the *subject* in the Russian sentence, thus appearing in the *nominative*.

To express "I have, you have, he has," and so on, **у** with the *genitive* of the personal pronouns **я, ты, он,** etc., must be used:

У меня	I have	**У нас**	we have
У тебя (fam.)	you have	**У вас**	you have
У вас (pol.)			
У негó	he, it has	**У них**	they have
У неё	she has	**У когó?**	who has?

Есть "there is" is used when the fact of possession is in question:

Есть у брáта журнáл?	*Has* the brother a magazine? *Lit.*: *Is there* at the brother's a magazine?
Да, у брáта **есть** журнáл.	Yes, the brother *has* a magazine.

Negative context is rendered by means of **нет** (**не + есть**):

У брáта **нет** журнáла.	The brother does not have a magazine.

Notice that **журнáл** is in the *genitive* because **нет** must always be used with *genitive* (see above A1c). The Russian literally says: "At the brother's there is not of magazine".

У меня и **у негó** нет хлéба.	I and he do not have bread.
У тебя и **у неё** нет мяса.	You and she do not have meat.
Нет у вас дрýга?	Don't you have a friend?
У нас нет дрýга.	We do not have a friend.
У когó нет дрýга?	Who does not have a friend?
У них нет дрýга.	They do not have a friend.

D. Verb. The "irregular" verb мочь and the verb уме́ть

Present tense of мочь "to be able to," "to be in a position to":

Person	Singular	Plural
First	я могу́	мы мо́жем
Second (fam.)	ты мо́жешь	вы мо́жете
Third	он, она́ оно́ мо́жет	они́ мо́гут

Present tense of уме́ть "to be able to," "to know how to":

Person	Singular	Plural
First	я уме́ю	мы уме́ем
Second (fam.)	ты уме́ешь	вы уме́ете
Third	он, она́, оно́ уме́ет	они́ уме́ют

It is important to distinguish between the verbs мочь and уме́ть:

Мочь is generally used to render *physical ability*:

Вы не мо́жете е́хать в го́род; по́езд не идёт.
You cannot go downtown; the train is not running.
Я не могу́ писа́ть! Нет пера́! I cannot write! There is no pen!

Уме́ть is generally used to render "to know how," i. e. to show mental and/or physical *skill*:

Она́ тепе́рь уме́ет чита́ть по-ру́сски. | She knows now how to read Russian.
Я не уме́ю писа́ть по-ру́сски. | I cannot (do not know how to) write Russian.

V. QUESTIONS

1. Кто сего́дня рабо́тает? 2. Почему́ брат сего́дня не рабо́тает? 3. Что де́лает брат? 4. Что он чита́ет? 5. Почему́ он чита́ет Ди́ккенса по-ру́сски? 6. Уме́ете ли вы чита́ть по-англи́йски? 7. Мно́го ли вы чита́ете? 8. Идёт ли брат ве́чером в клуб? 9. Почему́ он не идёт в клуб? 10. Что де́лает он у́тром? 11. Куда́ он идёт по́сле обе́да? 12. Скуча́ет ли он до́ма? 13. Что он мо́жет де́лать це́лый день без о́тдыха?

VI. GRAMMAR EXERCISES

Exercises with Grammar A

a. Supply endings:

1. Это ко́мната профе́ссор—. 2. Друг бра́т— сего́дня
до́ма. 3. Дом инжене́р— в го́род—. 4. Как фами́лия до́ктор—?
5. Ско́лько хле́б— на стол—'? 6. На столе́ мно́го хле́б—, но
ма́ло мя́с—. 7. На обе́д он ест ма́ло су́п—. 8. Я чита́ю в жур-
на́ле това́рищ— о поэ́те Пу́шкине. 9. Тут ма́ло ме́ст—. 10. Это
журна́л до́ктор— Че́хова.

b. Change the following sentences to the negative:

1. Они́ слу́шают ра́дио. 2. На столе́ письмо́. 3. Он чита́ет
письмо́ дру́га. 4. В зда́нии есть теа́тр. 5. Я пишу́ письмо́.
6. Есть тут перо́? 7. Она́ кладёт журна́л на стол. 8. Утром
они́ едя́т суп. 9. Автомоби́ль в гараже́. 10. В клу́бе сего́дня
собра́ние.

Exercises with Grammar A and B

a. Give the correct case forms of the nouns in parentheses:

1. Автомоби́ль у (гара́ж). 2. Утром я рабо́таю на (за-
во́д) без (меха́ник). 3. По́сле (уро́к) мы идём обе́дать. 4. Я
сейча́с у (до́ктор). 5. Он сего́дня у (учи́тель)? 6. По́сле (чай)
они́ е́дут в клуб. 7. Очень пло́хо жить без (друг). 8. Что э́то
там у (зда́ние)?

b. Translate the prepositions in parentheses and supply endings:

1. Брат чита́ет (at) окн—'. 2. (After) обе́д— мы идём в
теа́тр. 3. Мой друг мо́жет чита́ть (without) о́тдых— це́лый день.
4. Я не могу́ писа́ть (without) пер—'. 5. Она́ сего́дня (at) до́к-
тор—. 6. Сего́дня мы обе́даем (at) това́рищ— Ива́нова. 7. Они́
не мо́гут е́хать в го́род (without) автомоби́л—. 8. Эта ко́мната
(without) окн—'.

Exercises with Grammar C

a. Supply the correct case forms of the nouns in parentheses:

1. Журна́л у (инжене́р)? 2. Нет, у него́ нет (журна́л).

3. Есть у вас (дом) в го́роде? **4.** Нет, у нас там нет (дом). **5.** Нет ли у (друг) (автомоби́ль)? **6.** Нет, у (това́рищ) Ива́нова нет (автомоби́ль). **7.** Сего́дня у́тром у нас нет ни (хлеб), ни (ма́сло), ни (сыр). **8.** У (брат) сего́дня гость.

b. Translate the phrases in parentheses:

1. (I have) кни́га, а (you have) журна́л. **2.** (They have) всегда́ чай, хлеб и сыр. **3.** (We have) сего́дня гость. **4.** (She has) в ко́мнате то́лько дива́н и стол. **5.** (He has) сейча́с уро́к. **6.** (Who has) журна́л «Ру́сский Наро́д»? **7.** (I have) сего́дня пра́здник. **8.** (Thou hast not) ра́дио? **9.** Нет, (I have) ра́дио. **10.** (They have not) автомоби́ля. **11.** (The guest has) фотогра́фия. **12.** (The brother does not have) стола́. **13.** (Who does not have) хле́ба? **14.** (The engineer has) гара́ж и автомоби́ль.

Exercises with Grammar D

a. Conjugate in the *present tense*:

1. Я могу́ идти́ в теа́тр. **2.** Я уме́ю чита́ть по-ру́сски.

b. Give the correct *present* tense forms of the verbs in parentheses:

1. Мой друг (скуча́ть) без теа́тра. **2.** Ты (писа́ть) письмо́ сейча́с? **3.** Мы (мочь) е́хать в го́род на автомоби́ле. **4.** Вы (уме́ть) писа́ть по-ру́сски? **5.** Вы (мочь) тепе́рь идти́ на уро́к. **6.** Она́ (уме́ть) чита́ть по-англи́йски. **7.** Она́ не (мочь) писа́ть без пера́. **8.** Я не (мочь) есть так мно́го су́па. **9.** (Уме́ть) ты чита́ть по-ру́сски? **10.** Да, я (чита́ть) по-ру́сски, но ещё не (уме́ть) писа́ть.

VII. TRANSLATION INTO RUSSIAN

A

1. My brother and I are at home. **2.** We do not work today. **3.** Today is a holiday and nobody works. **4.** I am listening to the radio, and my brother is reading Dickens. **5.** He reads [it] in Russian. **6.** He cannot read English. **7.** I read English very well but I cannot read Russian. **8.** I read very little. **9.** [My] brother thinks that I cannot read at all. **10.** But I don't care what he thinks. **11.** I am now going downtown. **12.** I ask [my] brother: "Where are you going today?" **13.** "Nowhere! I am just as happy at home." **14.** "Well, good bye!" **15.** My friend and I are having dinner at the club. **16.** After dinner we are going to the theater.

B

1. How are you? 2. Quite well, thank you! 3. Why can you not go after the theater to the meeting at the club? 4. Because I cannot finish [my] lesson during the day. 5. I cannot work fast. 6. I don't know how to write Russian. 7. My wife does not write English. 8. Do you (pol.) know how to read and write English? 9. Yes, I am now writing a letter in English. 10. I always work at [my] brother's home. 11. Why do you not work in the house of [your] teacher? 12. Because [my] teacher does not own (have) a house. 13. He lives in the house of [my] brother. 14. Do you (sing. fam.) own a car? 15. No, I can live very well without a car in the city. 16. I can go on the subway. 17. And a streetcar also goes directly downtown. 18. Who does have a car? 19. The engineer Pavlov owns a car. 20. Where does he live? 21. He lives with us and is (just) now driving downtown. 22. Thank you! Good bye!

СЕДЬМОЙ УРОК | SEVENTH LESSON

Dative singular of masculines and neuters; preposition к **(ко)**
— Nominative (and accusative) singular of adjectives —
Давáть *"to give"*

I. COMMON EXPRESSIONS AND IDIOMS

Рáно у́тром	Early in the morning
На дворé	Out of doors, outside
	Lit.: On the courtyard
Нá небе ни óблака	[There is] not a cloud in the sky
На зáвтрак	For breakfast
К зáвтраку	For breakfast, by breakfast time
К обéду	For dinner, by dinner time
К у́жину	For supper, by supper time
Даю́т	They give, one is given

II. READING EXERCISE

Рáно у́тром товáрищ Вóлков открывáет окнó. Пóсле дождя́ **на дворé** хорошó! Вóздух свéжий, нéбо си́нее: **нá небе ни óблака!**

Товáрищ Вóлков живёт и рабóтает в колхóзе.

В колхóзе все зáвтракают рáно. **К зáвтраку** товáрищ Вóлков идёт в большóе, нóвое здáние. Это ку́хня. **На зáвтрак** товáрищу Вóлкову даю́т чёрный и́ли бéлый хлеб, мáсло и сыр. Он пьёт горя́чий чай и́ли молокó.

Пóсле зáвтрака товáрищ Вóлков éдет в пóле. День жáркий: **нá небе ни óблака!**

К обéду он éдет обрáтно в колхóз, а потóм опя́ть рабóтает в пóле без óтдыха.

Вéчером Вóлков идёт **к** товáрищу. Они́ иду́т в клуб. В клу́бе хорóшее рáдио. Там никтó не скучáет.

III. VOCABULARY

бе́лый, -'ая, -'ое	white	но́вый, -'ая, -'ое	new
большо́й, -а́я, -о́е	big, large	о́блако	cloud
во́здух	air	обра́тно	back
горя́чий, -'ая, -'ее	hot[1]	плохо́й, -а́я, -о́е	bad
двор	court, yard	после́дний, -'яя, -'ее	last
жа́ркий, -'ая, -'ое	hot[2]	ра́но	early
за́втрак	breakfast	све́жий, -'ая, -'ее	fresh
како́й, -а́я, -о́е	which, what kind of	си́ний, -'яя, -'ее	blue
		у́жин	supper
колхо́з	collective farm	хоро́ший, -'ая, -'ее	good
		чай	tea
молоко́	milk	чёрный, -'ая, -'ое	black
не́бо	sky		

Verbs

за́втракать (I)	to breakfast, have breakfast
закрыва́ть (I)	to close
объясня́ть (I)	to explain
открыва́ть (I)	to open
пить; пью, пьёшь, пью́т	to drink
у́жинать (I)	to sup, have supper

IV. GRAMMAR

A. Noun. Dative case

1. *Its use*:

a. The *dative* case is used to indicate the *recipient*. It is the case of the *indirect* object. It answers the questions "to whom?" "to what?":

Он пи́шет дру́гу письмо́.   He writes [his] friend a letter.

b. The *preposition* к (ко) is *always* followed by the *dative* case. When used with reference to persons, к (ко) generally means "to"; when used of things, к (ко) generally means "toward":

---

[1] "Hot" to the touch: горя́чий чай "hot tea."
[2] "Hot" as to temperature: жа́ркий день "hot day."

Я иду́ к дру́гу.	I am going to [my] friend.
Еדете вы к бра́ту?	Are you going (riding) to [your] brother?
Я иду́ к окну́.	I am going to (toward) the window.

c. With other verbs[1] the English preposition "to" is usually rendered in Russian simply by the *dative* case *without any preposition*:

| Я даю́ бра́ту журна́л. | I am giving the periodical to [my] brother. |
| Я объясня́ю дру́гу уро́к. | I am explaining the lesson to [my] friend. |

Note that the verb отвеча́ть is used with the *dative* and the verb спра́шивать with the *accusative*:

| Я спра́шиваю учи́теля. | I ask the teacher. |
| Я отвеча́ю учи́телю. | I answer (to) the teacher. |

Спра́шивать can also be used with y and the *genitive*:

| Я спра́шиваю у учи́теля. | I ask the teacher. |

2. *Its form.* The *dative* singular of masculine and neuter nouns ends in -y when hard and in -ю when soft:

		Hard	*Soft*	*Soft*
Masculine	Nominative	стол	музе́й	дождь
	Dative	столу́	музе́ю	дождю́
Neuter	Nominative	ме́сто	по́ле	зда́ние
	Dative	ме́сту	по́лю	зда́нию

B. Adjective

1. *Basic types of nominative singular endings*:

Masculine		*Neuter*		*Feminine*	
a. но́вый		но́вое		но́вая	
b[2]. большо́й	дом	большо́е	зда́ние	больша́я	ко́мната
c[3]. после́дний		после́днее		после́дняя	

[1] Transitive verbs (verbs taking the direct object).

[2] Type (b) adjectives always have the stress on their endings.

[3] Type (c) adjectives are called "soft" because their endings always begin with a "soft" vowel; most of them designate place and/or time.

2. *Changes in endings in accordance with vowel mutation
rules* (p. 28):

a. In accordance with Rule B, the masculine ending -ый
changes to -ий after the gutturals г, к, х and the sibilant
consonants ж, ч, ш, щ: ру́сский, горя́чий, хоро́ший, etc.

b. In accordance with Rule C, the *unstressed* neuter
ending -ое changes to -ее after the sibilant consonants ж, ч,
ш, щ, ц: горя́чее, хоро́шее, etc.
Stressed -óе does not change: большо́е.

3. In the vocabularies the nominative singular forms will
appear as follows: но́вый, -'ая, -'ое "new"; после́дний, -'яя
-'ee "last," "latest."

4. Note that the *accusative* of adjectives modifying
inanimate masculine nouns and *all neuter* nouns is exactly
like their *nominative*:

Nominative   но́вый стол; после́днее сло́во; большо́е зда́ние
Accusative   но́вый стол; после́днее сло́во; большо́е зда́ние

C. Verb

Present tense of the verb дава́ть "to give":

Person	Singular	Plural
First	я даю́	мы даём
Second (fam.)	ты даёшь	вы даёте
Third	он, -á, -ó даёт	они́ даю́т

VOCABULARY BUILDING

These units, placed at convenient intervals, suggest ways
to organize vocabulary for easier assimilation.

Adjectives and Adverbs

Adj.	Adv.		Adj.	Adv.	
горя́чий	горячо́	hot (of things)	жа́ркий	жа́рко	hot (mainly of weather)
плохо́й	пло́хо	bad	хоро́ший	хорошо́	good, well

Antonyms

бе́лый	white	чёрный	black
холо́дный	cold	горя́чий	hot

хоро́ший	good	плохо́й	bad
мно́го	much	ма́ло	little
открыва́ть	to open	закрыва́ть	to close

V. QUESTIONS

1. Что де́лает това́рищ Во́лков ра́но у́тром? 2. Хорошо́ ли на дворе́ по́сле дождя́? 3. Како́й во́здух? 4. Како́е не́бо? 5. Где живёт и рабо́тает това́рищ Во́лков? 6. Ра́но ли он за́втракает? 7. Куда́ идёт това́рищ Во́лков за́втракать? 8. Что даю́т това́рищу Во́лкову на за́втрак? 9. Куда́ е́дет това́рищ Во́лков по́сле за́втрака? 10. Како́й день? 11. Куда́ он е́дет к обе́ду? 12. Что он де́лает по́сле обе́да? 13. Куда́ он идёт ве́чером? 14. Что есть в клу́бе? 15. Кто скуча́ет в клу́бе?

VI. GRAMMAR EXERCISES

Exercises with Grammar A

a. From the Reading Exercise write out all nouns in the *genitive* and *dative* cases. (For pattern see Lesson 4.)

b. Supply endings:

1. Я отвеча́ю дру́г—. 2. Он идёт к до́ктор—. 3. Мы пи́шем письмо́ това́рищ— Во́лкову. 4. Вы идёте сего́дня к учи́тел—. 5. К обе́д— он е́дет в колхо́з. 6. К у́жин— он идёт домо́й. 7. На за́втрак това́рищ— даю́т хлеб, ма́сло и сыр. 8. На обе́д я даю́ бра́т— суп и мя́со. 9. На у́жин мы даём го́ст— суп, мя́со и чай. 10. Этот студе́нт бы́стро отвеча́ет профе́ссор—. 11. Мы ме́дленно отвеча́ем учи́тел— по-ру́сски. 12. Я иду́ к окн—'. 13. Вы идёте к учи́тел— на уро́к? 14. Кто идёт к зда́ни—? 15. Мы сейча́с е́дем на автомоби́ле к по́езд—.

Exercise with Grammar B

Supply the endings and translate:

1. Горя́ч— чай. 2. Си́н— не́бо. 3. Хоро́ш— друг. 4. После́дн— уро́к. 5. Жа́рк— день. 6. Бе́л— и́ли чёрн— хлеб. 7. Больш—' зда́ние. 8. Но́в— дом. 9. Свеж— во́здух. 10. Хоро́ш— ра́дио. 11. Бе́л— дверь. 12. Бе́л— о́блако. 13. Больш—' ку́хня. 14. Бе́л— снег. 15. Свеж— мя́со.

Exercises with Grammar B and C

a. Supply the *present* tense forms of the verbs and the endings of the adjectives:

1. Я (давáть) брáту хорóш— перó. 2. Я (есть) бéл— и чёрн-- хлеб, свéж— мáсло и свéж— сыр. 3. Я (пить) горя́ч— чай. 4. Сегóдня мой брат ничегó не (пить) и не (есть). 5. Я (спрáшивать) брáта: Почемý ты не (есть) и не (пить). 6. Брат не (отвечáть). 7. Дóктор (открывáть) нóв— журнáл и (читáть). 8. Инженéр Петрóв (мочь) читáть цéл— день. 9. На обéд мы (есть) суп и мя́со и опя́ть (пить) чай. 10. У нас в Росси́и все (пить) чай.

b. Conjugate in the *present* tense:

1. Я даю́ брáту журнáл. 2. Я даю́ дрýгу письмó.

VII. TRANSLATION INTO RUSSIAN

A

1. A large photograph. 2. My good friend. 3. A new garage. 4. The last building. 5. Fresh meat. 6. Fresh air. 7. A hot day. 8. Hot soup. 9. The last day. 10. Blue sky. 11. Black bread. 12. A white house. 13. He always reads the last word very slowly. 14. For breakfast they eat black bread and fresh butter. 15. They drink hot tea or fresh milk. 16. He places the large photograph on the table. 17. My teacher always reads the large Russian periodical "The Russian People." 18. The good student explains to [his] friend the new lesson.

B

1. I live and work on (in) a collective farm. 2. Early in the morning I open [my] window. 3. (It is) a beautiful (good) day. 4. There isn't a cloud in the sky. 5. The sky is blue; the air is fresh. 6. For breakfast I go into a big new building. 7. It is the kitchen. 8. Here I eat white or black bread, butter, and cheese. 9. Then I drive to (into) the field[s]. 10. I work all day without a rest. 11. For supper I ride back to the kolhóz. 12. I eat hot soup and fresh, good meat. 13. I drink hot tea or milk. 14. In the evening I go to [my] friend. 15. He also lives and works on the collective farm. 16. We read or go to the movies. 17. Early in the morning we drive again to the fields and work there all day.

ADDITIONAL READING MATERIAL

Based on the vocabulary and grammar of preceding lessons

МОЙ ДРУГ ДОКТОР ЧЕХОВ

Сегодня целый день идёт дождь. Я сегодня не работаю, сегодня праздник. Мой брат и я сейчас дома. Брат пишет письмо, а я скучаю. Сегодня вечером я еду в город, в клуб. Я ещё не знаю как я еду в клуб. Или на метро, или на трамвае, или на поезде. У меня нет автомобиля, а автомобиль брата в гараже.

Сегодня вечером у меня собрание в клубе. На собрании я никогда не скучаю.

Вот журнал «Русский Народ». Я открываю журнал. Ну, вот и новость! В журнале фотография доктора Чехова. Доктора Чехова я хорошо знаю, он мой друг. Я думаю, что он гений. Он не только доктор, но и инженер, и поэт. Он умеет работать! Иногда он работает и день и ночь.

В журнале пишут, что когда доктора Чехова спрашивают:

— Что вы делаете утром? —

— Я работаю всё утро, — он отвечает.

— А что вы делаете после обеда? —

— Конечно, работаю. —

— А куда вы идёте вечером?

— Никуда. Вечером я работаю дома: читаю, пишу... —

— Вы никогда не слушаете радио? —

— Нет, иногда я слушаю радио, но не так часто. Я слушаю радио, когда я ем, но не всегда. Дома у меня нет радио. —

— Вы совсем не думаете об отдыхе? —

— Я не могу думать об отдыхе. Я доктор, инженер, поэт! —

Да, думаю я, это энергия! Это мой друг Чехов! Он никогда не скучает!

ВОСЬМОЙ УРОК | EIGHTH LESSON

Instrumental singular of masculines and neuters; prepositions
между, над, перед, с (со) — *Present tense of the second
conjugation — Review of the singular declension
of masculines and neuters*

I. COMMON EXPRESSIONS AND IDIOMS

Домой	Home, homeward
Мне пора идти домой.	It is time for me to go home.
Очень жаль!	Too bad! It is a pity!
Надо быть . . .	One must be . . .
Идти пешком	To walk, go on foot
Совсем рядом	Very near; right next door
Да что вы говорите!	You don't say!
С трудом	With difficulty
Без труда	Easily; without trouble
Счастливого пути!	Happy journey! Bon voyage!

II. READING EXERCISE

— Ну, до-свидания! **Мне пора идти домой.**

— Куда вы спешите? Ещё рано!

— Нет, уже поздно. Вы забываете, что завтра рано утром я еду в Сталинград.

— Как вы едете? Поездом или пароходом?

— Я всегда езжу туда поездом.

— **Очень жаль,** что вы спешите. Но я понимаю, что перед отъездом надо быть дома не слишком поздно.

— Да, я сейчас еду домой, трамваем или на метро.

— Вы, конечно, можете идти пешком. Вы живёте совсем рядом.

— Нет, я живу теперь у брата..

— Вот как! А где живёт ваш брат?

— Его квартира над клубом «Красная Звезда». Это между домом инженера Брауна и зданием банка.

— Это американский инженер Браун?

— Да.

— Я хорошо знаю инженера Брауна. Он интересный человек, но я с трудом понимаю, когда он говорит по-русски. Мы с инженером Брауном всегда говорим по-английски.

— Да что вы говорите!? А на заводе с инженером Брауном все говорят только по-русски и без труда понимают инженера Брауна . . .

— Ну, до-свидания!

— До-свидания! Счастливого[1] пути!

III. VOCABULARY

американский, -'ая, -'ое	American	маленький, -ая, -ое	small
ваш, ваша, ваше	your, yours	отъезд	departure
		пароход	steamship
его	his, its	поздно	late
её	her, hers	рядом, рядом с	alongside, next to
завтра	tomorrow		
звезда	star	слишком	too, excessively
интересный, -'ая, -'ое	interesting	счастливый, -'ая, -'ое	happy, lucky
квартира	apartment	туда	there, thither
красный, -'ая, -'ое	red	уже	already
		человек	human being, man, person

Verbs

забывать (I)	to forget
лежать; лежу, лежишь, лежат	to lie, recline
спешить; спешу, спешишь, спешат	to hurry, be in a hurry

IV. GRAMMAR

A. Noun. Instrumental case

1. *Its use*:

a. The *instrumental* case, as its name implies, denotes the instrument or agent *by* which an action is performed. It answers the questions "by means of whom?" "by means of what?"

---

[1] Pronounce "Shchastlivəvə."

Он ездит поездом.   He goes by train.
Он пишет пером.   He writes with a pen.

Notice that the prepositions "by" and "with" are not translated here; the instrumental case is used without any preposition.

b. When the *instrumental* case is used with the *preposition* **c** (**co**), it renders "with" in the meaning of "along with," "in the company of":

Он идёт **c** братом в театр.   He goes with [his] brother to the theater.

c. The *prepositions*   между   between
                            над   above, over
                            перед   in front of, before

are *always* followed by the *instrumental* case:

Стол **между** окном и   The table is between the win-
  диваном.   dow and the sofa.
Моя комната **над** гаражом.   My room is above the garage.
Мой автомобиль **перед**   My car is in front of the house.
  домом.

2. *Its form*:

The *instrumental* singular of *masculine* as well as of *neuter* nouns has the ending **-ом** when "hard" and **-ем** when "soft":

		Hard	*Soft*	*Soft*
Masculine	Nominative	стол	музей	дождь
	Instrumental	столом	музеем	дождём[1]
Neuter	Nominative	место	поле	здание
	Instrumental	местом	полем	зданием

B.   Verb. The second conjugation

The regular verb говорить "to speak, to say" is used as an example.

1. To conjugate this type of verb in the present tense, drop from the infinitive form говорить the three last letters ить.

---

[1] Note that whenever the stress falls on the *instrumental* "soft" ending, the e changes to ё. (Ср. also ружьём "with the rifle.")

2. To the resulting stem **говор** add the endings **-ю, -и́шь, -и́т, -и́м, -и́те, -я́т:**

Person	Singular	Plural
First	я говор-ю́	мы говор-и́м
Second (fam.)	ты говор-и́шь	вы говор-и́те
Third	он, -а́, -о́ говор-и́т	они́ говор-я́т

Verbs belonging to this class will appear in the vocabularies followed by the Roman numeral II, thus: **говори́ть (II)** "to speak, to say." When a verb does not follow *exactly* the conjugational pattern of **говори́ть,** it will be given in four "key" forms, as set forth in Lesson 5. Note that, in accordance with Vowel Mutation Rule A, the first person singular ending **-ю** changes to **-y,** and the third person plural ending **-ят** changes to **-ат** when preceded by a sibilant consonant (**ж, ч, ш, щ, ц**): лежа́ть; я лежу́, ты лежи́шь, они́ лежа́т.

Note that **говори́ть с (со)** plus the *instrumental* renders "to speak with, to converse with." **Говори́ть** can also be used to render "to tell," but in this meaning it must be used with the *dative* (without **c**):

Я **говорю́** с учи́телем.
I am speaking (conversing) with the teacher.
But:

Я **говорю́** учи́телю, что я не уме́ю чита́ть по-ру́сски.
I am telling the teacher that I cannot read Russian.

3. *The verbs* **ходи́ть** *and* **е́здить:**

a. When the action of going (on foot) is *repeated* or *habitual,* use **ходи́ть** (instead of идти́):

Он ча́сто хо́дит в теа́тр.   He often goes to the theater.

b. When the action of riding, driving (going by a vehicle) is *repeated* or *habitual,* use **е́здить** (instead of е́хать):

Он всегда́ **е́здит** в го́род на   He always goes downtown on
метро́.   the subway.

c. Conjugation of

е́здить: е́зжу, е́здишь, е́здит, е́здим, е́здите, е́здят
ходи́ть: хожу́, хо́дишь, хо́дит, хо́дим, хо́дите, хо́дят

C. Review

Table of the full declension of *masculine* and *neuter* nouns in the *singular*:

	Hard	Hard	Soft	Soft	Soft	Soft
Nom.	стол	ме́сто	музе́й	гость	по́ле	зда́ние
Gen.	стола́	ме́ста	музе́я	го́стя	по́ля	зда́ния
Dat.	столу́	ме́сту	музе́ю	го́стю	по́лю	зда́нию
Acc.	стол	ме́сто	музе́й	го́стя	по́ле	зда́ние
Instr.	столо́м	ме́стом	музе́ем	го́стем	по́лем	зда́нием
Prep.	столе́	ме́сте	музе́е	го́сте	по́ле	зда́нии

Remember that the *accusative* of *animate masculine* nouns ends in -a when "hard," and in -я when "soft," being identical with the *genitive*.

V. QUESTIONS

(In answering the questions identify yourself with the persons in the Reading Exercise.)

1. Ра́но ли сейча́с? 2. Куда́ вы е́дете за́втра у́тром? 3. Как вы е́дете? 4. Как вы идёте домо́й? 5. Мо́жете ли вы идти́ пешко́м? 6. Где вы тепе́рь живёте? 7. Где кварти́ра бра́та? 8. Инжене́р Бра́ун ру́сский? 9. Хорошо́ ли говори́т по-ру́сски инжене́р Бра́ун? 10. Брат понима́ет инжене́ра Бра́уна, когда́ Бра́ун говори́т по-ру́сски? 11. Как говоря́т с инжене́ром Бра́уном на заво́де? 12. Хорошо́ ли там понима́ют инжене́ра Бра́уна?

VI. GRAMMAR EXERCISES

Exercises with Grammar A

a. Supply endings:

1. Я за́втракаю ра́но у́тр—. 2. Я ем хлеб с ма́сл— и сы́р—. 3. Я е́ду в го́род трамва́— и́ли на метр—'. 4. Днём я рабо́таю с профе́ссор— в музе́е. 5. Ве́чер— мы хо́дим с гост— в кино́ и́ли в теа́тр. 6. Тепе́рь я чита́ю с бра́т— о́чень интере́сный, ру́сский журна́л. 7. Я с труд—' чита́ю по-ру́сски. 8. Пе́ред отъе́зд—

мы говорим с учител— о Сталинграде. 9. Едете вы в Сталинград пароход—? 10. Нет, мы всегда ездим поезд—.

b. Give the correct case forms of nouns in parentheses:

1. Мой новый дом между (театр) и (банк). 2. Что это там перед (здание)? 3. Перед (окно) маленький стол. 4. У меня новая квартира над (клуб) «Красная Звезда». 5. Моё перо лежит вот там, на столе, между (журнал) и (хлеб). 6. Перед (отъезд) он пишет письмо другу. 7. Над (гараж) у него маленькая комната. 8. Над (облако) синее небо.

c. Translate the following sentences and explain in each case the use or omission of the preposition с:

1. Я еду трамваем. 2. Мы едем с братом в город. 3. Он говорит с профессором. 4. Ты ешь хлеб с сыром или с маслом? 5. Вы пишете пером? 6. Они едут в Ленинград поездом или пароходом?

d. Translate the prepositions in parentheses and supply endings:

1. Я пишу пер—'. 2. Он говорит (with) учител—. 3. Они едут поезд—. 4. Это кино (between) музе— и банк—. 5. (Before) обед— и (after) обед— мы слушаем радио. 6. (Above) город— большое облако. 7. Его новый автомобиль (in front of) дом—. 8. Вы говорите (with) профессор—.

Exercises with Grammar B

a. Give the *present* tense forms of the verbs in parentheses:

1. Где (лежать) перо? 2. Почему ты (спешить)? 3. Ты (забывать), что я завтра (ехать) в Сталинград. 4. Они не (говорить) с доктором. 5. Мы всегда (забывать), где (жить) товарищ Петров. 6. (Понимать) вы, когда господин Браун (говорить) по-русски? 7. (Говорить) вы по-английски? 8. Нет, я с трудом (говорить) и очень плохо (понимать) по-английски.

b. Supply the correct form of идти or ходить according to context:

1. Сегодня он не ..... на урок. 2. Они часто ..... на концерт. 3. Почему вы никогда не ..... в музей? 4. ..... ты

сего́дня ве́чером на собра́ние? 5. К обе́ду мы всегда́ ..... в
э́тот рестора́н.

c. In the above exercise supply correct forms of éхать or éздить
according to context.

Exercises with Grammar C (Review)

a. Decline in the *singular*:

1. чай. 2. дождь. 3. по́ле. 4. ме́сто. 5. наро́д. 6. собра́ние.

b. Supply endings and translate the prepositions and Common
Expressions in parentheses:

1. Зна́ете вы до́ктор— Че́хов—? 2. Никто́ не рабо́тает
(as much as) он. 3. Я рабо́таю (in) ба́нк—, а мой друг (at)
заво́д—. 4. (For dinner) мы всегда́ еди́м суп и мя́с—. 5. Мы
е́дем (to) го́род (by car). 6. Он не зна́ет, что сего́дня (is
playing in the movies). 7. Мой брат мо́жет (all day) чита́ть
(without) о́тдых—. 8. Он говори́т, что я (cannot read at all).
9. (After) дожд—' на двор—' хорошо́! Во́здух свеж—, не́бо
си́н—, на́ неб— ни о́блак—. 10. (For breakfast) даю́т това́·
рищ— чёрн— (or) бе́л— хлеб и горя́ч— ча—.

VII.   TRANSLATION INTO RUSSIAN
A

1. Today my friend, Mr. Brown, and I are going to Stalingrad. 2. "Are we going to Stalingrad by steamboat or train?"
I ask [my] friend. 3. "By train, of course!" he answers. 4. In
the evening, before [our] departure, we go to a restaurant
right next door and have supper. 5. "It is already very late; it
is time to go!" 6. "You don't say!" 7. We eat quickly. 8. We eat
only soup with bread and cheese and hurry to the train. 9. We
take (go by) the subway. 10. In Stalingrad we go to a friend
of Mr. Brown. 11. "What is his name?" I ask. 12. "Alexánder
Ivánovich Semyónof. He is a Russian, a very good engineer!"
13. "He lives in the building there, between the bank and the
movie." 14. Alexánder Ivánovich is at home. 15. We have
breakfast and then go by car to the plant where Alexánder
Ivánovich works. 16. We work all day at the plant without a
rest. 17. Only late in the evening do we go back home.

B

1. I live in the city. 2. My new house is small. 3. But I have a large, new kitchen. 4. The house is between the bank and the hospital. 5. In front of the house is a large building, a garage. 6. My new, black, white, and blue car is in the garage. 7. I always drive to [my] friend by car or subway. 8. We never go (ride) by train or streetcar. 9. My friend is a professor. 10. There is someone who works a lot, day and night! 11. He never rides. 12. He always walks (goes on foot) to the museum, where he is now working. 13. But today it is raining. 14. It is a very hot day. 15. What a day! 16. This evening (today in the evening) we cannot go to the theater, the concert, or the meeting at the club. 17. But Pavel says: "It does not matter! I am just as happy at home. 18. I can speak with [my] friend Ivan. 19. We have a radio. 20. Do you have a pen?" 21. "Yes, I have a new pen. 22. It is there on the table between the radio and the magazine." 23. "Thank you! Now I can write my Russian lesson, or a letter to [my] teacher in English or Russian. 24. Thus (and so) I am never bored."

ДЕВЯТЫЙ УРОК

NINTH LESSON

Dative and prepositional of feminine nouns and adjectives—
Хотéть *"to want to"—Omission of personal pronouns*

I. COMMON EXPRESSIONS AND IDIOMS

Рабóтать как машúна	To work like a machine; work very hard
По дорóге	On the way
Универсáльный магазúн	Department store
Что тут дýмать?	What's there to think? (It's obvious.)
Это хорóшая идéя!	That's a splendid idea!
Ну, прощáй!	Well, good bye; so long!
Скóлько стóит?	How much does it cost?

II. READING EXERCISE

Я рабóтаю на большóй фáбрике. Рабóта хорóшая, но скýчная. **Рабóтаешь** цéлый день, **как машúна!** Затó дóма молодáя женá, красúвая квартúра, удóбное крéсло . . .

По дорóге домóй я читáю в вечéрней газéте объявлéние: «Нóвая скáтерть — рáдость женé». Идý в **универсáльный магазúн.** В окнé магазúна красúвая скáтерть. Я спрáшиваю:

— **Скóлько стóит** эта скáтерть?

— Эта скáтерть óчень дорогáя! — говорúт продавщúца.

— Ничегó! — отвечáю я молодóй продавщúце. — «Нóвая скáтерть — рáдость женé», говорúт объявлéние.

На ýлице я встречáю приятеля.

— Кудá **спешúшь?** — спрáшиваю я.

— Я спешý в этот магазúн. Женá говорúт, что там сегóдня большáя распродáжа. Но я не пóмню, что онá **хóчет.**

— **Что тут дýмать!** — говорю я. — Вот в газéте **пúшут:** «Нóвая скáтерть — рáдость женé».

— Да, это хорóшая идéя.

— Конéчно . . . **Ну, прощáй!**

— До-свидáния!

74

VOCABULARY III

вече́рний, -'яя, -'ее	evening (adj.)	объявле́ние	advertisement
газе́та	newspaper	прия́тель (m.)	friend,
доро́га	road, way	продавщи́ца	saleswoman
дорого́й, -а́я, -о́е	expensive, dear	ра́дость	joy, happiness
		распрода́жа	sale
зато́	on the other hand, but then	ска́терть	tablecloth
		ску́чный, -'ая, -'ое	boring, tiresome
кни́га	book	сове́тский, -'ая, -'ое	Soviet
краси́вый, -'ая, -'ое	beautiful		
кре́сло	armchair	удо́бный, -'ая, -'ое	comfortable, convenient
маши́на	machine, engine	у́лица	street
		фа́брика	factory
молодо́й, -а́я, -о́е	young	цена́	price

Verbs

встреча́ть (I)	to meet
по́мнить (II)	to remember

IV. GRAMMAR

A. Noun. Dative and prepositional of the feminine in the singular[1]

The ending for both cases is -e when the nominative ends in -a or -я:

Nominative	ко́мната	ку́хня
Dative	ко́мнате	ку́хне
Prepositional	ко́мнате	ку́хне

-и when the nominative ends in -ия or -ь:

Nominative	фами́лия	дверь
Dative	фами́лии	две́ри
Prepositional	фами́лии	две́ри

B. Adjective

The *dative* and *prepositional* cases of the *feminine* adjective have the ending -ой when hard and -ей when soft:

---

[1] For a statement on the use of cases, refer henceforth to the Reference Table of Cases, p. 30.

	Hard	*Accented*	*Soft*
Nominative	но́вая	больша́я	после́дняя
Dative	но́вой	большо́й	после́дней
Prepositional	но́вой	большо́й	после́дней

Note that according to Vowel Mutation Rule C the *unstressed* -ой appears as -ей after the sibilant consonants ж, ч, ш, щ, ц: горя́чей, хоро́шей, etc.

C. Verb

1. The *present* tense of the irregular verb хоте́ть "to wish, want":

Person	*Singular*	*Plural*
First	Я хочу́	мы хоти́м
Second (fam.)	ты хо́чешь	вы хоти́те
Third	он, -а́, -о́ хо́чет	они́ хотя́т

Note that хоте́ть in the *singular* has the *first* conjugation endings and in the *plural* the *second* conjugation endings. Also notice the change of the т to ч in the *singular*.

2. *Omission* of the *personal pronoun* :

a. It is quite common in Russian to omit the personal pronoun, especially in conversation:

Хо́чешь чита́ть? Да, хочу́!	Do you want to read? Yes, I want to.
Идёшь сего́дня в теа́тр?	Are you going to the theater today?
Нет, не иду́.	No, I am not going.

b. By omitting the third person plural pronoun, an *impersonal* meaning can be conveyed:

Что говоря́т о но́вой кни́ге?	What do they (people) say about the new book?
Говоря́т, что э́то о́чень интере́сная кни́га.	They say (people are saying) that it is a very interesting book.
Чита́ют э́тот журна́л?	Do people read this periodical? Is this periodical read?

| Нет, не читáют. | No, people don't read (no one reads) this periodical; it is not being read. |

VOCABULARY BUILDING

Time Expressions

вчерá	yesterday	сегóдня	today	зáвтра	tomorrow
когдá	when		иногдá	sometime(s), at times
всегдá	always		никогдá	never

| ýтром | in the morning | вéчером | in the evening |
| днём | in the day (time); in the afternoon | нóчью | at night |

вчерá ýтром	yesterday morning	вчерá вéчером	yesterday evening
сегóдня ýтром	this morning	сегóдня вéчером	this evening
зáвтра ýтром	tomorrow morning	зáвтра вéчером	tomorrow evening

V. QUESTIONS

1. Где вы рабóтаете? 2. Какáя это рабóта? 3. Как вы рабóтаете цéлый день? 4. Хорошó ли дóма? 5. О чём вы читáете в вечéрней газéте? 6. Кудá вы идёте? 7. Что в окнé магазина? 8. О чём вы спрáшиваете? 9. Что говорит продавщица? 10. Что отвечáете вы молодóй продавщице? 11. Где вы встречáете приятеля? 12. Кудá он спешит? 13. Пóмнит ли он, что хóчет егó женá? 14. Что пишут в газéте? 15. Хорóшая ли это идéя?

VI. GRAMMAR EXERCISES

Exercises with Grammar A

a. From the Reading Exercise write out all feminine nouns and give their case and English meaning. (For pattern see Lesson 4.)

1. Скáтерт— большáя рáдост— жен—'. 2. Онá ничегó не отвечáет молодóй продавщиц—. 3. Онá никогдá не дýмает о цен—'. 4. Он спешит к жен—'. 5. Он пишет брáту о нóвой машин— на фáбрик—. 6. Я пишý об интерéсной рабóт— дрýгу. 7. Он тепéрь в Росс—'. 8. Он там рабóтает на большóй, нóвой фáбрик—. 9. Где фотогрáф—? 10. Онá тут в книг—. 11. На фотогрáф— мой приятель. 12. Вот я в квартир—.

брáта. 13. В мáленькой кóмнат— у брáта удóбное крéсло у окнá. 14. Я дýмаю о послéдней нóвост—. 15. В газéт— я читáю о большóй распродáж—. 16. Я идý к двéр—. 17. На ýлиц— я встречáю дрýга. 18. Он говорит, что сегóдня большáя распродáж—. 19. Я читáю дрýгу объявлéние в газéт—. 20. «Это хорóшая идé—», говорит он.

Exercises with Grammar B

a. From the Reading Exercise write out all feminine *adjectives* with the nouns they modify, giving their case and English meaning, as follows (15 forms in all):

на большóй фáбрике Prepositional "large, big"
хорóшая рабóта Nominative "good"

b. Give the *dative* and *prepositional* case forms of the following expressions:

1. большáя кýхня. 2. красивая скáтерть. 3. вечéрняя газéта. 4. послéдняя фотогрáфия.

c. Supply endings:

1. Я читáю дрýгу объявлéние в вечéрн— газéте. 2. «Это хорóш— идéя», говорит он. 3. Он даёт скáтерть молод—' женé. 4. Мы рабóтаем на больш—', нóв— фáбрике. 5. У негó мáленьк—, нóв— квартира. 6. Я пишý женé об интерéсн— рабóте.

Exercises with Grammar C

a. Conjugate in the *present* tense:

1. Я не пóмню, где вечéрняя газéта. 2. Я не хочý дýмать о рабóте.

b. From the Reading Exercise write out all sentences or phrases in which the *personal pronouns* are *omitted*. Translate them (4 instances in all).

c. Translate the following:

1. Что идёт в кинó? 2. Идёшь в кинó? 3. Идý! 4. Мнóго говорят о нóвой книге? 5. Говорят, интерéсная! 6. Пóмнишь, где онá? 7. Нет, не пóмню. 8. Знáешь дóктора Чéхова? 9. Да, знáю и чáсто встречáю! 10. Рабóтает день и ночь, как машина!

Exercise with Grammar A, B, and C

Give the correct *present* tense form of the verbs in parentheses and supply endings:

1. (Хоте́ть) вы жить в сове́тск— Росс—'? 2. Да, я (хо-те́ть), а они́ не (хоте́ть). 3. Ко́ля, почему́ ты не (хоте́ть) жить до́ма? 4. Потому́ что я (хоте́ть) жить в но́в— кварти́р— бра́та. 5. Мой брат (хоте́ть) рабо́тать тут на но́в—, бо́льш—' фа́брик—. 6. Сего́дня он (спеши́ть) домо́й. 7. На у́лиц— он (встреча́ть) дру́га. 8. Он (говори́ть) с дру́гом о бо́льш—' распрода́ж—. 9. Он не (по́мнить), что жен—' (хоте́ть). 10. В вече́рн— газе́т— объявле́ние об о́чень интере́сн— кни́г—.

VII. TRANSLATION INTO RUSSIAN

A

1. I live in a city. 2. I work at a new factory. 3. The work is tedious. 4. You work all day like a machine. 5. On the way home I meet a friend. 6. "Where are you hurrying to?" I ask [my] friend. 7. "I am hurrying to the new department store. 8. There is a big sale." 9. In the window of the store is a beautiful tablecloth. 10. We go into the store. 11. "How much does this tablecloth cost?" 12. "It is a very expensive table-cloth," the young saleswoman answers. 13. But we don't think of the price. 14. A beautiful tablecloth is a great joy to a wife. 15. "Well, good bye, my friend! I am hurrying home now to [my] wife. 16. Are you driving downtown to the club?" 17. "Yes, I want to listen to the new radio in the club." 18. "And (but) my wife and I are going to the theater tonight (today evening) after supper. Good bye!"

B

1. "What are you reading about in the evening paper?" 2. "I am reading an advertisement. 3. They are writing about an apartment in the new building downtown. 4. They say that it is a very large and beautiful [one], and not very expensive. 5. But it is right next to a movie house and above the club 'The Red Star'." 6. "You don't say! Too bad! I want an apartment in a house with a garden. 7. Do you want to read the evening paper?" 8. "No, thank you! It is a boring paper. 9. I am reading in a Russian book about the poet Pushkin. 10. I read Russian with difficulty, but then the book is such an (така́я) interest-ing [one]. 11. Where is the periodical 'The Russian People'?" 12. "I don't remember. Oh, it is lying there, on the sofa! 13. Do you remember the engineer Chekhov? 14. He writes in the periodical about a very interesting new machine. 15. It can read and write Russian without difficulty and never forgets anything (nothing)." 16. "That is news! How much does it cost?" 17. "Oh, it is a very expensive [one]." 18. "I don't care! (It's all the same to me!) The new machine is a joy to a stu-dent! 19. I am hurrying to (into) the department store." 20. "That's a splendid idea! Happy journey!"

ДЕСЯТЫЙ УРОК
TENTH LESSON

Genitive singular of feminine nouns and adjectives—Хотéть
"to want to," ждать *"to wait (for)"—Prepositions* для,
из, óколо, от—*Cardinal numerals 1-4*

I. COMMON EXPRESSIONS AND IDIOMS

Вот я и дóма!	Here I am at home!
Идú сюдá!	Come here!
На кýхне	In the kitchen
Наконéц-то!	Finally!
На это есть причúна.	There is a reason for it.
С нетерпéнием	Impatiently; with impatience
Что это за пакéт?	What kind of package is this?
Для когó?	For whom?
От когó?	From whom?
Вот спасúбо!	Thanks so much!
Как интерéсно!	How interesting!
Я гóлоден, голоднá	I am hungry. (m., f., sing.)
Ужин ещё не готóв.	Supper is not ready yet.
Всё давнó готóво.	Everything has been ready for a long time.

II. READING EXERCISE

Вот я и дóма!

— Тáня,[1] ты где?

— Это ты, Мúша?[2] Я **на кýхне. Идú сюдá!** Здрáвствуй,
мой дорогóй. **Наконéц-то** ты дóма! Как пóздно!

— Здрáвствуй, мúлая. Ты знáешь, что обыкновéнно я к
ýжину не опáздываю, но сегóдня **на это есть причúна.**
Вот как! Я **с нетерпéнием** жду объяснéния.

— Это длúнная истóрия! Сначáла я **хочý** ýжинать...

— Нет, нет. Я не хочý ждать!

— Ну, хорошó. Все знáют, что я серьёзный человéк и
читáю **три** úли **четы́ре** газéты кáждый день. В газéте читáешь
и о послéдней нóвости и о распродáже в магазúне . . .

---

[1] Тáня is an endearing form of Татья́на.
[2] Мúша is an endearing form of Михаúл.

— А, тепе́рь я понима́ю! **Что э́то за паке́т ты де́ржишь в руке́, Ми́ша? Для кого́?**

— Коне́чно, для дорого́й жены́.

— Ска́терть! **Вот спаси́бо!**

— Да, а вот письмо́ **от сестры́ из Москвы́.** Она́ там уже́ **две** неде́ли и живёт в гости́нице **о́коло** Кра́сной пло́щади.

— **Как интере́сно!** А что ещё она́ пи́шет?

— Э́то уже́ по́сле у́жина! Ты забыва́ешь, что **я го́лоден.** Или у́жин ещё не гото́в?

— Коне́чно, всё давно́ гото́во!

— Так идём у́жинать ! . . .

III. VOCABULARY

бума́га	paper	неде́ля	week
вода́	water	обыкнове́нно	usually
вопро́с	question	объясне́ние	explanation
гости́ница	hotel	отве́т	answer
давно́	long ago	паке́т	package
дли́нный,	long	пло́щадь	square, area
-'ая, -'ое		рука́	hand, arm
для	for[1]	серьёзный,	serious
исто́рия	story, history	-'ая, -'ое	
ка́ждый,	each, every	сестра́	sister
-'ая, -'ое		снача́ла	at first
ка́ша	porridge	час	hour
ми́лый,	dear, nice (one)		
-'ая, -'ое			

Verbs

держа́ть; держу́, де́ржишь, де́ржат	to hold
ждать; жду, ждёшь, ждут	to wait (for)
опа́здывать (I)	to be late

IV. GRAMMAR

A. Noun. Genitive of the feminine in the singular

The genitive case has the ending -ы when hard and -и when soft:

---

[1] "for" in the meaning of: "for the purpose of," "for the use of," "for the benefit of," depending on context.

	Hard	Soft	Soft
Nominative	кóмната	кýхня	дверь
Genitive	кóмнаты	кýхни	двéри

In accordance with Vowel Mutation Rule B the *genitive* ending -ы changes to -и when preceded by a guttural г, к, х or by a sibilant consonant ж, ч, ш, щ:

Nom. рукá. Gen. рукú; кнú**га**, кнú**ги**; кá**ша**, кá**ши**, etc.

B. Verb

1. Хотéть *"to wish, want"* :

This verb is followed by the *genitive* (instead of the accusative) when an *indefinite quantity* is expressed or implied:

Хотúте вы водб́і?	Do you want (some) water?
Нет, я **хочý** молокá.	No, I want (some) milk.
Я **хочý** чáю.	I wish (some) tea.
Онú **хотя́т** сáхару.	They want some sugar.

Notice the special *partitive* forms чáю and сáхару.

2. *The verb* ждать *"to wait for"* :

ждать is usually followed by the *genitive*:

Я жду пóезда.	I am waiting for the train.
Он ждёт брáта.	He is waiting for [his] brother.

C. Adjective. Genitive singular of the feminine

This case has the ending -ой[1] when hard and -ей when soft:

	Hard	Hard	Soft
Nominative	нóвая	большáя	послéдняя
Genitive	нóвой	большóй	послéдней

D. Prepositions with the genitive case

The prepositions для   for
                из   out of, from
                óколо   near, about, approximately,
                              next to
                от   from
are *always* followed by the *genitive* case:

[1] Note that according to Vowel Mutation Rule C the *unstressed* -ой appears as -ей after the sibilant consonants ж, ч, ш, щ, ц: горя́чей, хорóшей, etc.

Я де́лаю э́то **для** дру́га.	I am doing this for [my] friend.
Письмо́ **из** Росси́и	A letter from Russia (i.e. **out** of Russia)
Я чита́ю **о́коло** окна́.	I read near the window.
Я чита́ю **о́коло** ча́са.	I read about an hour.
Письмо́ **от** бра́та.	A letter from my brother.

Notice the difference in the meaning of **из** and **от**. **Из** is used to express motion from *within* a place. **От** is used to express motion *from the side* of some object or person, or to designate the *source* of something. Compare, for instance, the second and last sentences above.

Other prepositions with the *Genitive* were given on p. 53.

E. Cardinal numerals "one" through "four"

1. Оди́н "one" agrees in gender, case, and number with the noun it modifies: оди́н стол "one table"; одна́ ко́мната "one room"; одно́ перо́ "one pen."

2. Два "two," три "three," четы́ре "four" are followed by the *genitive singular* of the *noun*:

два стола́; три журна́ла; четы́ре до́ма

3. The numeral два "two" has a special form for the *feminine*, две: две ко́мнаты; две ку́хни; две кни́ги, etc.

Note that rule 2 applies only to the nominative and accusative (inanimate) of the numerals.

V. QUESTIONS

1. Где жена́? **2.** О чём спра́шивает жена́? **3.** Ча́сто ли вы опа́здываете к у́жину? **4.** Есть ли у вас сего́дня ве́чером на э́то причи́на? **5.** О чём вы чита́ете в газе́те? **6.** Что вы де́ржите в руке́? **7.** Для кого́ э́тот паке́т? **8.** Что в паке́те? **9.** От кого́ письмо́? **10.** Давно́ ли сестра́ в Москве́? **11.** Где она́ живёт? **12.** О чём забыва́ет ва́ша жена́? **13.** Гото́в ли у́жин?

VI. GRAMMAR EXERCISES

Exercises with Grammar A

a. From the Reading Exercise write out all *feminine* nouns, giving their case and English meaning. (For pattern see Lesson 4.)

b. Give the correct case form of the nouns in parentheses:

1. У него письмо для (жена). 2. Наш гость всегда встречает доктора Чехова у (дверь) госпиталя. 3. Вы из (Россия)? 4. Мой учитель живёт около (площадь). 5. Без (жена) я в город не езжу. 6. Тут на столе нет (бумага). 7. После жаркой (ночь) сегодня весь день дождь. 8. У вас на столе очень интересное письмо от (сестра). 9. Я не могу идти на урок без (книга). 10. Эта скатерть для (сестра).

Exercise with Grammar B

Give correct forms of the words in parentheses:

1. Я (ждать) (трамвай) около музея. 2. Они (ждать) (друг) из Москвы. 3. Товарищ Волков (хотеть) (молоко), а не (чай). 4. Вечером мы (ждать) (гость). 5. На завтрак мы (хотеть) (каша) с молоком. 6. Я знаю, что ты (ждать) (письмо) от сестры. 7. Почему ты не (хотеть) (хлеб)? 8. Они (ждать) большой (распродажа) в магазине. 9. Я (хотеть) (вода), (молоко) или (чай). 10. Я не (хотеть) ни (хлеб) ни (суп).

Exercise with Grammar C

Supply suitable adjectives in correct case forms:

1. У них нет ..... бумаги. 2. Я жду приятеля около ..... фабрики. 3. Эта ..... скатерть для жены. 4. Она живёт около ..... площади. 5. Этот стол для ..... кухни брата. 6. Эта книга для ..... гражданки. 7. Мы спрашиваем о цене у ..... продавщицы. 8. Это письмо от ..... жены. 9. Это письмо из ..... России.

Exercise with Grammar D

Supply suitable prepositions, selecting them from the following: для, из, около, от:

1. Эта красивая скатерть ..... жены. 2. Это письмо ..... России. 3. А то письмо ..... брата. 4. Мы теперь живём в доме ..... фабрики. 5. Новый гараж ..... дома. 6. Интересная книга ..... учителя. 7. Сыр и масло на столе, там, ... хлеба. 8. Продавщица идёт ..... магазина.

Exercise with Grammar E

Translate the numerals in parentheses and supply endings of nouns wherever necessary:

1. У брáта (2) кóмнат—. 2. На нóвой, совéтской фáбрике рабóтает (1) америкáнец—. 3. Тут тóлько (1) фотогрáф—. 4. В трамвáе есть (2) мéст—. 5. Здесь в гóроде (3) теáтр—. 6. В клýбе «Совéтский Писáтель» (4) рáди—. 7. Я живý в Москвé ужé (2) недéл—. 8. На нéбе тóлько (1) бéлое óблак—. 9. У дóктора в гаражé (2) автомобíл—. 10. У неё в кóмнате (1) дивáн—, (2) крéсл— и (1) стол—.

VII. TRANSLATION INTO RUSSIAN

A

1. On the way home I read in the evening paper about a big sale. 2. They say in the advertisement: "A new, beautiful tablecloth is always a great joy to [your] wife." 3. That is a splendid idea! 4. I walk (go) into the department store. 5. On a table is a large, beautiful, white tablecloth. 6. "How much does it cost?" I ask the saleslady. 7. "It is a beautiful cloth," she answers, "and not a very expensive [one]." 8. Here I am, at home! But it is already very late. 9. I am never late for supper. 10. But today I have a reason for it—the big package in [my] hand. 11. Tánya opens the door. 12. "At last you are at home! 13. How late! 14. And what are you holding there, in [your] hand? . . . 15. A package! For whom?" 16. "Of course, for [my] dear wife!" 17. "Oh, a beautiful new tablecloth! Thank you [so much] . . . And from whom is that letter there?" 18. "That is a letter from [your] sister, from Russia. 19. But that is a long story and I am very hungry. 20. Let's go (we go) to supper (to eat supper)."

B

1. Where does the mechanic Petrov live now? 2. I have here a letter from Petrov. 3. He writes that he is now working on the collective farm "The Red Star." 4. He has been working (is working) there already for three or four weeks. 5. He usually works two or three hours in the morning and four hours after dinner. 6. For a mechanic, a collective farm is a very fine and interesting place. 7. He has a small apartment without a sofa or a radio. 8. There are only two rooms in the apartment. 9. But there is a large table, and at the table two chairs, and next to the window a comfortable armchair. 10. And he has also a beautiful little garden. 11. Sometimes he breakfasts in his small kitchen and sometimes at the club. 12. For

dinner and supper he always goes to the club. 13. My friend Pavel often meets Comrade Petrov in the club. 14. There they talk about the latest (last) news (sing.) in the evening paper. 15. Today I am the guest of Comrade Petrov in his new apartment. 16. My place is in the armchair next to the window. 17. Above the table is a large photograph of Petrov's friend, the engineer Chekhov. 18. It is a very hot day, and we drink cold tea or milk, and eat only black Russian bread with butter and cheese. 19. The bell! Petrov opens the door. 20. It is his friend Doctor Ivanov. 21. He comes (goes) from the club and wants to go to the theater. 22. And so (thus), all of us (we all) drive downtown, go to the theater, and after the theater, late in the evening, we all go to the club to listen to the radio.

ADDITIONAL READING MATERIAL
Based on the vocabulary and grammar of preceding lessons

Я ЕДУ В ЧИКАГО

Сегодня утром я уезжаю из Вашингтона. Уже поздно и мне надо (I have to) спешить. Хорошо, что я еду без жены, думаю я. Моя милая жена делает (does) всё очень медленно, но зато очень хорошо. Она никогда никуда не спешит и, конечно, всегда опаздывает на поезд!

Ну, вот, наконец-то всё готово к отъезду.

— До-свидания, до-свидания! — говорю я жене.

— Счастливого пути! — отвечает она.

Вот я и в поезде. У меня удобное место около окна. Я люблю ездить поездом. В поезде я никогда не скучаю.

Я еду в Чикаго. Я редко езжу в этот шумный город. В Чикаго живёт мой хороший товарищ, инженер Петров. Когда я приезжаю в Чикаго я всегда иду в гости к Петрову.

Петров русский, но он давно живёт в Америке и очень хорошо говорит по-английски. Я умею немного читать и писать по-русски, но говорю и понимаю по-русски с трудом.

Вот у меня письмо от Петрова из Чикаго. Он пишет, что у него большая, новая квартира в городе, около красивой площади. Он работает целый день на фабрике, зато вечером думает только об отдыхе. Он часто ходит в театр, в кино, на концерт, ездит с приятелем в ресторан обедать или ужинать, а в хорошую погоду он иногда ездит в деревню. Петров любит природу, свежий воздух, но он не любит гулять, — он всегда ездит на автомобиле. Да, мой друг Петров умеет жить! Очень жаль, что не живёт в Вашингтоне!

ОДИННАДЦАТЫЙ УРОК | ELEVENTH LESSON

Accusative singular of feminine nouns and adjectives—
Prepositions че́рез, за, под—*Past tense;*
translation of "to have" (past)

I. COMMON EXPRESSIONS AND IDIOMS

Ходи́ть в го́сти	To go visiting
Е́здить в го́сти	To go (drive) visiting
В дере́вню	To the village; to the country
В дере́вне	In the village; in the country
Че́рез день, два	In a day or two
Ка́ждый раз	Every time
В после́дний раз	Last time
На пра́здники	For the holidays
Чита́ть вслух	To read aloud
Помога́ть по хозя́йству	To help around the house (in the housekeeping)
Хоть це́лый день	Even for a whole day; for an entire day, if you please
То . . . . . то	Now . . . now . . .
В го́ру . . . . . по́д гору	Up hill . . . down hill

II. READING EXERCISE

За́втра Никола́й е́дет **в го́сти** к ба́бушке, в дере́вню.

Ба́бушка всегда́ жила́ **в дере́вне.** Она́ люби́ла приро́ду, дереве́нскую жизнь, све́жий во́здух... Она́ ре́дко приезжа́ла в го́род. Никола́й по́мнил, что, когда́ ба́бушка приезжа́ла в го́род, она́ не могла́ ни спать, ни есть, ни пить и **че́рез день, два** уезжа́ла обра́тно в дере́вню! И **ка́ждый раз** она́ говори́ла:

— Ну, э́то уже́ **в после́дний раз** я сюда́ приезжа́ю!

Оте́ц[1] и мать[1] Никола́я рабо́тали на фа́брике и не могли́ е́здить в го́сти к ба́бушке. Зато́ они́ обеща́ли **на пра́здники** присыла́ть вну́ка.

Никола́й люби́л шу́мную, городску́ю жизнь, но и у ба-

---

[1] For the irregular declension of these nouns see Lesson 15 and 23, respectively.

бушки в дере́вне он не скуча́л. В хоро́шую пого́ду он ходи́л
че́рез мост, в сосе́днюю дере́вню. Там жил прия́тель Никола́я,
кузне́ц Семён.

Сосе́дняя дере́вня была́ далеко́. Доро́га то шла в го́ру, то
под го́ру. Но Никола́й мог гуля́ть хоть це́лый день! А ве́чером
он и́ли чита́л вслух ба́бушке интере́сную кни́гу, и́ли помога́л
по хозя́йству.

III. VOCABULARY

ба́бушка	grandmother	**мать**	mother
внук	grandson	**мост**	bridge
вчера́	yesterday	**муж**	husband
высо́кий,	high, tall	**оте́ц**	father
-'ая, -'ое		**пого́да**	weather
гора́	mountain	**приро́да**	nature
городско́й,	city, urban	**ре́дко**	rarely
-а́я, -о́е		**река́**	river
далеко́	far, far away	**сосе́дний**	neighboring
дереве́нский,	country, village	**-'яя, -'ее**	
-'ая -'ое	(adj.)	**сюда́**	here, hither
дере́вня	village	**шу́мный,**	noisy
жизнь	life	**-'ая, -'ое**	
кузне́ц	blacksmith		

Verbs

гуля́ть (I)	to walk, take a walk
люби́ть; люблю́, лю́бишь,	to love
лю́бят	
обеща́ть (I)	to promise
помога́ть (1) (+dat.)	to help
приезжа́ть (I)	to arrive
присыла́ть (I)	to send
спать; сплю, спишь, спят	to sleep
уезжа́ть (I)	to depart, drive away

IV. GRAMMAR

A. Noun. Accusative of the feminine in the singular

The *accusative* case has the ending -у when hard and -ю
when soft. The *accusative* of *feminine* nouns ending in -ь,
however, is like their *nominative*, also ending in -ь:

	Hard	Soft	Soft
Nominative	ко́мната	ку́хня	дверь
Accusative	ко́мнату	ку́хню	дверь

B. Adjective. Accusative of the feminine

The *accusative* case has the ending -ую when hard and
-юю when soft:

	Hard	Accented	Soft
Nominative	но́вая	больша́я	после́дняя
Accusative	но́вую	большу́ю	после́днюю

C. Prepositions

1. Че́рез "across, over" *always* takes the *accusative* case:

Он идёт **че́рез** у́лицу.	He goes across (crosses) the street.
По́езд е́дет **че́рез** мост.	The train crosses the bridge.

2. За[1] "behind" and под[1] "under" are followed by the
accusative case when they indicate *motion* to a place and
answer the question "where to?":

Я иду́ **за** дверь.	I go (step) behind the door.
Я кладу́ газе́ту **под** кни́гу.	I place the newspaper under the book.

For **за** and **под** with the *instrumental* see Grammar C of next
Lesson.

D. Verb. The past tense

1. To form the *past* tense of a verb of either conjugation
(I: **чита́ть** or II: **говори́ть**) drop the ending -ть of the infinitive. To the resulting stems (**чита́-**; **говори́-**) *add* the following
endings:

---

[1] For **за** and **под** with the *instrumental* see Lesson 12.

Singular

Person	Masc.	Fem.	Neut.
First	я читá-л	я читá-ла	not used
Second	ты читá-л	ты читá-ла	not used
Third	он читá-л	онá читá-ла	онó читá-ло

Plural

Person	All Genders
First	мы читá-ли
Second	вы читá-ли
Third	они́ читá-ли

Note that the same forms serve to express both the simple past and the perfect tense when they denote a prolonged or repeated action or condition:

я, ты читáл, читáла   I, you read, have read, have
                                           been reading

2. The past tense of the verb "to be" is formed regularly:

быть: был, былá, бы́ло, бы́ли

3. Irregular past tense forms will be given in the Lesson-Vocabularies along with the other forms of the verb.

4. Following are the irregular past tense forms of verbs that have already been introduced:

есть (to eat): ел, éла, éло, éли
идти́ (to go): шёл, шла, шло, шли
класть (to put): клал, клáла, клалó, клáли
мочь (to be able): мог, моглá, моглó, могли́

5. *Past tense of "to have":*

To form the *past* tense of "to have," use the construction explained in Lesson 6, introducing the *past* tense forms of the verb "to be":

Masc.	У брáта был журнáл.	The brother had a magazine.
Fem.	У меня́ былá кни́га.	I had a book.
Neut.	Бы́ло у меня́ перó?	Did I have a pen?
Plural all genders	Да, у меня́ бы́ли и кни́га и перó.	Yes, I had both pen and book.

In the *negative* sentence, however, the verb is *always* in the *neuter* third person *singular* (было), even when the object is in the plural:

У меня́ не́ было журна́ла.	I did not have a magazine.
У меня́ не́ было кни́ги.	I did not have a book.
У меня́ не́ было пера́.	I did not have a pen.
У меня́ не́ было ни кни́ги ни пера́.	I had neither book nor pen.

VOCABULARY BUILDING

Expressions of Place

где	where	куда́	where (to), whither
здесь	here	сюда́	here, hither
там	there	туда́	there, thither

V. QUESTIONS

1. Куда́ е́дет за́втра Никола́й? 2. Где всегда́ жила́ ба́бушка? 3. Что она́ люби́ла? 4. Куда́ она́ ре́дко приезжа́ла? 5. Почему́ ба́бушке бы́ло пло́хо жить в го́роде? 6. Ско́ро ли она́ уезжа́ла обра́тно в дере́вню? 7. Что она́ говори́ла ка́ждый раз? 8. Где рабо́тали оте́ц и мать Никола́я? 9. Почему́ они́ не могли́ е́здить в го́сти к ба́бушке? 10. Куда́ они́ обеща́ли присыла́ть вну́ка на пра́здники? 11. Люби́л ли Никола́й шу́мную, городску́ю жизнь? 12. У кого́ Никола́й никогда́ не скуча́л? 13. Что он де́лал в хоро́шую пого́ду? 14. Куда́ он ходи́л гуля́ть? 15. Почему́ он ходи́л в сосе́днюю дере́вню? 16. Как шла доро́га? 17. Мог ли Никола́й гуля́ть це́лый день? 18. Что он де́лал ве́чером?

VI. GRAMMAR EXERCISES

Exercises with Grammar A and B

a. From the Reading Exercise write out *all feminine* nouns with their *adjectives* and *prepositions*, giving their case and English meaning as below:

ба́бушка	Nominative	"grandmother"
к ба́бушке	Dative	"to the grandmother"
дереве́нскую жизнь	Accusative	"country (village) life"

b. Give the correct forms of the nouns and adjectives in parentheses:

1. Мой муж читáет (вечéрняя газéта). 2. Внук óчень любит (мѝлая бáбушка). 3. Я éду в (сосéдняя дерéвня). 4. Бáбушка читáет внýку (интерéсная кнѝга). 5. Мы едѝм (горя́чая кáша) с молокóм и с мáслом. 6. Дорóга идёт чéрез (большáя дерéвня). 7. Дóктор Чéхов любит (городскáя жизнь). 8. Мы идём на (большáя распродáжа) в магазѝне. 9. Онѝ éдут на (нóвая фáбрика). 10. Автомобѝль éдет пóд (горá). 11. Я плóхо пóмню (Крáсная плóщадь). 12. Этот поэ́т пѝшет (нóвая кнѝга). 13. Мы хорошó знáем (совéтская Россѝя).

Exercise with Grammar C

Translate the *prepositions* in parentheses and supply endings wherever necessary:

1. (Across) ýлиц— бы́ло нóвое здáние. 2. Он шёл (over) мóст— к дóму дрýга. 3. Он кладёт перó (under) письмó ѝли (behind) кнѝг—. 4. Дорóга шла (under) гор—. 5. Почемý ты всегдá кладёшь журнáл (under) стол—, а не на стол? 6. Он кладёт пакéт (behind) двер—. 7. (In) два-три дня онá всегдá уезжáла обрáтно в дерéвню.

Exercises with Grammar D

a. Give the correct *past* tense forms of the verbs in parentheses:

1. Я (гуля́ть) цéлый день в пóле. 2. Вы (знать) инженéра Брáуна? 3. Он (кончáть) рабóтать тóлько пóздно вéчером. 4. О чём вы (спрáшивать) учителя? 5. Где онѝ (рабóтать) в Россѝи? 6. В клýбе никтó не (скучáть). 7. Вчерá мы (быть) на концéрте. 8. Что ты (дéлать) ýтром? 9. Он всегдá (обéдать) дóма. 10. Сестрá (жить) совсéм ря́дом.

b. Change the following sentences into the *past* tense:

1. Кто умéет говорѝть по-англѝйски? 2. Я не люблю гуля́ть. 3. Он всегдá забывáет егó фамѝлию. 4. Онѝ обещáют приезжáть сюдá чáсто. 5. В жáркую ночь я не могý спать. 6. Я éду пóездом в Сталингрáд. 7. Онá идёт пешкóм. 8. Сестрá не мóжет гуля́ть слѝшком далекó. 9. Кузнéц Семён чáсто присылáет брáту свéжее мáсло из дерéвни. 10. Мать уезжáет на две недéли в Москвý.

c. Give the complete *past* tense (all persons and genders) of the following:

1. Я идý домóй. 2. Я не могý спать. 3. Я в гóроде.

d. Change exercise C, a and b, of Lesson 6 into the *past* tense.

VII. TRANSLATION INTO RUSSIAN

A

1. Here I am again, in the country! 2. I never could live in the city. 3. I can neither sleep nor eat there. 4. I have always loved nature and fresh air. 5. [My] father and mother have always worked in the city at a factory. 6. They could never go to the country. 7. But my grandmother lives in the country. 8. And here I am again at [my] grandmother's. 9. Yesterday I went (was) with [my] brother to (in) the neighboring village. 10. There lives my good friend, the blacksmith, Semyon. 11. (It is) far from grandmother's house to (до & gen.) the house of the blacksmith. 12. The road goes now uphill, now downhill and over a bridge. 13. My brother and I have always loved to walk and can walk all day. 14. Here in the country I am always hungry. 15. For breakfast I eat black or white bread and drink fresh milk or hot tea. 16. For dinner and supper I eat soup and meat, black bread with butter and cheese, and again drink tea. 17. In the evening after supper my brother and I usually help grandmother around the house. 18. Grandmother cannot read. 19. Sometimes I read aloud to grandmother. 20. Yes, it is very nice (good) to live at grandmother's.

B

1. Yesterday evening we received a package from Russia, from Moscow. 2. My wife asked, "From whom and for whom is that package?" 3. I opened the package. 4. In the package was a large white and blue tablecloth, a small photograph, and a long letter from [my] sister. 5. Finally! We had waited (simple past) four weeks for [that] letter! 6. My sister wrote on very poor paper, and her pen was also very poor. 7. We could not read her letter rapidly (fast), but only with difficulty. 8. My sister explained why she did not write. 9. "There is a reason for it," she wrote. 10. "I was working day and night in a large factory and was also helping around the house. 11. I had no energy to read or write and could only sleep when I was not working (did not work). 12. We always say here: 'There is much work here in the city, but little rest, little bread, and little meat!' 13. Now I live with Grandmother in the country. 14. I love life in the village — the blue sky, the fresh air. 15. Not very far from the village is a beautiful little river and a high mountain. 16. In good weather I walk on (по) a bridge across the river to (up to) the high mountain. 17. I love to live here, to walk (take walks) at (near) the river, but in a day or two we go (drive) back to the city and to work." 18. "Misha! Your sister writes that this beautiful tablecloth is from dear Grandma. 19. And she is sending the photograph of your brother because she knows that you always loved that photo. 20. She promises to write again in a week or two."

ДВЕНАДЦАТЫЙ УРОК

TWELFTH LESSON

*Instrumental singular of feminine nouns and adjectives —
Prepositions* за, под, с (со) — *Review of feminine singular
noun and adjective declensions and of prepositions*

I. COMMON EXPRESSIONS AND IDIOMS

Рабо́тать над кни́гой	To work on the book
С ра́ннего утра́	From early morning
С утра́ до ве́чера	From morning to evening
За за́втраком	At breakfast
За у́жином	At supper
За обе́дом	At dinner
Около неде́ли	About a week
Около го́да	About a year
Около ме́сяца	About a month
Игра́ть на скри́пке	To play the violin
Игра́ть на роя́ле	To play the piano
Игра́ть в ка́рты	To play cards
Рабо́тать под му́зыку	To work while music is playing
Все кро́ме меня́	All except me
Мне не ме́сто	No place for me (to be in) *Lit.*: To me no place.
Сдаётся кварти́ра; ко́мната	Apartment, room for rent
Прости́те за беспоко́йство	Sorry to have troubled you *Lit.*: Forgive for the disturbance.
Пожа́луйста!	Please! If you please!

II. READING EXERCISE

Сего́дня плоха́я пого́да. Утром шёл снег, а сейча́с идёт
дождь. Я хоте́л быть сего́дня це́лый день до́ма и **рабо́тать
над кни́гой.** Но рабо́тать я не мог. **За** то́нкой стено́й сосе́дка
с ра́ннего утра́ игра́ет на скри́пке. Вчера́ она́ то́же игра́ла
це́лый день без о́тдыха. Днём я был на собра́нии. Приезжа́ю
с собра́ния — коне́чно игра́ет! Рабо́тать бы́ло невозмо́жно,
и я це́лый ве́чер **игра́л в ка́рты** в клу́бе!

94

Жил я тут в гостинице **около недели**. Гостиница прекрасная, комната удобная и цена комнаты не дорогая. Но я никогда не любил музыки и никогда не мог **под музыку работать**.

В гостинице, **все кроме меня**, очевидно, любят музыку. **Над** комнатой соседки, **с утра до вечера**, слушают радио. В ресторане **за ужином** и **за обедом** всегда играют два оркестра. Одна подруга соседки певица. Она учит арию **за арией**, песню **за песней**... Да, тут в гостинице, **мне не место!**

Я не помню, где я читал объявление: «Сдаётся комната в квартире инженера». Теперь мне всё равно, где жить, только без музыки, пожалуйста!

Еду трамваем к дому инженера. Звоню. **За дверью** голос:
— Кто там? — Это, очевидно, жена инженера.

— Тут **сдаётся комната?** —

— Да, да, одна комната была, но сейчас в комнате живёт моя подруга. Она — известная певица.

— Спасибо, — говорю я. — **Простите за беспокойство!** До-свидания! —

Да, думаю я, хорошо что нет комнаты в квартире инженера. В квартире, где любят музыку, **мне не место!**

III. VOCABULARY

ария	aria	песня	song
год	year	подруга	girl friend
голос	voice	прекрасный,	excellent,
женщина	woman	-'ая, -'ое	beautiful
известный,	famous	ранний,	early
-'ая, -'ое		-'яя, -'ее	
месяц	month	скрипка	violin
музыка	music	сосед	neighbor (masc.)
невозможно	impossible	соседка	neighbor (fem.)
опера	opera	стена	wall
оркестр	orchestra	тонкий,	thin
очевидно	evidently	-'ая, -'ое	
певец	singer (masc.)	туда	there, thither
певица	singer (fem.)		

Verbs

звонить; звоню, звонишь, звонят	to ring, call by phone
снимать	to take off; to rent
учить; учу, учишь, учат	to learn; to teach

учить друга (Acc.) музыке (Dat.!)
to teach the friend music, instruct ... in music.

Use of cases with **игра́ть:** (I) *"to play"* :

Игра́ть на with the *prepositional* case means to play an instrument:

> **Игра́ть на скри́пке**   to play the violin

Игра́ть в with the *accusative* case means to play a game:

> **Я игра́ю в те́ннис, гольф**   I play tennis, golf.

IV. GRAMMAR

A. Noun. Instrumental of the feminine in the singular

The instrumental case has the ending -ой (-ою) when hard and the ending -ей (-ею) when soft. Here, however, as in the accusative, the *feminines* ending in -ь form an exception. Their *instrumental* case ends in -ью:

	Hard	*Soft*	*Soft*
Nominative	ко́мната	ку́хня	дверь
Instrumental	ко́мнат**ой** (ою)	ку́хн**ей** (ею)	две́рью

In accordance with Vowel Mutation Rule C, *unstressed* -ой (ою) changes to -ей (-ею) when preceded by the sibilant consonants ж, ч, ш, щ, ц:

Nom. ка́ша, *Instr.* ка́шей(ею); Nom. певи́ца, *Instr.* певи́цей(ею), etc.

Note that when the stress falls on the *instrumental* soft ending, the е of the ending changes to ё. (Ср. семья́ "family," семьёй "with the family.")

B. Adjective

The *instrumental* case of the feminine adjective has the ending -ой (ою) when hard and the ending -ей (-ею) when soft:

	Hard	*Hard*	*Soft*
Nominative	но́вая	больша́я	после́дняя
Instrumental	но́вой (ою)	больш**о́й** (ою)	после́дней (ею)

In accordance with Vowel Mutation Rule C, the *unstressed* -ой (ою) changes to -ей (ею) after the sibilant consonants ж, ч, ш, щ, ц: Nom. горя́чая, *Instr.* горя́чей(ею); Nom. хоро́шая, *Instr.* хоро́шей (ею), etc.

C. Prepositions

1. *The prepositions* за *"behind" and* под *"under"*:

These prepositions are followed by the *instrumental* when they indicate *position* and answer the question "where?":

Кре́сло за две́рью.	An armchair is behind the door.
Газе́та под кни́гой.	The newspaper is under the book.

2. За with the *instrumental* can also have the meaning of "for, after":

Я иду́ за водо́й.	I go for (after) water (to fetch water).
Он идёт за газе́той.	He goes for the paper.

3. *The preposition* с (со):

It has been pointed out (Lesson 8) that the preposition с (со) is used with the *instrumental* case when meaning "with, along with, in the company of." However, with the meaning "from," this preposition always takes the *genitive* case:

Я снима́ю ска́терть со стола́.	I take the tablecloth from the table.

Note that с (со) "from" is used as a complementary preposition to на "to":

Он идёт на конце́рт.	He is going *to* the concert.
Он идёт с конце́рта.	He is coming (going) *from* the concert.
Я е́ду на заво́д.	I am going (riding) *to* the factory.
Я е́ду с заво́да.	I am going (riding) *from* the factory.

D. Review and Summary

Prepositions

Motion towards	*Rest*	*Motion from*
в and acc. "into"	в and prep. "in"	из and gen. "out of"
на and acc. "on"	на and prep. "on"	с and gen. "from"
к and dat. "to"	у and gen. "at"	от and gen. "from"

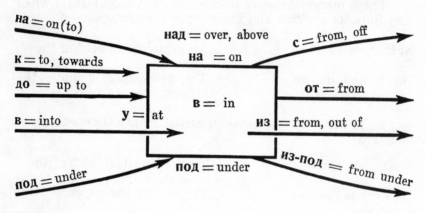

Illustrative Sentences:

Я в клу́бе (Prep.)	Я иду́ в клуб (Acc.)	Я иду́ из клу́ба (Gen.)
Я на конце́рте (Prep.)	Я иду́ на конце́рт (Acc.)	Я иду́ с конце́рта (Gen.)
Я у бра́та (Gen.)	Я иду́ к бра́ту (Dat.)	Я иду́ от бра́та (Gen.)

Она́ за две́рью (Instr.)	Она́ идёт за дверь (Acc.)
Газе́та на столе́ (Prep.)	Он кладёт газе́ту на стол (Acc.)
Газе́та под кни́гой (Instr.)	Он кладёт газе́ту под кни́гу (Acc.)

Singular Declension of the Feminine Noun[1]

	Hard		Soft	Soft	Soft
Nom.	ко́мната		ку́хня	фами́лия	дверь
Gen.	ко́мнаты		ку́хни	фами́лии	две́ри
Dat.	ко́мнате		ку́хне	фами́лии	две́ри
Acc.	ко́мнату		ку́хню	фами́лию	дверь
Instr.	ко́мнатой (ою)		ку́хней (ею)	фами́лией (ею)	две́рью
Prep.	ко́мнате		ку́хне	фами́лии	две́ри

[1] For Vowel Mutation Rule see p. 31.

Singular Declension of the Feminine Adjective

	Hard	Accented	Hard	Soft
Nom.	но́вая	больша́я	хоро́шая	после́дняя
Gen.	но́вой	большо́й	хоро́шей	после́дней
Dat.	но́вой	большо́й	хоро́шей	после́дней
Acc.	но́вую	большу́ю	хоро́шую	после́днюю
Instr.	но́вой (ою)	большо́й (ою)	хоро́шей (ею)	после́дней (ею)
Prep.	но́вой	большо́й	хоро́шей	после́дней

V. QUESTIONS

1. Кака́я сего́дня пого́да? 2. Почему́ вы хоте́ли быть сего́дня до́ма? 3. Почему́ вы не могли́ рабо́тать? 4. Когда́ сосе́дка игра́ла на скри́пке? 5. Где вы бы́ли днём? 6. Почему́ вы игра́ли весь ве́чер в ка́рты в клу́бе? 7. Где вы живёте неде́лю? 8. Кака́я у вас ко́мната? 9. Где слу́шают ра́дио с утра́ до ве́чера? 10. Когда́ игра́ют два орке́стра в рестора́не? 11. Кто, очеви́дно, лю́бит му́зыку? 12. Кто была́ подру́га сосе́дки? 13. Что она́ учи́ла? 14. Где сдаётся ко́мната? 15. Как вы е́дете к до́му инжене́ра? 16. Что спра́шивает го́лос за две́рью? 17. Кто сейча́с в ко́мнате?

VI. GRAMMAR EXERCISES

Exercises with Grammar A and B

a. From the Reading Exercise write out eight different *feminine* nouns modified by adjectives and/or used with prepositions, giving their case and English meaning, thus:

за то́нкой стено́й   Instrumental   "behind the thin wall"
на скри́пке   Prepositional   "on the violin"

b. Supply correct case forms of the nouns and adjectives in parentheses:

1. За (интере́сная рабо́та) я не скуча́ю. 2. За (то́нкая стена́) мой сосе́д игра́л це́лый день на скри́пке. 3. Кни́га там, под (вече́рняя газе́та). 4. Моё письмо́ под (си́няя кни́га). 5. Пе́ред (молода́я жена́) но́вая ска́терть. 6. Моя́ ко́мната над (больша́я ку́хня). 7. Журна́л ме́жду (но́вая кни́га) и (вече́рняя газе́та). 8. Ме́жду (стол) и (дверь) бы́ло кре́сло. 9. Вы рабо́таете над (ру́сская кни́га)?

Exercise with Grammar C

Supply suitable prepositions, choosing them from among the following: **за, под, с, на, в, из, пе́ред:**

1. Кре́сло . . . . . две́рью. 2. Я иду́ . . . . . дверь. 3. Он идёт . . . . . газе́той. 4. Ты спеши́шь . . . . . рабо́ту, а я иду́ . . . . . рабо́ты. 5. Она́ шла . . . . . уро́к, а мы шли . . . . . уро́ка. 6. Шли они́ . . . . . теа́тр или . . . . . теа́тра? 7. Сего́дня мы уезжа́ем . . . . . го́рода и е́дем . . . . . дере́вню. 8. Кузне́ц шёл . . . . . водо́й. 9. Журна́л лежа́л . . . . . газе́той, а пе-ро́ . . . . . газе́те. 10. Я спеши́л . . . . . конце́рта домо́й.

Exercises with Grammar D (Review)

a. Decline in the singular:

1. Кра́сная пло́щадь. 2. ру́сская кни́га. 3. удо́бная ко́мната. 4. после́дняя неде́ля. 5. сове́тская Росси́я.

b. Translate the prepositions in parentheses and supply endings wherever necessary:

1. Я не люби́л рабо́т— (at) шу́мн— фа́брик—. 2. (After) рабо́т— я спеши́л (from) фа́брик— домо́й (to) жен—'. 3. Моя́ кварти́ра была́ (in) больш—', но́в—, но не дорог—' гости́-ниц—. 4. Я ча́сто ду́маю (about) счастли́в— жизн— (in) дере́вн—. 5. Сего́дня мы е́дем (with) жен—' (to) ба́бушк— (to) дере́вн—. 6. Я е́ду туда́ (without) жен—'. 7. (In) вече́рн— газе́т— бы́ло объявле́ние (about) интере́сн—, но́в— кни́г—. 8. Ты опя́ть идешь (to) конце́рт— слу́шать ску́чн— му́зык—? 9. Это письмо́ (from) бра́т— и́ли (from) сестр—'? 10. Нет, оно́ (from) подру́г— (from) сове́тск— Росс—'. 11. Она́ тепе́рь живёт в Москве́ (next to) Кра́сн— пло́щад—. 12. Мы спра́ши-ваем продавщи́ц— (about) цен—' краси́в—, бе́л— ска́терт—. 13. (For) кого́ э́то удо́бн— кре́сло? 14. Он сейча́с идёт (across) у́лиц— (for) вече́рн— газе́т—. 15. Зна́ете вы из-ве́стн—, молод—' певи́ц— Ба́рсову? 16. Коне́чно, она́ тепе́рь изве́стн— «звезда́» америка́нск— о́пер— в Нью Ио́рке. 17. Мы е́хали (across) ре́к— (to) сосе́дн— дере́вн—. 18. В жа́ркую пого́д— мы люби́ли гуля́ть (at) рек—'. 19. Вот краси́в—, бе́л— о́блако там (over) гор—'. 20. (In) кни́г— (about) ру́сск— му́зык— интере́сная фотогра́фия изве́стной певи́ц— Ба́рсовой.

c. Arrange alphabetically all prepositions studied up to this point, giving their case and English meaning; for example:

без	Genitive	"without"
в (во)	Accusative	"into, in"
в (во)	Prepositional	"in"

and so on. 23 forms in all, counting the various cases each preposition can be used with, e. g. в with accusative and with prepositional.

d. Form short Russian sentences with all of the above pre-positions.

VII. TRANSLATION INTO RUSSIAN

A

1. Today I wanted to work on [my] new book. 2. But I could not work. 3. A neighbor played the violin all day long. 4. I live in a fine (good) hotel. 5. My room is very comfortable. 6. But I do not like music and cannot work while music is playing. 7. Yesterday I read in the evening paper: 8. "Room for rent in the home of an engineer." 9. Now I am going there by streetcar. 10. I ring. A woman opens the door. 11. "How are you! Is there a room for rent here?" 12. "Did you read the announcement in the paper?" 13. "Yes. In the hotel, where I live [there is] music all day [long]. 14. I want a room in a house where there is no music." 15. "Oh! (Ax!) But my friend (fem.) is a famous singer." 16. "Does she live here now?" 17. "Yes! She studies song after song." 18. "Thank you! Good bye! Sorry to have troubled you!"

B

1. On the way home Nina meets her friend (fem.) Vera. 2. "Hello, Vera, how are you? Where (where to) are you going?" 3. "Oh, hello, Nina! I am quite well, thank you. 4. I am going to work in the factory there, across the street. 5. Are you coming (go on foot) from the theater or the concert?" 6. "Oh, no, I am coming from my Russian lesson at Professor Ivanov's home. 7. You know, he lives now in his new house at (next to) the 'White Square.' " 8. "Is that so!" 9. "Yes, I go every day to the lesson; I am learning lesson after lesson but cannot yet speak Russian. 10. Vera, do you remember Mrs. Semyonova? 11. She is our (на́ша) neighbor (fem.) in the new hotel, where we live now. 12. She is a very good friend (fem.) of my sister. 13. She, my sister, and I are going (driving) to Russia tomorrow. 14. I am now hurrying, because before departing (the departure) one must not [arrive] (be) home too late." 15. "Nina, that is a splendid idea! 16. My brother Tom lived in Russia about a year and now speaks Russian without difficulty. 17. He lived in a large, new hotel, spoke only Russian, went to the club "The Red Star" during the day, and in the evening (he) often went visiting. 18. At home he lay on the sofa and read a Russian book or a Russian magazine. 19. He can read aloud for an entire day, from early morning until evening, without rest. 20. Yes, my brother Tom is a person of (with) great energy!" 21. "Dear Vera, I am in a great hurry (I hurry very much)! Good bye!" 22. "Good bye, Nina! Bon voyage!"

ADDITIONAL READING MATERIALS

Review of Prepositions

По у́лице идёт граждани́н Ды́мов. Он идёт **с** рабо́ты **из** ба́нка. Ды́мов давно́ рабо́тает **в** ба́нке, **в** го́роде, а живёт **за** го́родом **у** сестры́. Ка́ждый день Ды́мов е́здит **в** го́род, **на** рабо́ту, **в** банк. Це́лый день он **на** рабо́те, **в** го́роде, **в** ба́нке, а ве́чером он спеши́т **с** рабо́ты, **из** го́рода, **из** ба́нка домо́й **к** сестре́.

Но сего́дня ве́чером **у** Ды́мова собра́ние **в** клу́бе, **в** го́роде и он не уезжа́ет **из** го́рода, а идёт **в** рестора́н у́жинать. Сейча́с Ды́мов идёт не **в** рестора́н и не **на** собра́ние **в** клуб, а он идёт **за** вече́рней газе́той **в** магази́н Ива́нова. Он всегда́ чита́ет вече́рнюю газе́ту **по́сле** у́жина. Магази́н Ива́нова **на** большо́й пло́щади не далеко́ **от** ба́нка, **ме́жду** зда́нием музе́я и теа́тром.

Рестора́н, куда́ Ды́мов идёт у́жинать, **че́рез** у́лицу **от** магази́на Ива́нова. Тут **в** рестора́не всегда́ игра́ет орке́стр. Ды́мов лю́бит есть **под** му́зыку. Ды́мов идёт **к** столу́ **о́коло** окна́, совсе́м ря́дом **с** орке́стром.

— Что вы хоти́те сего́дня **на** у́жин — спра́шивают Ды́мова.

— Снача́ла ваш прекра́сный суп, пото́м ваш замеча́тельный бифште́кс. **К** у́жину я хочу́ немно́го вина́, пото́м коне́чно я хочу́ ко́фе. **Пе́ред** собра́нием я всегда́ пью ко́фе... — отвеча́ет Ды́мов.

Ды́мов ждёт у́жина **с** нетерпе́нием. Уже́ по́здно.

— Прости́те, — говори́т Ды́мов, — я о́чень спешу́. **У** меня́ сего́дня ве́чером собра́ние **в** клу́бе. Мне на́до быть **на** собра́нии... —

— Очень жаль, что вы спеши́те. Ужин ещё не гото́в. Вот вече́рняя газе́та.

— Спаси́бо, но я никогда́ не чита́ю вече́рней газе́ты ни **до** у́жина, ни **за** у́жином, а то́лько **по́сле** у́жина, — говори́т Ды́мов.

— Ах, так... сейча́с я иду́ **на** ку́хню. Мо́жет быть ваш у́жин уже́ гото́в. —

— Хорошо́, — говори́т Ды́мов, — я жду. —

Вот идёт челове́к (waiter) **с** ку́хни, но у́жина нет!

— Очень жаль, — опя́ть говори́т он, — но... —

— Я не могу́ ждать, — говори́т Ды́мов, — но я не могу́ идти́ **на** собра́ние **без** у́жина! —

— Почему́ вы хоти́те идти́ на собра́ние сего́дня ве́чером? Вы сли́шком ча́сто хо́дите **на** собра́ние! Почему́ вы никогда́ не хо́дите **в** кино́? Сего́дня **в** кино́ идёт прекра́сный фильм. Игра́ет изве́стная «кинозвезда́» (movie star) Орло́ва! —

— Да что вы говори́те! Это не плоха́я иде́я! — отвеча́ет Ды́мов, — **на** собра́нии **в** клу́бе я всегда́ так скуча́ю. —

— Ну, а **на** фи́льме **с** «кино́-звездо́й» Орло́вой никто́ никогда́ не скуча́ет... А, вот и ваш у́жин! —

— Спаси́бо, большо́е спаси́бо и **за** хоро́шую иде́ю и **за** у́жин! —

Hard adjective singular declension—Imperative mood—
Time expressions

I. COMMON EXPRESSIONS AND IDIOMS

На полу́	On the floor
По расписа́нию	According to schedule
Из го́да в год	Year in, year out; from year to year
Ро́вно в два часа́	At two o'clock sharp (exactly)
В четы́ре часа́ дня	At four P.M.
На три, четы́ре часа́	For three, four hours
В воскресе́нье	On Sunday
В понеде́льник	On Monday
Во вто́рник	On Tuesday
В сре́ду	On Wednesday
В четве́рг	On Thursday
В пя́тницу	On Friday
В суббо́ту	On Saturday
Да́же в воскресе́нье	Even on Sunday
Говори́, говори́!	Go ahead, talk all you want! (Talk, talk!)

II. READING EXERCISE

Граждани́н Петро́в о́чень занято́й челове́к. Живёт он в большо́м, но́вом зда́нии, в кварти́ре до́ктора Че́хова. Обстано́вка в ко́мнате Петро́ва проста́я, но удо́бная. Около большо́го окна́ удо́бное кре́сло. Пе́ред удо́бным кре́слом просто́й стол, а ме́жду кре́слом и просты́м столо́м, ла́мпа. На полу́, от стены́ до стены́, лежи́т ковёр.

Жил Петро́в по расписа́нию. В понеде́льник у́тром, он писа́л письмо́ сы́ну. Ро́вно че́рез час Петро́в конча́л писа́ть письмо́ и е́здил в конто́ру. Сообще́ние бы́ло удо́бное. Че́рез у́лицу от до́ма, где он жил, бы́ло но́вое метро́.

В конто́ре, Петро́в не спеши́л с но́вой рабо́той. Рабо́тал он ме́дленно, зато́ хорошо́. **Во вто́рник, ро́вно в два часа́**, он слу́шал англи́йское ра́дио, а **в сре́ду** ве́чером всегда́ чита́л англи́йскую газе́ту.

В четве́рг, в четы́ре часа́ дня, он всегда́ е́здил в клуб на собра́ние. **В пя́тницу** ве́чером он рабо́тал до́ма: **два и́ли три часа́** гото́вил англи́йский уро́к.

В суббо́ту, по́сле слу́жбы, он всегда́ ходи́л на уро́к англи́йского языка́.

В воскресе́нье ра́но у́тром Петро́в всегда́ ходи́л в це́рковь. **В воскресе́нье** никто́ не рабо́тает, но Петро́в **да́же в воскресе́нье** иногда́ е́здил в конто́ру, **на три, четы́ре часа́**. И так он жил **из го́да в год**.

— Слу́шайте, Петро́в, — говори́ла секрета́рша Петро́ва, — не рабо́тайте так мно́го! Ходи́те иногда в теа́тр, слу́шайте му́зыку, игра́йте в те́ннис! Вы ещё молодо́й челове́к! —

— Хорошо́, хорошо́! — отвеча́л Петро́в. — **Говори́, говори́!** — ду́мал он. — Ты ду́маешь, я могу́ игра́ть в те́ннис, и́ли слу́шать му́зыку !... Нет, я заня́той челове́к !...

III. VOCABULARY

до (+ Gen.)	till, until	слу́жба	work, job
заня́той,	busy	сообще́ние	communication
-а́я, -о́е		сын	son
ковёр	carpet, rug	це́рковь	church
конто́ра	office	часы́ (pl. only)	watch, clock
ла́мпа	lamp	язы́к	language,
обстано́вка	furniture		tongue
пол	floor	воскресе́нье	Sunday
по́чта	post office	понеде́льник	Monday
просто́й,	simple, plain	вто́рник	Tuesday
-'ая, -'ое		среда́	Wednesday
раз	one, one time,	четве́рг	Thursday
	once	пя́тница	Friday
свобо́дный	free	суббо́та	Saturday
-'ая, -'ое			
секрета́рша	secretary (fem.)		

Verbs

гото́вить; гото́влю, гото́вишь, гото́вят   to prepare
петь; пою́, поёшь, пою́т   to sing

IV. GRAMMAR

A. Adjective

1. *Declension of the hard adjective in the singular*[1] :

Case	Masculine	Neuter	Feminine (Review)
Nom.	но́вый	но́вое	но́вая
Gen.	но́вого	но́вого	но́вой
Dat.	но́вому	но́вому	но́вой
Acc.	{ но́вого но́вый	но́вое	но́вую
Instr.	но́вым	но́вым	но́вой (ою)
Prep.	но́вом	но́вом	но́вой

The accusative of the *masculine* adjective is like the genitive when it modifies an *animate* noun, like the nominative
when it modifies an *inanimate*:

я зна́ю хоро́шего до́ктора; я чита́ю ру́сский журна́л.

Adjectives ending in -о́й (молодо́й "young") are declined
exactly like но́вый, except that the stress is on the ending
throughout the declension.

2. *Peculiarities in the hard declension of the adjective* :

a. In accordance with Vowel Mutation Rule B, the vowel
ы of the ending changes to и after г, к, х, ж, ч, ш, щ:

но́вый but ру́сский, хоро́ший; но́вым but ру́сским, хоро́шим.

b. In accordance with Vowel Mutation Rule C, the vowel о
of *unaccented* endings changes to e after ж, ч, ш, щ, ц:

но́вый, но́вого, но́вому etc., but хоро́ший, хоро́шего,
хоро́шему, etc.[2]

---

[1] For the declension of the soft adjective see the next lesson. For
the *plural* declension of the adjective of both types (hard and soft)
see Lesson 19.

[2] Yet большо́й, большо́го, большо́му, in spite of ш preceding о, since
here the ending is *stressed*.

B. Verb. The imperative mood

1. *Verbs with stems ending in a vowel:*

To obtain the imperative form of a verb the stem of which ends in a *vowel*, drop the **second person singular** ending and add й for the *singular familiar* form, and йте for the *polite* and *plural* forms:

читáй!   read! (addressing a single person familiarly)
читáйте! read! (addressing a single person politely, or a group)

2. *Verbs with stems ending in a consonant*:

To obtain the imperative form of a verb the stem of which ends in a *consonant,* drop the **third person plural** ending and add и for the *singular familiar* form, and ите for the *polite* and *plural* forms:

говорúть: говорú!   говорúте!   speak!

However, if the *infinitive* stress is on the *stem* of the verb, add -ь, -ьте:

готóвить: готóвь!   готóвьте!   prepare!

If the stem ends on *two* consonants, add the full endings: -и, -ите.

Note that the personal pronouns are not used, except for very special emphasis: Ты читáй! *You* read! Note also that the imperative stress is on the same syllable as in the infinitive.

3. *Irregular imperatives:*

Imperatives that do not follow *exactly* the above pattern will be given in the vocabularies along with the other forms of the verb. Following are such imperatives of verbs that have already occurred:

быть:	будь!	бýдьте!	be!
давáть:	давáй!	давáйте!	give!
есть:	ешь!	éшьте!	eat!
éхать:	поезжáй!	поезжáйте!	ride! drive! leave!
ждать:	жди!	ждúте!	wait!
идтú	идú!	идúте!	go!

класть:	клади!	кладите!	place! put!
писа́ть	пиши́!	пиши́те!	write!
пить:	пей!	пе́йте!	drink!
спать:	спи!	спи́те!	sleep!
ходи́ть	ходи́!	ходи́те!	go! (repeatedly)

C. Time expressions

1. *Definite duration of time*:

Definite duration of time is expressed by means of the *accusative* case (without the use of prepositions):

Он чита́л два часа́.	He read [for] two hours.
Он жил здесь неде́лю.	He lived here [for] one week.

2. *Translation of "for" in time expressions*:

When "for" cannot be dropped from the English sentence without changing its meaning, it is rendered by **на** with the accusative.

Thus, one can say "He read *for* two hours," or "He read two hours." Here the "for" must be rendered simply by the accusative case as shown above under (1). Note that here the action expressed by the verb lasts "two hours."

But in the sentence "He is going to Russia *for* two weeks," the "for" cannot be dropped without distorting the meaning of the sentence. This "for" must be rendered by **на** with the accusative. Here the action expressed by the verb does *not* last "two weeks":

Он е́дет в Росси́ю **на** две неде́ли.

3. "In, within, after the lapse of" is rendered by **че́рез** with the *accusative*:

Че́рез год он хорошо́ говори́л по-ру́сски.	Within (after) a year he spoke Russian well.
Че́рез два часа́ мы е́дем в го́род.	In two hours we drive down town.

4. "Per" or "a" (referring to time) is rendered by **в (во)** with the *accusative*:

Он е́здит в го́род раз **в** год.	He drives into town once a year.
Они́ пьют чай три ра́за **в** день.	They drink tea three times a day.

5. "At" and "on" (referring to time) are rendered by в (во) with the *accusative*:

Он е́дет **в** час.

He is going (leaving) at one o'clock.

Мы е́дем **во** вто́рник.

We are going on **Tuesday.**

VOCABULARY BUILDING

Masculine		Feminine Equivalent	
господи́н	Mr., sir	**госпожа́**	Mrs., lady
граждани́н	citizen	**гражда́нка**	citizen
сосе́д	neighbor	**сосе́дка**	neighbor
друг	friend	**подру́га**	friend
певе́ц	singer	**певи́ца**	singer
секрета́рь	secretary	**секрета́рша**	secretary
студе́нт	student	**студе́нтка**	student
учени́к	pupil	**учени́ца**	pupil
учи́тель	teacher	**учи́тельница**	teacher

V. QUESTIONS

1. Где жил граждани́н Петро́в? 2. Кака́я была́ обстано́вка в ко́мнате Петро́ва? 3. Что бы́ло о́коло большо́го окна́? 4. Что бы́ло пе́ред удо́бным кре́слом? 5. Что бы́ло ме́жду кре́слом и просты́м столо́м? 6. Что лежа́ло на полу́? 7. Как жил Петро́в? 8. Что де́лал Петро́в в понеде́льник у́тром? 9. Куда́ е́здил Петро́в у́тром? 10. Почему́ сообще́ние бы́ло удо́бное? 11. Что де́лал Петро́в во вто́рник? 12. Что де́лал Петро́в в сре́ду? 13. Куда́ е́здил Петро́в в четве́рг, в четы́ре часа́ дня? 14. Где был Петро́в в пя́тницу ве́чером? 15. Куда́ ходи́л Петро́в в суббо́ту, по́сле слу́жбы? 16. Куда́ е́здил Петро́в в воскресе́нье? 17. Рабо́тал ли он в конто́ре це́лый день в воскресе́нье? 18. Что де́лал Петро́в по́сле рабо́ты? 19. Что говори́ла Петро́ву секрета́рша? 20. Почему́ Петро́в не игра́л в те́ннис и не слу́шал му́зыки?

VI. GRAMMAR EXERCISES
Exercises with Grammar A

a. From the first three paragraphs of the Reading Exercise write out all adjectives, giving their gender, case, and English meaning, thus:

заня́той   Masculine, nominative   "busy"
большо́м   Masculine, prepositional   "big"

b. Give the singular declension of:

1. но́вый уро́к. 2. хоро́ший внук. 3. ру́сский журна́л. 4. го-

ря́чий чай. 5. чёрный хлеб. 6. свобо́дное ме́сто. 7. английская
газе́та. 8. большо́е зда́ние.

    c. Give the correct form of the adjectives in parentheses:

    1. Подру́га (молода́я) певи́цы то́же хорошо́ поёт. 2. Для
(молодо́й) челове́ка нет ме́ста в го́спитале. 3. Днём, она́
встреча́ла му́жа о́коло (городско́й) музе́я. 4. До (но́вый)
магази́на мы шли два часа́. 5. Без (но́вое) пальто́ он не хо́чет
е́хать в го́род. 6. В магази́не нет (све́жее) мя́са. 7. Эта а́рия
из (ру́сская) о́перы. 8. Он дал кни́гу (ми́лый) дру́гу. 9. Певи́-
ца пе́ла (ру́сская) пе́сню. 10. Я чита́л объявле́ние в (ру́сская)
газе́те. 11. Мы говори́ли о (краси́вая) же́нщине. 12. Мой друг
живёт в (большо́е, кра́сное) зда́нии. 13. Под (большо́й) сто-
ло́м был (краси́вый) ковёр. 14. До́ктор Че́хов жил в (но́вый,
бе́лый) до́ме, в (удо́бная) ко́мнате. 15. Есть (свобо́дный)
ме́сто в теа́тре?

    d. Supply the correct endings:

    1. Америка́нец скуча́ет без английск— ра́дио. 2. Я зна́ю,
что вы заня́т—′ челове́к. 3. Около краси́в— по́ля был мой
дереве́нск— дом. 4. Сестра́ поёт э́ту а́рию из ру́сск— о́перы.
5. На полу́, от удо́бн— кре́сла до больш—′ дли́нн— стола́
лежа́л ковёр. 6. По́сле ску́чн— о́перы мы е́дем домо́й. 7. Вчера́
моя́ мать была́ в плох—′ рестора́не. 8. Я спешу́ на больш—′
распрода́жу. 9. Днём и но́чью рабо́тают на городск—′ фа́бри-
ке! 10. Че́рез у́лицу от по́чты но́в— метро́. 11. Че́рез неде́лю
ба́бушка е́дет в шу́мн— го́род. 12. Че́рез четы́ре неде́ли он
уже́ чита́л английск— газе́ту и английск— журна́л. 13. Ваш
сын сего́дня идёт на ру́сск— уро́к? 14. Я не хочу́ говори́ть с
заня́т—′ секрета́ршей. 15. В по́езде не́ было свобо́дн— ме́ста.

Exercises with Grammar B

    a. From the Reading Exercise write out all imperative forms,
giving their English meaning (5 forms in all).

    b. Give all verbs hitherto learned in the singular and plural
imperative forms. Check all *irregular* imperative forms.

    c. Change the singular imperative forms to the plural (or
polite) form and vice versa:

    1. Не говори́ с секрета́ршей! 2. Слу́шай хоро́шую му́зыку!
3. Отвеча́й всегда́ бы́стро! 4. Иди́ туда́ пешко́м! 5. Ужинай
до́ма! 6. Обе́дайте в рестора́не! 7. Держи́те скри́пку! 8. Спе-
ши́те на по́чту! 9. Не забыва́йте ба́бушку! 10. Чита́йте вслух!

d. Change to the imperative, familiar, and polite:

1. Я даю́ ру́сскую газе́ту сестре́. 2. Мы по́мним э́тот шу́мный го́род. 3. Но́чью я обыкнове́нно закрыва́ю окно́. 4. Вы не спра́шиваете о письме́. 5. Вы гото́вите хоро́ший обе́д.

Exercise with Grammar C

Translate the expressions in parentheses:

1. (On Monday) я хожу́ в конто́ру ро́вно (at two o'clock). 2. (On Tuesday) мы е́здим в дере́вню и встреча́ем сестру́. 3. (On Wednesday and Thursday) ва́ша подру́га была́ на фа́брике (at three o'clock). 4. (On Friday) я е́ду к подру́ге (for three weeks). 5. (On Saturday) они́ закрыва́ли магази́н. 6. «Сдаётся ко́мната (for three weeks)». 7. Певи́ца учи́ла но́вую а́рию (an hour a day). 8. У бра́та уро́к англи́йского языка́ (three times a week). 9. Я обе́дал в ру́сском рестора́не (once a week). 10. Мой друг слу́шает ра́дио (three hours a day). 11. (Within) три го́да он говори́л по-ру́сски о́чень хорошо́. 12. (In an) час я был в ба́нке. 13. Мы е́дем к сы́ну (in) две неде́ли. 14. Я е́ду в клуб (for three hours). 15. По́сле за́втрака они́ всегда́ закрыва́ют рестора́н (for an hour). 16. Он е́хал трамва́ем (for two hours). 17. Он жи́л там (for a whole year). 18. Он чита́л (for a whole hour).

VII. TRANSLATION INTO RUSSIAN

A

1. Comrade Petróv lived in a large, beautiful building. 2. Now he is living in the apartment of [his] son. 3. He lives in a large, comfortable room. 4. Across the street is a new subway. 5. On Monday Petróv hurries downtown to [his] office. 6. The communication between the office and the house of [his] son is very convenient. 7. On Tuesday, Thursday, and Saturday Petróv dines at home. 8. On Monday, Wednesday, and Friday he dines in the city, in a good restaurant, exactly at one o'clock. 9. Breakfast and supper he always has at home with [his] son. 10. At his office comrade Petróv does not hurry with new work. 11. He works very slowly, but (for that) very well. 12. He never talks with [his] secretary about music or the theater. 13. On Sunday morning (in the morning) Petróv goes to church. 14. Then he drives to [his] office and works two or three hours. 15. In the daytime he always reads a Russian paper for three or four hours and then listens to the English radio. 16. And so Petróv lives from year to year according to a [set] schedule.

B

1. Mr. Semyonov was a very famous singer at the opera in Leningrad. 2. He had a wonderful voice. 3. He sang there for four years, three and four times a week. 4. He was always very busy and very serious, and often said impatiently: "You think I can play golf and tennis or listen to the radio or go visiting every evening! No, I am not a free man; I am a very busy person!" 5. For about a month Mr. Semyonov was at the opera in Moscow and sang there every Monday, Wednesday, and Friday. 6. They say that he even sang on Sunday! 7. Sometimes he went (drove) to the country for a week or two. 8. In the noisy city he lived in a large, new building with a beautiful garden. 9. In his apartment was a very large room. 10. On the floor lay a black and white rug from wall to wall. 11. Next to the door there was a small but very expensive table with an expensive lamp, and between the door and the large window there was a splendid piano. 12. Yes, Mr. Semyonov loved expensive furniture! 13. Mr. Semyonov taught music to his son Pavel when Pavel was still very young. 14. At first Pavel did not want to work. 15. Mr. Semyonov always said to [his] son: "Pavel, work while (пока) you are still young! 16. Play [your] violin and [your] piano! Never be late for (to) [your] lesson! 17. Every week read a Russian and an English book on music. 18. Go to the opera, go to the concert, but never listen to bad music! 19. Don't eat and sleep so much! Work, my son!" 20. Now Pavel can play the violin and the piano, but he does not love music. — And there is a reason for that!

ЧЕТЫРНАДЦАТЫЙ УРОК

FOURTEENTH LESSON

Soft adjective singular declension—Possessive pronoun-adjective singular declension—Future tense; translation of "to have" (future; abstract)

I. COMMON EXPRESSIONS AND IDIOMS

Зимóй; óсенью	In winter; in the fall
Весной; лéтом	In spring; in summer
Весь день	All day
На весь день	For the whole day
На всю недéлю	For the whole week
На весь мéсяц	For the whole month
На весь год	For the whole year
На всю зúму	For the whole winter
На всё лéто	For the whole summer
Прóшлая зимá, веснá, óсень	Last (past) winter, spring, fall
Прóшлое лéто	Last (past) summer
До лéта ещё далекó.	It's still a long time till summer.
На дáчу	To the summer home (house)
На дáче	At the summer home (house)
На слýжбу	To (one's) work, job
Живýт и в гóроде.	In the city one can also live.
Я человéк рабóчий.	I am a working man.
Имéть возмóжность	To have the opportunity
Имéть удовóльствие	To have the pleasure
Это твоё дéло!	That's your business (your worry)!

II. READING EXERCISE

Тепéрь феврáль, послéдний зúмний мéсяц. Сегóдня на дворé, совсéм лéтний день, а **до лéта ещё далекó:** феврáль, март, апрéль, май.

В нáшем клúмате веснá всегдá рáнняя, зимá пóздняя, лéто хорóшее, а óсень дождлúвая.

Зимóй, в декабрé и в январé, чáсто идёт снег. Я всегдá **бýду пóмнить** зúмний вид из окнá моéй кóмнаты, — свéжий снег на нáшей ýлице, у двéри нáшего дóма . . .

113

Мы живём в го́роде, но **ле́том** моя́ жена́, наш сын и я
бу́дем жить в дере́вне. Я, коне́чно, не **бу́ду жить на да́че всё
ле́то.** Я занято́й челове́к. Но жена́ е́дет **на да́чу на всё ле́то.**

Про́шлое ле́то мы жи́ли у бра́та мое́й жены́. У её бра́та
свой ле́тний дом в о́чень хоро́шем ме́сте. И сообще́ние ме́жду
его́ ле́тним до́мом и на́шим го́родом о́чень удо́бное.

— Мо́жет быть мы **бу́дем име́ть возмо́жность** жить там
опя́ть **ле́том,** — говори́т жена́. — **Весно́й,** их сын **бу́дет**
до́ма . . . —

— **Это твоё де́ло.** Он твой брат, а не мой, — отвеча́ю я.

— Коне́чно, он мой брат, а не твой. У тво**его́** бра́та **свое́й**
да́чи нет! —

— **Живу́т ле́том и в го́роде!** —

— Кто **бу́дет жить ле́том** в го́роде! Ты, очеви́дно, не
по́мнишь, что **ле́том** я могу́ жить то́лько в дере́вне, на све́жем
во́здухе! —

Я не **бу́ду спо́рить** с мое́й женой. **Ле́том** она́ не мо́жет
жить в го́роде без све́жего во́здуха, а в дере́вне **бу́дет,** ко-
не́чно, **скуча́ть** без хоро́шей о́перы, хоро́шего теа́тра, хоро́-
шего кино́!

III. VOCABULARY

вдруг	suddenly	**кли́мат**	climate
весна́	spring	**коне́ц**	end
весь, вся, всё	all, everything everyone	**ле́тний, -′яя, -′ее**	summer (adj.)
вид	view, type, kind	**ле́то**	summer
да́ча	country house, summer home	**мо́жет быть**	perhaps
		нача́ло	beginning
де́ло	business, affair	**о́сень**	fall, autumn
дождли́вый, -′ая, -′ое	rainy	**пла́тье**	dress
		по́здний	late
зима́	winter	**-′яя, -′ее**	
зи́мний -′яя, -′ее	winter (adj.) wintry	**успе́х**	success

дека́брь (m.)	December	**март**	March
янва́рь (m.)	January	**апре́ль** (m.)	April
февра́ль (m.)	February	**май**	May

(For remaining months see next Lesson-Vocabulary.)

Verbs

име́ть (I)   to have, possess
спо́рить (II)   to contradict, quarrel (followed by **с (со)** with the
                     instrumental)
не спорь!   do not contradict! don't quarrel!

IV. GRAMMAR

A. Soft adjective declension in the singular

	Masc.	*Neut.*	*Fem.* (*Review*)
Nom.	после́дний	после́днее	после́дняя
Gen.	после́днего	после́днего	после́дней
Dat.	после́днему	после́днему	после́дней
Acc.	Nom. or Gen.	после́днее	после́днюю
Instr.	после́дним	после́дним	после́дней
Prep.	после́днем	после́днем	после́дней

The *soft* declension always has in its endings the soft
equivalents of the hard vowels of the *hard* declension: for ы an
и; for о an е; for а а я; for у а ю; (-ый : -ий; -ого : -его; -ая :
-яя; -ую : -юю).

For the *plural* of the soft declension see Lesson 19.

B. Possessive pronoun-adjectives

1. The possessive pronoun-adjectives correspond to the
personal pronouns as follows:

Personal	*Possessive*	*Personal*	*Possessive*
я	мой	мы	наш
ты	твой		
он	его́	вы	ваш
оно́			
она́	её	они́	их

2. In their endings the possessive pronoun-adjectives correspond to the gender, number, and case of the *thing possessed*:
Вот мой стол, моя́ кни́га, моё перо́; о́коло моего́ стола́,
мое́й кни́ги, моего́ пера́; я даю́ э́то моему́ дру́гу, etc.

3. Thus we have the following declension of the possessive
pronoun-adjective in the singular:

	Masc.	Neut.	Fem.	Masc.	Neut.	Fem.
Nom.	мой	моё	моя́	наш	на́ше	на́ша
Gen.	моего́	моего́	мое́й	на́шего	на́шего	на́шей
Dat.	моему́	моему́	мое́й	на́шему	на́шему	на́шей
Acc.	N. or G.	моё	мою́	N. or G.	на́ше	на́шу
Instr.	мои́м	мои́м	мое́й(ею)	на́шим	на́шим	на́шей(ею)
Prep.	моём	моём	мое́й	на́шем	на́шем	на́шей

Like **мой** are declined **твой** "your, yours" and the reflexive possessive pronoun-adjective **свой** "my own, your own," etc.

Like **наш** is declined **ваш, Ваш** "your, yours."

4. Third person possessives **его, её, их** never change in form; that is, they are not declined:

его́ стол; его́ перо́; его́ кни́га	his (its) table, pen, book
её стол; её перо́; её кни́га	her table, pen, book
их стол; их перо́; их кни́га	their table, pen, book
их стола́; их пера́; их кни́ги	of their table, pen, book, etc.

5. A form of **свой** must be used when the possessive reflects to a *third* person subject:

Он чита́ет **свою́** кни́гу.	He reads *his own* book.
Он чита́ет **его́** кни́гу would mean:	He reads *his* (not his own, but someone else's) book.

C. Verb

1. *The future tense:*

a. The future tense of the verb **быть** "to be":

Person	Singular		Plural	
1st	я бу́ду	I shall be	мы бу́дем	we shall be
2nd (fam.)	ты бу́дешь	you will be	вы бу́дете	you will be
3rd	он, -á, -ó бу́дет	he, she, it, will be	они́ бу́дут	they will be

b. To form the future tense of any verb,[1] use the proper form of **быть** together with the *infinitive* of the verb. For example the future of **чита́ть** is as follows:

---

[1] Note that this type of future tense formation holds only for the *imperfective aspect* verbs. For the future of the perfective aspect see Lesson 16.

Person	Singular	Plural
1st	я бу́ду чита́ть	мы бу́дем чита́ть
2nd (fam.)	ты бу́дешь чита́ть	вы бу́дете чита́ть
3rd	он, -а́, -о́ бу́дет чита́ть	они́ бу́дут чита́ть

2. *Translation of "to have" in the future tense*:

a. Use the construction explained in Lesson 6, introducing the *future* tense forms of the verb "to be":

У бра́та бу́дет журна́л.	The brother will have a magazine.
У него́ бу́дут и журна́л и кни́га.	He will have both a book and a magazine.

b. Note, however, that in the *negative* sentence the verb is *always* in the *neuter* 3rd person *singular*:

У него́ не бу́дет журна́ла.	He will not have a magazine.
У него́ не бу́дет ни кни́ги ни пера́.	He will have neither a book nor a pen.

c. To express *abstract* possession, the verb име́ть "to have" should be used:

Я име́ю удово́льствие.	I have the pleasure.
Я име́л возмо́жность.	I had the opportunity.
Я бу́ду име́ть удово́льствие.	I shall have the pleasure.

VOCABULARY BUILDING

Noun	Adjective	
ве́чер	вече́рний	evening
весна́	весе́нний	spring
ле́то	ле́тний	summer
о́сень	осе́нний	fall, autumn
зима́	зи́мний	winter
дождь	дождли́вый	rainy
свет	све́тлый	light

Adverb	Adjective	
до́рого	дорого́й	dear, expensive
ми́ло	ми́лый	dear, nice
интере́сно	интере́сный	interesting
по́здно	по́здний	late
ра́но	ра́нний	early

V. QUESTIONS

1. Сейча́с февра́ль и́ли март? 2. Како́й после́дний зи́мний ме́сяц? 3. Како́й сего́дня день? 4. До ле́та ещё далеко́?. 5. Како́й ме́сяц бу́дет по́сле февраля́? 6. Како́й ме́сяц бу́дет по́сле ма́рта? 7. Како́й ме́сяц бу́дет по́сле апре́ля? 8. Кака́я в на́шем кли́мате весна́? 9. Кака́я в на́шем кли́мате зима́? 10. Како́е в на́шем кли́мате ле́то? 11. Кака́я в на́шем кли́мате о́сень? 12. Где мы живём зимо́й? 13. Где вы бу́дете жить ле́том? 14. Где вы жи́ли про́шлое ле́то? 15. Почему́ вы не мо́жете жить на да́че всё ле́то? 16. Кто е́дет на да́чу на всё ле́то? 17. Где да́ча бра́та жены́? 18. Како́е сообще́ние ме́жду его́ да́чей и на́шим го́родом? 19. Почему́ жена́ не мо́жет жить в го́роде ле́том? 20. Почему́ она́ бу́дет скуча́ть в дере́вне?

VI. GRAMMAR EXERCISES

Exercises with Grammar A

a. From the Reading Exercise write out all *soft* adjectives with their nouns, indicating their gender, case, and English meaning, as follows:

после́дний ме́сяц   Masculine,   nominative   ''last month''
зи́мний ме́сяц   Masculine,   nominative   ''winter month''

b. Supply the endings:

1. Я люблю́ зи́мн— во́здух. 2. Сего́дня свеж—, зи́мн— у́тро. 3. По́сле жа́рк— пого́ды бу́дет дождь. 4. Для заня́т—' челове́ка нет ле́том о́тдыха. 5. Я не могу́ е́хать на да́чу без ле́тн— пальто́. 6. К моему́ хоро́ш— дру́гу е́дет жена́. 7. В дождли́в— день я обыкнове́нно до́ма. 8. В жа́рк— пого́ду мы хо́дим гуля́ть в по́ле. 9. Я всегда́ бу́ду по́мнить мою́ после́дн— ночь в дере́вне. 10. Она́ рабо́тает с ра́нн— утра́ до по́здн— ве́чера. 11. Они́ люби́ли игра́ть в те́ннис ра́нн— у́тром. 12. Я е́хал домо́й после́дн— по́ездом. 13. Я говори́л с поэ́том о его́ после́дн— кни́ге. 14. Я гото́влю свеж— чай сестре́. 15. Мы говори́м о сосе́дн— до́ме.

Exercises with Grammar B

a. From the Reading Exercise write out all possessive adjectives along with the nouns they modify, indicating their gender, case, and English meaning, as follows (18 forms in all):

в на́шем кли́мате Masculine, prepositional   ''in our climate''
мое́й ко́мнаты   Feminine, genitive   ''of my room''

b. Supply the Russian equivalent of the English words in parentheses:

1. Вот (their) дом. 2. Это (my) место. 3. (His) фамилия — Петров. 4. К (my) жене едет (her) подруга. 5. Я люблю играть в теннис с (my) приятелем. 6. В (thine) квартире сейчас живёт (his) товарищ. 7. Присылайте вечернюю газету (my) внуку! 8. (Her) муж едет на службу. 9. Утром она спешит на (her own) работу. 10. Я был в театре со (my own) женой. 11. (Your) жизнь интересная, а (our) жизнь очень скучная. 12. Весной в (our) магазине всегда распродажа, а осенью в (yours). 13. Около (his) дома длинный белый мост. 14. Между (our) и (your) домом будет гараж. 15. Зимой (their) сын едет в Ленинград. 16. Летом он всегда ездит в гости к (his own) бабушке.

Exercises with Grammar C

a. From the Reading Exercise write out all verbs in the future tense and translate, as follows:

Я всегда буду помнить   I shall always remember.

b. Change into the future tense:

1. Я работаю на заводе. 2. Ты знаешь о новой распродаже? 3. Брат пишет письмо жене. 4. Моя соседка играет на скрипке. 5. Зимой они скучают и ждут лета. 6. Мы с приятелем обедаем дома. 7. Летом вы живёте на даче? 8. Ты слушаешь вечером радио? 9. Вы помните дождливую осень. 10. В феврале они всегда снимают квартиру в городе.

Exercises with Grammar C and Review

a. Give the correct forms of the words in parentheses:

1. У (друг) свой автомобиль. 2. У (моя жена) своя дача. 3. У (приятель) русская книга. 4. У (её муж) большой дом. 5. У (ваша подруга) новое зимнее пальто. 6. У (мой хороший приятель) большая новость. 7. У (его жена) новая скатерть. 8. У (молодой механик) хорошая работа. 9. Мой автомобиль сейчас у (доктор). 10. У (её брат) своя дача. 11. У (твоя соседка) новая скрипка. 12. Мой английский журнал теперь у (инженер).

b. Put the sentences into the past and future tenses.

c. Change the sentences into question form.

d. Change the sentences into the negative form.

VII.   TRANSLATION INTO RUSSIAN

A

1. Now it is February, the last winter month. 2. It is still very cold, and it is snowing now. 3. In our climate spring starts late (is a late one) and winter begins early (is an early one). 4. The summer is fine, but fall is always rainy. 5. In winter we live in the city. 6. We love opera and theater, and often go in the evening to the movies or to the concert. 7. But in the summer my wife cannot live in the city. 8. My wife's brother has a big summer home in a beautiful spot in the country. 9. Last summer we lived there. 10. Our son also has a beautiful country home. 11. We shall live there this summer (acc.). 12. But I am a busy man and cannot spend (live) there all summer. 13. My wife, too, did not wish to live in the country all summer. 14. She is bored without the fine opera and theater of the big city.

B

1. "Hello, Peter, where are you hurrying?" 2. "Oh, hello, Paul, I am hurrying home. 3. Today we are going (driving) to Leningrad." 4. "Are you going in your big new car?" 5. "No, we are going by train." 6. "Will you live in the old house of your grandmother?" 7. "No, we shall live in the beautiful big house of the famous poet Ivanov. 8. He is a very good friend of my brother. 9. Each one will live his own life, and do what he wants. 10. You remember, Paul, my sister is a singer; she will, of course, study aria after aria. 11. She has a very fine (excellent) voice and has sung with great success at the club 'The Red Star.' 12. Perhaps she will now have the opportunity of singing (to sing) at a club or a restaurant or even at the opera in the big city [of] Leningrad! 13. I shall work at a large new plant. 14. My work will be interesting and not very hard. 15. I shall always have early breakfast (breakfast early), and shall never be late for work. 16. My brother will, of course, write from early morning until late [in the] evening; he is again writing a book. 17. But after work we shall have the great pleasure of going to the theater, the opera, and the concert." 18. "Well, Peter, your life in the big, noisy city will never be boring." 19. "No, Paul, it will be a very interesting one. 20. But I shall always remember our country life here in this little village [of] Blinsk!"

ПЯТНАДЦАТЫЙ УРОК

FIFTEENTH LESSON

Singular declension of masculines in -ок and -ец — Short form of the adjective — Declension of the interrogative pronoun — Reflexive verb

I. COMMON EXPRESSIONS AND IDIOMS

В начале, в конце	In the beginning, in the end
Чем он болен?	What is his sickness?
У него жар, температу́ра.	He has fever, temperature.
Он просту́жен.	He has a cold.
Он быва́л просту́жен.	He sometimes had a cold.
У отца́ боли́т (боле́ло) го́рло, голова́.	Father has (had) a sore throat, a headache.
У отца́ на́сморк, ка́шель.	Father has a (head) cold, a cough.
Принима́ть лека́рство	To take medicine
Быть пацие́нтом	To be a patient
Смея́ться над (+ instr.)	To laugh at
Весели́ться до утра́	To have a good time (make merry) till morning
Чу́вствовать себя[1] пло́хо, хорошо́	To feel (oneself) ill, well
Хорошо́ смеётся тот, кто смеётся после́дний.	He who laughs last laughs best.

II. READING EXERCISE

Мой оте́ц **бо́лен** уже́ четы́ре ме́сяца: ию́нь, ию́ль, а́вгуст и сентя́брь.

Оте́ц лежи́т в го́спитале; мы ещё не зна́ем, **чем он бо́лен.**

В нача́ле а́вгуста он был о́чень **бо́лен,** но тепе́рь до́ктор **дово́лен** здоро́вьем отца́. Он ду́мает, что оте́ц бу́дет до́ма в октябре́, а **в конце́** ноября́ он бу́дет совсе́м **здоро́в.**

Эта боле́знь — пе́рвая боле́знь **отца́.** Иногда́, я по́мню, **он быва́л просту́жен.** Но да́же когда́ у **отца́ боле́ло го́рло** и́ли **был ка́шель** и́ли **на́сморк,** он лежа́л в посте́ли, не ходи́л к до́ктору, не **принима́л лека́рства**... Он **просыпа́лся,** как всегда́, ра́но у́тром, бы́стро мы́лся, **одева́лся** и е́хал в универ-

---

[1] N.B. **себя́** does *not* change with the person.

121

ситéт. А вéчером, пóсле рабóты он иногдá ещё **встречáлся** с приятелем и **готóв** был **весели́ться до утрá!**

Мой отéц всегдá был **зáнят** и всегдá был **пóлон** энéргии. Он чáсто **смеялся над** нáшим дóктором.

— Что дéлать, дóктор? Не могý имéть удовóльствия **быть** вáшим **пациéнтом.** Я **рад** лечи́ться, но что дéлать? Я всегдá **здорóв!** Хорошó, что не всé так **здорóвы,** как я! —

— Смéйтесь, смéйтесь, — отвечáл наш дóктор. «**Хорошó** смеётся тот, кто смеётся послéдний!» —

Тепéрь-то мы знáем, как **прав** был дóктор!

III. VOCABULARY

болéзнь	disease, illness	постéль	bed
готóвый,	ready,	прáвый,	right
-'ая, -'ое	prepared	-'ая, -'ое	
дáже	even	ребёнок († о)	child
довóльный,	satisfied,	рубль (m.)	ruble
-'ая, -'ое	pleased	строкá	line
здорóвье	health	удовóльствие	pleasure, joy
здорóвый,	healthy, well	университéт	university
-'ая, -'ое		устáлый,	tired
кáшель (†е) (m.)	cough	-'ая, -'ое	
кусóк († о)	piece	шляпа	hat
пóлный,	full		
-'ая, -'ое			

ию́нь (m.)	June	сентябрь (m.)	September
ию́ль (m.)	July	октябрь (m.)	October
áвгуст	August	ноябрь (m.)	November

Verbs

болéть, болéю, болéешь, болéют	to be sick, ill
болéть; боли́т; болят (used in the 3rd person only)	to hurt, pain, ache
бояться (II) with gen.	to be afraid of, fear
весели́ться (II)	to be merry, to make merry
вставáть, встаю́, встаёшь, встаю́т	to get up
лечи́ть(ся), лечý(сь), лéчишь(ся), лéчат(ся)	to treat (oneself), to be in care of a doctor, to treat, heal
мы́ть(ся), мóю(сь), мóешь(ся), мóют(ся)	to wash (oneself)
поправляться (I)	to get well, recover
чýвствовать(ся), чýвствую(сь), чýвствуешь(ся), чýвствуют(ся)	to feel (oneself)

IV. GRAMMAR

A. Noun

A large number of masculine nouns the stem of which ends in -ок or -ец, and some others,[1] drop the o or e when a declensional ending is added:

Nom.	кусóк "piece"	отéц "father"	день "day"
Gen.	кускá	отцá	дня
Dat.	кускý	отцý	дню
Acc.	кусóк	отцá	день
Instr.	кускóм	отцóм	днём
Prep.	кускé	отцé	дне

This loss of vowel will be indicated in the vocabularies as follows: отéц († e); день († e); кусóк († o); звонóк († o)

B. Adjective. Short form of the adjective

1. *Many Russian adjectives have a "short" form. It is ob-*tained by dropping the long adjective endings -ый, -óй, -ий, -ие, etc., and adding the following short endings:

				Long Form	*Short Form*
No ending	for the *masculine*	*singular*		красúвый	красúв
-a	for the *feminine*	*singular*		красúвая	красúва
-o	for the *neuter*	*singular*		красúвое	красúво
-e	for the *neuter (soft)*	*singular*		сúнее	сúне
-ы or -и[2]	for the *plural of all genders*		{	красúвые хорóшие	красúвы хорошú

2. The *short* form of the adjective cannot be declined. It can be used only in a *predicative* function:

Профéссор óчень **бóлен**. The professor is very sick.
Эта кнúга **интерéсна**. This book is interesting.

---

[1] For instance: ковёр, коврá "rug"; лоб, лба "forehead." After л, н, and р the lost vowel e is often replaced by ь: лёд, льдá "ice"; лев, львá "lion."

[2] In accordance with Vowel Mutation Rule B, after г, к, х, ж, ч, ш, щ. Also with soft declension adjectives.

The *long* form *must* be used whenever the adjective is used *attributively*:

Мы живём в **краси́вом** зда́нии.   We live in a beautiful building.

It is also used when "one" is expressed or understood:

Како́й он **здоро́вый**!   What a healthy one he is!

3. *Consonants in final position:*

The elimination of the long ending in the masculine forms of the adjective often leaves a group of consonants in final position. In such case e (ё) is usually inserted before the final л, м, or н; and o before all other final consonants; e replaces ь[1]:

	больно́й, бо́л**ен**	sick, ill
	удо́бный, удо́б**ен**	comfortable
	у́мный, у́м**ён**	clever
	коро́ткий, корот**о́к**	short, brief
But notice:	по́лный, по́л**он**	full

4. The following *short* forms are particularly common:

бо́лен, больна́, больно́, больны́	sick, ill
дово́лен, дово́льна, дово́льно, дово́льны (+instr.)	satisfied
гото́в, гото́ва, гото́во, гото́вы	ready
здоро́в, здоро́ва, здоро́во, здоро́вы	well
за́нят, занята́, за́нято, за́няты	busy
по́лон, полна́, полно́, полны́	full
прав, права́, пра́во, пра́вы[2]	right, correct
умён, умна́, умно́, умны́	clever

5. The following adjective is used only in its *short* form:

рад, ра́да, ра́до, ра́ды   happy

C. Pronoun

Full declension of the *interrogative* pronouns кто "who" and что "what":

Nom.	кто	who	что	what
Gen.	кого́	of whom	чего́	of what
Dat.	кому́	to whom	чему́	to what
Acc.	кого́	whom	что	what
Instr.	кем	with whom	чем	with what
Prep.	ком	about whom	чём	about what

---

[1] The various exceptions to this general statement cannot be considered in this elementary text.

[2] The long form пра́вый, -'ая, -'oe also means "right" in a directional sense:

Я пишу́ пра́вой руко́й.   I write with the right hand.
Пра́вый бе́рег реки́.   The right bank of a river.

D. Verb

1. The Russian reflexive verb is characterized by the unchanging endings -ся or -сь.
-ся is added whenever the verb ends in a consonant, in й, or in ь. It contracts to -сь after vowels.

2. Conjugation of the reflexive verb одеваться "to get dressed, to dress oneself":

PRESENT TENSE
Singular

я одеваю + сь	I dress (myself)
ты одеваешь + ся	you dress (yourself)
он, она, оно одевает + ся	he, she, it, dresses (him-, her-, itself)

Plural

мы одеваем + ся	we dress (ourselves)
вы, Вы одеваете + сь (fam. & pol.)	you dress (yourselves)
они одевают + ся	they dress (themselves)

PAST TENSE

Singular	я, ты, он одевался; она одевалась; оно одевалось
Plural	мы, вы, Вы, они одевались

IMPERATIVE

одевайся!　　　　　одевайтесь!

Note: -ся, -сь are contractions of the reflexive pronoun себя "oneself, myself, yourself," etc. When the verb is used with a direct object other than "oneself," it does *not* take the ending -ся, -сь:

	Я одеваюсь.	I dress *myself*.
but:	Я одеваю ребёнка.	I dress the *child*.
	Она одевает пальто.	She puts on *a coat*.

3. Not all verbs in -ся, and -сь are reflexive in their meaning:

начинаться (I) "to begin" кончаться (I) "to end"
просыпаться (I) "to wake up" Я просыпаюсь. I wake up.

садиться: сажусь, садишься, садятся "to sit down"
Я сажусь за стол.　　　　I sit down at the table.
　　　　　　　　　　　　(N.B. no "myself" in English)

смеяться, смеюсь, смеёшься, смеются "to laugh"

As their translation indicates these verbs are *not* "reflexive" in English, that is they do not use "self."

4. Some verbs in -ся or -сь express mutual (reciprocal) action: встречáться "to *meet*" (*one another,* not oneself!):

Я встречáюсь с приятелем.   I meet a friend.

Встречáться (I) must be used with с (со) and the *instrumental,* while the nonreflexive встречáть takes its direct object in the *accusative* case without any preposition:

Я встречáю приятеля.   I meet a friend.

V. QUESTIONS

1. Где отéц ужé четы́ре мéсяца: июнь, июль, áвгуст и сентя́брь? 2. Почемý отéц в гóспитале? 3. Чем отéц бóлен? 4. Когдá был отéц óчень бóлен? 5. Довóлен ли тепéрь ваш дóктор здорóвьем отцá? 6. Когдá бýдет отéц совсéм здорóв? 7. Болéл ваш отéц чáсто? 8. Бывáл ли он иногдá простýжен? 9. Что у отцá иногдá болéло? 10. Бывáли ли у отцá чáсто кáшель и нáсморк? 11. Что он принимáл, когдá он был простýжен? 12. Что он дéлал ýтром? 13. Кудá он éздил? 14. С кем он встречáлся вéчером? 15. Был ли отéц всегдá зáнят? 16. Над кем чáсто смея́лся отéц? 17. Что он говори́л дóктору? 18. Что отвечáл отцý дóктор?

VI. GRAMMAR EXERCISES

Exercise with Grammar A

Give correct case forms of the Russian nouns in parentheses:

1. Мать скучáет без (ребёнок). 2. У моегó брáта в квартúре нет нóвого (ковёр). 3. Нáша сосéдка готóвила обéд (ребёнок). 4. Сегóдня моя́ женá и я идём в универсáльный магазúн за (ковёр). 5. Я спрáшивала свою́ подрýгу о её (ребёнок). 6. Я не мог мы́ться три (день), так как нé было горя́чей воды́. 7. Мы никогдá не хóдим в теáтр (день). 8. Он всегдá встречáлся с (америкáнец) в клýбе. 9. У егó (отéц) был большóй и óчень краси́вый дом в гóроде. 10. Тепéрь дóктор óчень довóлен здорóвьем нáшего (отéц).

Exercises with Grammar B

a. From the Reading Exercise write out all *short* adjective forms, giving their gender, number, and English meaning, as follows:

бóлен   Masculine, singular   "sick"

b. Replace the adjectives in parentheses by the correct *short* forms:

1. Сегодня моя подруга будет очень (занятая). 2. Этот ребёнок (больной), а тот (здоровый). 3. Все знали, что наш отец (умный). 4. Вчера собрание в клубе было очень (скучное). 5. В воскресение я буду (свободный), а мой брат будет (занятой). 6. В нашем климате осень всегда (дождливая). 7. Наша соседка была (молодая) и любила веселиться. 8. Твой ребёнок никогда не будет (больной). 9. Утром я всегда (полная) энергии. 10. Это место будет (удобное) для ребёнка.

Exercise with Grammar C

Change the following sentences into questions, replacing the bold face expressions by proper forms of **кто** or **что** and observing correct word order, thus: я читаю **новую книгу: что** я читаю?

1. Я всегда буду помнить **кузнеца**. 2. **Пакет** на столе. 3. **У брата** нет своего автомобиля. 4. Я не хочу принимать **лекарства**. 5. Я часто задавал **этот вопрос** сестре. 6. Она любит **своего ребёнка**. 7. Они всегда готовы спорить **с отцом**. 8. Вы довольны **своей жизнью**? 9. На даче **мы** будем часто встречаться **с американцем**. 10. Мы боимся думать **о его серьёзной болезни**. 11. В марте мы ещё не думаем **о даче**. 12. Отец всегда готов веселиться **с внуком**. 13. Соседка смеялась **над подругой**. 14. Мы смеялись над **её историей**.

Exercises with Grammar D

a. From the Reading Exercise write out all reflexive verbs, giving their English meaning, as follows:

Он просыпался.   He awoke (woke up).

b. Put the following sentences (1) into the present; (2) into the past; (3) into the future:

1. Он (мыться) утром, а ты (мыться) вечером. 2. Вы быстро (одеваться). 3. Они (просыпаться) только к завтраку. 4. Мы (лечиться) у вашего доктора. 5. В Лениграде ты часто (встречаться) с твоим отцом. 6. На даче она хорошо (поправляться). 7. Отец (смеяться) над вечерней газетой. 8. Она (чувствовать себя) плохо. 9. Товарищ Иванов всегда (мыться) горячей водой. 10. На пароходе мы (веселиться). 11. Ребёнок (бояться) доктора. 12. Мы (чувствовать себя) очень хорошо.

VII.   TRANSLATION INTO RUSSIAN

A

1. Our father was always very healthy. 2. He was always full of energy and was always ready to have a good time (be merry). 3. Sometimes he had a (head) cold or a cough. 4. But he never stayed (lay) in bed. 5. As always, he woke early, dressed quickly, had breakfast, read his Russian paper, and went to the university. 6. He never went to the doctor and never took medicine. 7. He often laughed at our doctor. 8. He laughed and said: "I can't have the pleasure of being your patient, doctor. I would gladly (am glad to) be treated, but I am always so healthy." 9. But now he is very sick. 10. He has been (lies) in the hospital for four months, June, July, August, and September. 11. We do not know what his sickness is. 12. But our doctor says that our father is very ill. 13. He does not know when father will be at home again; perhaps (at) the end of October or (at) the beginning of November. 14. We shall all be very happy when father is (will be) well again.

B

1. It is already very late but Sonya is still lying in bed. 2. In her little room it is warm, but outside (out of doors) it is cold and it is raining. 3. Good weather or bad, when Sonya is well (healthy) she gets up early, is full of energy, and works from early morning till late [in the] evening. 4. But today Sonya feels ill; she has a headache and a sore throat. 5. But she has no temperature. 6. Perhaps she has only a cold, a simple cough, or a head cold. 7. It is time to get up! 8. Sonya always meets her dear friend Nina on the way to work; she is never late. 9. And so Sonya slowly gets up, washes, and slowly gets dressed (dresses). 10. She sits down at the table. 11. Usually, she eats a hearty (big) breakfast, but today she drinks only hot tea and eats a piece of black bread without butter. 12. Sonya gets up from (из за and gen.) the table and opens the window. 13. There is not a cloud in the sky now; it is warm outside now, and the air is fresh. 14. Suddenly Sonya feels quite well again. 15. "I cannot lie in bed all day, listen to the radio, and be bored," thinks Sonya; "I am a busy person and a healthy one! 16. And my friend Nina is waiting [for] me (меня) at the office." 17. Sonya puts on hat and coat, closes the window and the door, and goes quickly to the office. 18. She is again the happy, healthy Sonya, and full of energy!

ADDITIONAL READING MATERIAL

Based on the vocabulary and grammar of the preceding lessons

У БАБУШКИ В ДЕРЕВНЕ.

Я ещё не знаю где я буду жить летом. Конечно, теперь только ноябрь и до лета ещё далеко.

Прошлое лето мы с братом жили у бабушки на даче. Зимой бабушка всегда жила в своём большом городском доме. В начале июня она всегда говорила: — Летом мне не место в шумном городе. Хотите быть всегда здоровы и не болеть и не ходить к доктору, уезжайте летом из города. Природа лечит человека. —

Никто с бабушкой не спорил. Мы знали, что «бабушка всегда права».

Жизнь у бабушки в деревне шла по расписанию. Каждое утро все в доме просыпались рано, завтракали, а потом помогали бабушке по хозяйству. У бабушки всегда было много работы и в доме и на дворе.

Днём и вечером мы были свободны и могли делать что хотели. Днём в хорошую погоду мы иногда ездили к соседу играть в теннис или ходили гулять. Мы всегда очень любили природу. Я всегда буду помнить, какое это удовольствие гулять в поле или около реки. Летнее небо было всегда синее, а воздух свежий, здоровый...

В плохую погоду мы тоже не скучали: мы читали вслух, играли в карты, слушали как бабушка играла на рояле. Я не умею играть ни на рояле, ни на скрипке, но мой брат хорошо играет на скрипке. Он часто играл с бабушкой; бабушка играла на рояле, а брат на скрипке.

Вечером мы иногда ездили в соседний город в кино. Бабушка в кино никогда не ездила. — Это городское удовольствие, — говорила она, — будете ездить в кино осенью или зимой. Летом надо быть (one has to be) на свежем воздухе целый день, а вечером надо идти рано спать.

Кто мог спорить с бабушкой? Конечно, она была права!

ШЕСТНАДЦАТЫЙ УРОК

SIXTEENTH LESSON

ASPECTS OF THE RUSSIAN VERB

This Lesson has been given rather more than the usual space and has been divided into two parts, in order to introduce the student to this very important feature of the Russian language as gradually as possible and to provide the greatest possible amount of exercise material. Part A acquaints the student with the fundamentals, Part B with the more advanced characteristics of this typical feature of the Russian Verb System.

PART A

I. COMMON EXPRESSIONS AND IDIOMS

Мне не на́до	I don't have to, need to
По́сле того́ как... (он) погуля́л	After . . . he had taken a walk
То, что . . .	That which. . .
Быть вторы́м Пу́шкиным	To be a second Pushkin (Note the instrumental case in this construction.)

II. READING EXERCISE

Ви́ктор Ива́нович Светло́в — поэ́т. Он нигде́ не рабо́тает и ка́ждое у́тро, когда́ он просыпа́ется он ду́мает: — как хорошо́, что я не меха́ник, не инжене́р, не до́ктор и не профе́ссор. **Мне не на́до** спеши́ть на рабо́ту. Утром я могу́ споко́йно **полежа́ть** в посте́ли, **почита́ть, поду́мать, послу́шать** му́зыку по ра́дио...

Ви́ктор Ива́нович просыпа́лся по́здно, ме́дленно мы́лся, бри́лся и одева́лся, По́сле того́ как он **помы́лся, побри́лся и оде́лся,** он шёл гуля́ть в сосе́дний парк. Све́жий во́здух, приро́да..! Како́е удово́льствие **погуля́ть** час, два в прекра́сном па́рке. Как хорошо́, что **мне не на́до** сиде́ть це́лый день в конто́ре и́ли рабо́тать на заво́де. —

Но говоря́т, что «кто не рабо́тает — тот не ест» и, оче-
ви́дно, они́ пра́вы, потому́ что **по́сле того́ как** Ви́ктор Ива́но-
вич **погуля́л** в па́рке, он шёл домо́й, сади́лся за сво́й рабо́чий
стол и начина́л писа́ть.

Ви́ктор Ива́нович писа́л ме́дленно. По́сле того́ как он
написа́л две, три строки́, он чита́л вслух то, что он **написа́л,**
слу́шал, ду́мал: — хорошо́ ли э́то? Пото́м опя́ть начина́л пи-
са́ть, опя́ть чита́л вслух, опя́ть ду́мал: — **написа́л** ли я то, что
хоте́л **написа́ть?**

Ви́ктор Ива́нович ещё совсе́м молодо́й челове́к, но он
уже́ изве́стный поэ́т. Его́ после́дняя кни́га име́ла большо́й
успе́х и в журна́ле «Поэ́т» о Ви́кторе Ива́новиче **написа́ли,**
что он — «второ́й Пу́шкин»!

Ви́ктор Ива́нович коне́чно зна́ет, что он не «второ́й Пу́ш-
кин». Он ча́сто говори́л: я бу́ду всю жизнь свою́ писа́ть и
писа́ть; мо́жет быть **то, что** я **напишу́** бу́дет не пло́хо, но
быть вторы́м Пу́шкиным никто́ не мо́жет! —

III. VOCABULARY

Verbs and Their Aspects

Imperfective	Perfective	English
бри́ться; бре́юсь, бре́ешься, бре́ются;	побри́ться (бри́ться)	to shave
гуля́ть (I)	погуля́ть (I)	to take a walk
ду́мать (I)	поду́мать (I)	to think
лежа́ть (see L. 8)	полежа́ть (лежа́ть)	to lie
начина́ть (I)	нача́ть; начну́, начнёшь начну́т	to begin
одева́ться (see L. 15)	оде́ться; оде́нусь, оде́нешься, оде́нутся	to dress (oneself)
писа́ть (see L. 6)	написа́ть (писа́ть)	to write
рабо́тать (I)	порабо́тать (I)	to work
сиде́ть; сижу́, сиди́ш сидя́т	посиде́ть (сиде́ть)	to sit
слу́шать (I)	послу́шать (I)	to listen
чита́ть (I)	почита́ть (I)	to read

N.B. Verb in parentheses behind the Perfective form indicates that the Perfective verb is conjugated exactly like the
Imperfective. In subsequent vocabularies the verbs will always be given in this manner.

IV. GRAMMAR

A. Basic characteristics of the Imperfective and Perfective Aspects:

1. Almost all Russian verbs are either of the *imperfective* or of the *perfective* aspect.

2. The *imperfective* aspect of the verb indicates a *continuous* (durative), repeated (iterative), or *habitual* action:

я пишу́   I am writing, keep on writing, am in the habit of writing.

3. The *perfective* aspect indicates a *completed* or *to be completed* action:

я паписа́л   I wrote, have written, had written.

я напишу́   I shall write, shall complete the action of writing.

4. The imperfective aspect appears in all *three tenses*: in the *present*, the *past*, and the *future*.

5. The perfective aspect appears only *in two tenses*: in the *past* and in the *future. It has no present tense!* The form of the perfective verb that looks like a present tense form has a *future* meaning. The perfective verb can *never* have a future constructed with the verb быть "to be".

B. Sample Sentences

The following sentences illustrate the meaning and use of the aspects in the *past* and *future* tenses:

Imperfective Aspect

a. Я ка́ждый день **писа́л.**   I wrote (was writing) every day.[1]

   Я бу́ду ка́ждый день **писа́ть.**   I shall write (be writing) every day.

b. Он **писа́л** письмо́, когда́ я вошёл.   He was writing a letter when I came in.

   Он **бу́дет писа́ть** письмо́, когда́ ты войдёшь.   He will be writing a letter when you come in.

c. Сего́дня я **писа́л** три часа́.   I have been writing (I wrote) three hours today.

   За́втра я **бу́ду писа́ть** три часа́.   I shall write (be writing) three hours tomorrow.

---

[1] "I was writing" is very often rendered by "I wrote" in English, even though the progressive idea is being expressed.

C.   ASPECT-TENSE TABLE

Imperfective Aspect		Perfective Aspect	
Present Tense			
я пишу́ ты пи́шешь он пи́шет мы пи́шем вы пи́шете они́ пи́шут	I write, am writing, am in the habit of writing, etc.	*NONE*	
Past Tense			
я, ты, он **писа́л** я, ты, она́ **писа́ла** мы, вы, они́ **писа́ли**	I was writing, I have been writing, I had been writing, etc.	я, ты, он **написа́л** я, ты, она́ **написа́ла** мы, вы, они́ **написа́ли**	I wrote, I have written, I had written, you wrote, you have written, etc.
Future Tense			
я бу́ду писа́ть ты бу́дешь писа́ть он бу́дет писа́ть мы бу́дем писа́ть вы бу́дете писа́ть они́ бу́дут писа́ть	I shall write, I shall be writing, you will write, you will be writing, etc.	я напишу́ ты напи́шешь он напи́шет мы напи́шем вы напи́шете они́ напи́шут	I shall write, you will write, etc.

Note carefully that the *perfective* verb can never have a future constructed with the verb **быть** "to be."

In the sentences under (a) above the action of writing is *repetitive* or *habitual*.

In the sentences under (b) the action of writing is *progressive*.

In the sentences under (c) the action of writing is *continuous* (its extension is specifically indicated).

In each instance the *imperfective* had to be used.

Perfective Aspect

Он вчера́ **написа́л** письмо́.	Yesterday he wrote (completed writing) a letter.
Он за́втра **напи́шет** письмо́.	Tomorrow he will write (complete writing) a letter.

Note that in these sentences the action of writing is *not* repetitive, *not* habitual, *not* progressive, *nor is its extension specifically indicated*. The use of the *perfective* aspect of the verb "to write" makes it clear that we are dealing here with a *completed* action or with *one that is to be completed*.

C. (See page 133)

D. Perfective with the prefix ПО

This perfective generally expresses *brevity, informality,* or *lack of strain* or *intensity* in an action:

Он **порабо́тал**.	He worked for a while.
Он **почита́л газе́ту**.	He read the paper (casually, briefly).
Он лю́бит хорошо́ **поку́шать**.	He likes to have a good bite to eat.
Он **поговори́л** с хозя́ином.	He had a chat with the landlord.
Она́ **погуля́ла** в па́рке.	She took a walk in the park.

V. QUESTIONS

1. Где рабо́тает Ви́ктор Ива́нович Светло́в? 2. Он инжене́р и́ли до́ктор? 3. Куда́ он спеши́т у́тром? 4 Что он де́лает у́тром? 5. Ра́но ли просыпа́ется Ви́ктор Ива́нович? 6. Где он за́втракает? 7. Что де́лал Ви́ктор Ива́нович по́сле за́втрака? 8. Люби́л ли он приро́ду? 9. Что де́лал Ви́ктор Ива́нович по́сле того́ как он погуля́л в па́рке? 10. Бы́стро ли он писа́л? 11. Что написа́ли о Ви́кторе Ива́новиче в журна́ле «Поэ́т»? 12. Ду́мал ли Ви́ктор Ива́нович, что он «второ́й Пу́шкин»?

VI. EXERCISES

1. Write out all *perfective* verbs occuring in the Reading Exercise.

2. Conjugate all Perfective verbs in the *past* and *future* tenses.

3. In the Reading Exercise change all Perfective verbs into *imperfectives* and observe the resultant change in the meaning of the sentences.

VII. TRANSLATION INTO RUSSIAN

1. I do not like to write. 2. But today I have to write a letter to my father. 3. I write for a while and then I listen for a while to the radio and then I write again for a while. 4. After I had finally written the letter, I had a bite to eat. 5. I like to eat well and then to stroll in our beautiful park. 6. Yesterday I walked for four hours without a rest. 7. But at home I rested (lay) for an hour or two on the comfortable sofa, sat for a while in the easy chair at the window, thought a little, and began to write that letter to my father. 8. I wrote and wrote, but what (that) I wrote was very bad. 9. I had to start the letter from the very beginning (completely from the beginning). 10. Now I am glad that I have finally written it. 11. It is already late. 12. I shall now shave and dress quickly, because in the evening I always go to the movies or to the club.

PART B

I. COMMON EXPRESSIONS AND IDIOMS

С тех пор как	Since the time that
Однажды	Once, once upon a time
Заранее	Beforehand, in advance
Пока	So long as, while
Занима́ться хозя́йством	To keep house
Купи́ть за рубль, до́ллар	To buy for a ruble, a dollar
Купи́ть за два, три рубля́, до́ллара	To buy for two, three rubles, dollars
Ходи́ть (пойти́, пое́хать) за поку́пками	To go (drive) shopping
Закуси́ть и вы́пить ча́шку ча́я, ко́фе	To have a snack (bite) and (drink) a cup of tea, coffee
Смотре́ть програ́ммы по телеви́зору	To watch (see) television programs

II. READING EXERCISE

С тех пор как Алексе́й Ива́нович и его́ жена́ Ольга **прие́хали** в США[1], они́ жи́ли в ма́леньком го́роде, в шта́те Илино́йс[2].

Алексе́й Ива́нович инжене́р. Он рабо́тает в конто́ре большо́го, но́вого заво́да, а Ольга **занима́ется хозя́йством.** Они́ живу́т в небольшо́й, удо́бной кварти́ре в це́нтре го́рода, на гла́вной у́лице.

Алексе́й Ива́нович **начина́л** свой рабо́чий день ра́но. Иногда́ он **уезжа́л** на слу́жбу, когда́ Ольга ещё спала́.

Ольга проста́я и до́брая же́нщина. Она́ люби́ла **занимма́ться хозя́йством** и всё де́лала бы́стро и ве́село: с удово́льствием **убира́ла** кварти́ру, **мы́ла, чи́стила, ходи́ла за поку́пками, гото́вила** обе́д...

Как то́лько Ольга **убра́ла** кварти́ру, **вы́мыла** и **вы́чистила** всё, **сде́лала** поку́пки и **пригото́вила** обе́д, она́ люби́ла **посиде́ть** в удо́бном кре́сле у окна́ и **посмотре́ть** из окна́ на шу́мную жизнь гла́вной у́лицы.

---

[1] США—Соединённые Шта́ты Аме́рики—United States of America.
[2] Иллино́йс—Illinois.

Большо́й ли го́род и́ли ма́ленький, а гла́вная у́лица везде́ одина́кова. Тут всегда́ **уви́дишь** и гости́ницу, и кино́, и банк, и по́чту, и универса́льный магази́н.

С ра́ннего утра́ до по́зднего ве́чера на гла́вной у́лице шум, толпа́, движе́ние . . .

Ольга зна́ла, что в понеде́льник, в час дня на гла́вной у́лице всегда́ **уви́дишь** до́ктора Джо́нса. Ка́ждый понеде́льник до́ктор Джонс **прихо́дит** в рестора́н «Том и Бил», где он **встреча́ется** со свои́м прия́телем до́ктором Ричардсо́ном.

Ка́ждую сре́ду в четы́ре часа́ дня **приезжа́л** на такси́ Профе́ссор Бра́ун. Этот высо́кий, худо́й челове́к всегда́ спеши́л . . .

Когда́ Ольга **ви́дела** на гла́вной у́лице большо́й, си́ний автомоби́ль пе́ред зда́нием ба́нка, она́ зна́ла, что сего́дня пя́тница и госпожа́ Смит **прие́хала** в го́род **за поку́пками**. Ольга **зара́нее** могла́ **сказа́ть**, что **бу́дет де́лать** госпожа́ Смит. Снача́ла она́, коне́чно, **пойдёт** в банк, пото́м она́ **пойдёт** на по́чту, пото́м **встре́тит** подру́гу и они́ **пойду́т** в рестора́н, **закуси́ть** и́ли **вы́пить** ча́шку ко́фе. Наконе́ц она́ **пойдёт** с подру́гой в универса́льный магази́н и че́рез час, два, весёлая и дово́льная, она́ **уе́дет** домо́й на своём си́нем автомоби́ле.

— Я **ви́жу**, что ты ско́ро **смо́жешь написа́ть** исто́рию на́шего го́рода, — смея́лся Алексе́й Ива́нович.

— Ну, не зна́ю **напишу́** ли я кни́гу о на́шем го́роде, — отвеча́ла Ольга, — но **пока́** мы живём тут в кварти́ре на гла́вной у́лице, мне не на́до ни смотре́ть програ́ммы по телеви́зору, ни ходи́ть в кино́. —

III. VOCABULARY

библиоте́ка	library	ско́ро	soon
везде́	everywhere	споко́йный,	quiet, peaceful
весёлый,	merry, jolly	-'ая, -'ое	
-'ая, -'ое		такси́	taxi
гла́вный,	main, chief	телеви́зор	television (set)
-'ая, -'ое		толпа́	crowd
движе́ние	movement	худо́й,	thin, skinny
до́ллар	dollar	-'ая, -'ое	
наконе́ц	finally	центр	center
одина́ковый,	same, identical,	штат	state
-'ая, -'ое	equal	шум	noise
отку́да	whence, from where		

Verbs*

Imperfective	Perfective	English[1]
ви́деть; ви́жу, ви́дишь, ви́дят	уви́деть (ви́деть)[2]	I. to see; P. to catch sight of
встреча́ть(ся) (I)	встре́тить(ся), встре́чу(сь), встре́тишь(ся), встре́тят(ся)	to meet
говори́ть (II)	сказа́ть; скажу́, ска́жешь, ска́жут	I. to speak; P. to say, tell
гото́вить; гото́влю, гото́вишь, гото́вят	пригото́вить (гото́вить)	to prepare
дава́ть; даю́, даёшь, даю́т	дать; дам, дашь, даст, дади́м, дади́те, даду́т	to give
де́лать (I)	сде́лать (I)	I. to do, make; P. finish, complete
мочь; могу́, мо́жешь могу́т	смочь (мочь)	to be able
мыть; мо́ю, мо́ешь, мо́ют	вы́мыть (мыть)	I. to wash; P. to wash thoroughly
открыва́ть (I)	откры́ть; откро́ю, откро́ешь, откро́ют	to open
пока́зывать (I)	показа́ть; покажу́, пока́жешь, пока́жут	to show
покупа́ть (I)	купи́ть; куплю́, ку́пишь, ку́пят	to buy

---

* This system of listing both aspects of the verb will be used henceforth.

[1] The verb following an "I" renders the *imperfective* Russian verb; one following a "P" renders the *perfective* Russian verb; when these letters are not used, the English verb must be understood to render *both* aspects of the Russian verb.

[2] The verb followed by a verb in parentheses is conjugated like the verb in parentheses, i.e., уви́деть like ви́деть.

Imperfective	Perfective	English
приезжа́ть (I)	прие́хать (е́хать)	to arrive (by vehicle)
приходи́ть (ходи́ть)	прийти́ (идти́)	to arrive (on foot)
спра́шивать (I)	спроси́ть; спрошу́, спро́сишь, спро́сят	to ask (a question)
убира́ть (I)	убра́ть; уберу́, уберёшь, уберу́т	to clean, tidy up, remove
уезжа́ть (I)	уе́хать (е́хать)	to drive away, off
хоте́ть; хочу́, хо́чешь, хотя́т	захоте́ть (хоте́ть)	I. to wish, want; P. to get the desire
чи́стить; чи́щу, чи́стишь, чи́стят	вы́чистить (чи́стить)	I. to clean, cleanse; P. to clean, cleanse thoroughly

IV. GRAMMAR

A. Further functions of the perfective aspect

In Part A several functions of the *perfective* aspect have been discussed and illustrated, particularly its use to express the *completion* of an action or the *termination* of a state.

The *perfective aspect* can also express:

1. the *beginning* of an action or a state:

Он закрича́л	He began to shout
Она́ запе́ла	She began to sing

2. a *single, instantaneous* action or state, one suddenly begun and suddenly ended:

Он кри́кнул	He gave a shout
Он чихну́л	He sneezed

The verbs петь and крича́ть may serve to indicate the variety of meanings conveyed by the Russian verb-aspect:

1. запе́ть	петь	спеть
beginning of the action	continuous action	end, completion of action

2. a. **крича́ть:**   Ребёнок **крича́л**   The child cried
                      весь день.   all day.
   b. **покрича́ть:** Он **покрича́л.**   He cried a little.
   c. **закрича́ть:** Он **закрича́л.**   He began shouting.
   d. **кри́кнуть:**   Он **кри́кнул**   He gave a shout
                      и зати́х.   and fell silent.

B.   Formation of the perfective aspect

From the various examples in Section A it can be seen that the aspect forms are, generally, rather closely related. They are usually differentiated by means of 1) Prefixes; 2) Infixes; 3) the change of the root vowel and/or consonant; 4) different stems: **брать** (imperf.) : **взять** (perf.); **говори́ть** (imperf.) : **сказа́ть** (perf.). A helpful device for memorizing the verbs is to group them according to their aspect-formation, for example:

1. By means of prefixes:

ВЫ: **ВЫ**мыть(ся): **ВЫ**чистить
ЗА: **ЗА**пе́ть; **ЗА**крича́ть; **ЗА**хоте́ть
НА: **НА**писа́ть
ПО: **ПО**ду́мать; **ПО**гуля́ть; **ПО**сиде́ть
ПРИ: **ПРИ**гото́вить, **ПРИ**е́хать
С: **С**де́лать; **С**мочь; **С**петь

2. with the typical *imperfective infix* **ВА:**

оде**ВА**ться (Imperf.) : оде́ться (Perf.); откры**ВА**ть (Imperf.) : откры́ть (Perf.)

3. with the typical *perfective infix* **НУ:**

крича́ть (Imperf.) : кри́к**НУ**ть (Perf.); чиха́ть (Imperf.) : чих**НУ**ть (Perf.)

4. by means of root *vowel and/or consonant change*:

отве**ЧА**ть (Imperf.) : отве́**ТИ**ть (Perf.); получ**А**ть (Imperf.) получ**И**ть (Perf.)

For a listing of verbs used in this text arranged according to their aspect-formation, see Table 15 in the Appendix.

C. The verbs ходи́ть and е́здить

There are certain verbs of motion, the so-called "double imperfective verbs" (indeterminate — determinate; see Lesson 25), which by their very nature cannot have *perfective* forms. They use their second imperfective form, the so-called "determinate" (or "actual") *plus a prefix* as their *perfective aspect*. Two of the most frequently used verbs of this type which the student already knows are ходи́ть and е́здить. For their *perfectives* they use prefixed forms of идти́ and е́хать, respectively.

Imperf.	Я **хожу́** в шко́лу.	I go (habitually) to school, attend school.
Perf.	Я за́втра **пойду́** в шко́лу.	I shall go to school tomorrow.
Imperf.	Я **е́зжу** в го́род.	I commute to town (habitually back and forth).
Perf.	Я за́втра **пое́ду** в го́род.	I shall drive to town tomorrow.

Note that the future of ходи́ть and е́здить will *always* be formed with a form of быть: Я бу́ду ходи́ть; он бу́дет е́здить, while the future of идти́ and е́здить can *never* be formed with быть: Я пойду́; он пое́дет.

Note also that a double imperfective verb like ходи́ть or е́здить when used with a prefix *does change* in meaning but *not* in *aspect*, thus ПРИезжа́ть (to arrive) remains *imperfective* and must use приЕХАТЬ for its *perfective;* Уходи́ть (to go away) remains *imperfective* and must use уЙТИ for its *perfective*.

D. The verbs говори́ть (Imperf.) and сказа́ть (Perf.)

Говори́ть is used when referring to the process of speaking or to "speaking in general": Он **говори́т мно́го;** они́ **говоря́т по-ру́сски.**

Сказа́ть is used when making a *definite* statement or conveying information:

Она́ **сказа́ла:** я иду́ тепе́рь домо́й.
Я **скажу́** бра́ту, куда́ я е́ду.

Note that сказа́ть cannot express the *repetitive* or *habitual* action of "conveying information," or of "making a definite statement." In such a context говори́ть must be used:

Он **всегда́ говори́л:** я заня́той челове́к.

Use **говори́ть** with **с (со)** and the *instrumental* to render "to speak (talk) with, to have a conversation with":

Вчера́ я **говори́л с** мои́м дру́гом; **говори́ли** вы с учи́телем?

E.   In a negative command the imperfective is normally used

Не говори́те, когда́ он чита́ет вслух!	Do not speak when he is reading aloud!
Не жди́те учи́теля!	Do not wait for the teacher!

V.   QUESTIONS

1. Где жи́ли Алексе́й Ива́нович и его́ жена́? 2. Где рабо́тает Алексе́й Ива́нович? 3. Рабо́тает ли Ольга? 4. Когда́ начина́ет свой рабо́чий день Алексе́й Ива́нович? 5. Что за челове́к была́ Ольга? 6. Что де́лала Ольга по́сле того́ как она́ убра́ла кварти́ру, сде́лала поку́пки и пригото́вила обе́д? 7. В ка́ждом ли го́роде есть гла́вная у́лица? 8. Одина́кова ли гла́вная у́лица в большо́м и́ли ма́леньком го́роде? 9. Что вы всегда́ уви́дите на гла́вной у́лице? 10. Когда́ на гла́вной у́лице толпа́? 11. Кто приезжа́л на гла́вную у́лицу в понеде́льник? 12. Кого́ (acc. of кто) ви́дела Ольга на гла́вной у́лице ка́ждую сре́ду? 13. Кто приезжа́л на гла́вную у́лицу ка́ждую пя́тницу? 14. Что де́лала госпожа́ Смит на гла́вной у́лице? 15. Кого́ она́ там встреча́ла? 16. Куда́ она́ люби́ла ходи́ть с подру́гой? 17. Куда́ госпожа́ Смит уезжа́ла, весёлая и дово́льная? 18. Что говори́л жене́ Алексе́й Ива́нович? 19. Что отвеча́ла му́жу Ольга? 20. Вы ча́сто смо́трите програ́ммы по телеви́зору?

VI.   GRAMMAR EXERCISES

1. From the Reading Exercise of Part B write out all the *perfective* verbs, giving their tense and English meaning, thus:

прие́хали   past   "they arrived (by vehicle)"

2. Group the *perfective* verbs according to the type of their aspect-formation, thus:

Прие́хать, пригото́вить; уезжа́ть, уви́деть etc., using Reading Exercises of Parts A and B.

3. Insert verbs in the required aspect and tense:

(1) Вчера́ я до́лго ..... кварти́ру и её хорошо́	чи́стить : вы́чистить
(2) Мой друг весь день мо́жет ... ра́дио, а я ..... час, два и пойду́ домо́й	слу́шать : послу́шать
(3) Оте́ц мне вчера́ ..... : «Я ... с твои́м учи́телем.»	говори́ть : сказа́ть
(4) Ка́ждую суббо́ту оте́ц мне ... рубль, а сего́дня он мне ..... два рубля́.	дава́ть : дать
(5) Я весь день ..... уро́к и наконе́ц хорошо́	гото́вить : пригото́вить
(6) Па́вел не лю́бит ....., но в э́то воскресе́нье он хоть (at least) ..... ру́ки.	мы́ться : вы́мыть
(7) По среда́м учи́тель ..... ра́но, но в э́ту сре́ду он ..... о́чень по́здно.	приезжа́ть : прие́хать
(8) Вчера́ я три часа́ ..... и ..... три письма́.	писа́ть : написа́ть
(9) Со́ня, не ..... две́ри!	открыва́ть : откры́ть
(10) Где мы сего́дня ..... ? Коне́чно на гла́вной у́лице, где мы всегда́ ..... !	встреча́ться : встре́титься

4. a. From the following sentences write out *all* verbs, indicating their *aspect* and giving their English meaning, thus:

я пойду́   Perfective   "I shall go"

b. Change the following sentences into the *past* tense:

1. Че́рез два часа́ я пойду́ в но́вую библиоте́ку. 2. Ле́том мы пое́дем в дере́вню. 3. Здоро́вый челове́к не захо́чет лежа́ть в посте́ли це́лый день. 4. Когда́ она́ встре́тит подру́гу в университе́те? 5. Ты посмо́тришь, что сего́дня идёт в кино́? 6. Я иду́ покупа́ть чёрное пальто́. 7. Утром я хочу́ поза́втракать в рестора́не. 8. Ве́чером прие́дет сестра́ из Москвы́. 9. Ру́сский челове́к лю́бит поговори́ть! 10. Брат встре́тит своего́ прия́теля на гла́вной у́лице в це́нтре го́рода. 11. Оте́ц пое́дет на да́чу в ию́не, а мы е́дем туда́ уже́ в ма́е. 12. Сего́дня на у́лице большо́е движе́ние; до́ктор не захо́чет е́хать в го́род на автомоби́ле. 13. Я пойду́ в сосе́дний магази́н и куплю́ све́жий сыр. 14. Я

спрáшиваю продавщи́цу скóлько стóит э́то крáсное плáтье?
15. Сегóдня они́ поéдут в гóрод посмотрéть на наш нóвый
банк. 16. Во втóрник я спрошу́ инженéра, где он жил в Росси́и.
17. Вы скажи́те товáрищу Петрóву закры́ть окнó пéред отъéз-
дом! 18. В понедéльник у́тром уезжáет профéссор Джонс.

5. a. In the following sentences replace all boldface *imperfective* verbs by corresponding *perfective* forms, thus:

Мы **бу́дем писáть** кни́гу по-ру́сски: мы **напи́шем** кни́гу
по-ру́сски.

b. Put all *perfective* forms thus obtained into the *past*
tense, thus:

Мы **напи́шем** кни́гу по-ру́сски: мы **написáли** кни́гу по-
ру́сски.

1. Утром к отцу́ **бу́дет приезжáть** дóктор Ивáнóв. 2. Петрóв **бу́дет зáвтракать** дóма. 3. Когдá ты **бу́дешь убирáть** квар-
ти́ру? 4. Подру́га **спрáшивает,** когдá я куплю́ нóвую шля́пу.
5. Они́ **бу́дут говори́ть** о послéдней ру́сской кни́ге. 6. Вы
бу́дете открывáть сегóдня магази́н? 7. Вы **бу́дете смотрéть**
прогрáмму по телеви́зору. 9. Я всегдá **бу́ду встречáть** моегó
брáта на глáвной у́лице пéред здáнием нóвого бáнка. 9. Мáша
и я **бу́дем покáзывать** отцу́ большóй и краси́вый гóрод, Ленин-
грáд. 10. Они́ **бу́дут приготовля́ть** свой урóк в университéте
и́ли дóма.

6. Translate the verbs in parentheses:

1. Он (says), что не поéдет в гóрод. 2. Мы с брáтом не
(speak) по-англи́йски. 3. Онá (will speak) зáвтра о своéй
кни́ге. 4. Продавщи́ца ужé (said), скóлько э́та шля́па стóит.
5. Никтó не мог (tell), что идёт сегóдня в кинó. 6. В той шкóле
никтó не умéл (speak) по-ру́сски. 7. Они́ (will tell) зáвтра,
кудá идти́. 8. (Did you speak) с профéссором об э́том? 9. Нет,
мы с профéссором (did not speak). 10. (They say), что (they
have told) нáшему брáту поéхать за дóктором. 11. (Tell)
вáшему дру́гу, что мы сегóдня дóма.

VII.   TRANSLATION INTO RUSSIAN

a. Imperfective:

1. Our city is not very large. 2. But in our little town there
is a fine university. 3. On [its] main street there is a large, new

department store. 4. From morning to evening there is always a crowd on the main street. 5. Early in the morning the working people (рабочий народ) hurry to the plant, office, or shop. 6. In the daytime they hurry to the restaurant and in the evening to a movie or club. 7. Now, during the summer, we live in the country. 8. But in the winter we shall live again in the city. 9. Then we shall have the opportunity to go shopping in the new department store. 10. Father always asks the saleslady: "How much does this cost and how much does that?" 11. But I never think about the price. 12. When the saleslady shows a beautiful hat or an expensive coat, I always buy (them).

   b. Perfective:

   1. Today, early in the morning, I shall drive downtown. 2. I shall have breakfast at the restaurant, and then I shall go to the department store. 3. There I shall buy a new summer coat. 4. Yesterday I went to a store to buy a hat. 5. I said to the saleswoman: "Please show [me] that hat there.!" 6. She showed it to me and I bought it (её). 7. Afterwards I met my friend Nina (Нину) at a restaurant. 8. Today we shall meet there again and have dinner. 9. I shall tell her (ей) where to buy good and not very expensive furniture. 10. We shall have a chat about the latest news. 11. Then we shall go to a movie and in the evening we shall drive home with [my] father and have supper at home.

   c. Imperfective and Perfective:

   1. All day yesterday it was raining. 2. I could not do anything outdoors. 3. I slept late, washed slowly, dressed, and cleaned my room thoroughly. 4. I listened to the radio a little while and then wrote a letter to my girl friend. 5. I wrote how I had gone shopping and had bought a very beautiful new dress. 6. I was going along on Main Street and caught sight of that beautiful dress (acc.) in the window of a big store. 7. Suddenly I wanted to buy it. 8. It was very expensive but I did not think of the price and bought it. 9. In the letter I also asked my friend when she would (will) come (arrive by vehicle) to the city. 10. When she comes, we shall go to the theater, the opera, and the concert. 11. I know that she will also want to see the new university. 12. My father is a professor at the university. 13. He will be able to show her everything—the big, new library, the museum, the beautiful club. 14 She will drive off, happy and satisfied.

ADDITIONAL READING MATERIAL

Practice of the imperfective-perfective verbs of Lesson 16

Ка́ждую неде́лю в понеде́льник у́тром я **пишу́** письмо́ отцу́. Сего́дня понеде́льник и, как всегда́, я уже́ за столо́м и сейча́с **бу́ду писа́ть** письмо́ отцу́.

Когда́ я **писа́ла** письмо́, Ма́ша **откры́ла** дверь, **вошла́** и **спроси́ла:** — Ты **е́дешь** в го́род сего́дня у́тром? —

— Да, когда́ я **напишу́** э́то письмо́, я **пое́ду** в го́род за поку́пками, — отве́тила я Ма́ше.

— Очень хорошо́. Я то́же хочу́ **е́хать** в го́род. Когда́ ты **напи́шешь** письмо́, пожа́луйста **скажи́** мне. —

— Я не **узна́ю** свое́й ми́лой сестры́, — отвеча́ю я. — Все зна́ют, что Ма́ша всегда́ **спеши́т**, никогда́ не мо́жет ждать! —

— Сме́йся, сме́йся, — **говори́т** Ма́ша, — сего́дня у меня́ нет автомоби́ля, а у тебя́ есть. Вот почему́ я сего́дня никуда́ не **спешу́** и гото́ва ждать! —

— Ну, хорошо́. Я бу́ду гото́ва че́рез час. В како́й магази́н ты хо́чешь **пойти́**? Что ты хо́чешь **покупа́ть** в го́роде? — **спра́шиваю** я сестру́.

— **Говоря́т**, что сего́дня в магази́не Сми́та больша́я распрода́жа. Я **хоте́ла посмотре́ть** но́вую обстано́вку для мое́й да́чи. —

Этот магази́н **откры́ли** совсе́м неда́вно (quite recently), но в э́том магази́не очеви́дно ма́ло **покупа́ли**.

— Где ты чита́ла о распрода́же? **Дай** мне газе́ту и **покажи́** объявле́ние, — **попроси́ла** я Ма́шу.

Ма́ша **пока́зывает** объявле́ние и я **ви́жу**, что магази́н Сми́та **открыва́ют** сего́дня то́лько по́сле обе́да, в два часа́ дня.

— Вот **ви́дишь, говорю́** я сестре́, — ты всегда́ всё так бы́стро де́лаешь, всегда́ так **спеши́шь**, что вот чита́ла и не **уви́дела,** что магази́н **открыва́ют** то́лько в два часа́ дня! По́мнишь как наш оте́ц всегда́ **говори́л**: «Поспеши́шь — люде́й **насмеши́шь!**»[1] Не так ли э́то? —

---

[1] A Russian proverb: He who acts in haste, makes a fool of himself. *Lit.*: If you hurry, you will make people laugh (at your expense).

СЕМНАДЦАТЫЙ УРОК | SEVENTEENTH LESSON

Peculiarities in the singular masculine and neuter declensions; prepositional in -y; neuters in -мя — Declension of personal pronouns — Impersonal expressions (with dative)

I. COMMON EXPRESSIONS AND IDIOMS

Звони́ть по телефо́ну (+dat.)	To phone, call up
Иду́! Пойдём!	I am coming! Let's go!
Приглаша́ть в го́сти	To invite (on a visit, as a guest)
Приня́ть приглаше́ние	To accept the invitation
Разреши́те мне вам предста́вить ...	Permit me to introduce to you ...
Я хочу́ вас познако́мить ...	I (should) like to introduce you.
Очень прия́тно познако́миться.	It's a pleasure to make your acquaintance.
Да мы знако́мы!	But we know each other!
Ми́лости про́сим!	Welcome (in)!
Прости́те!	I beg your pardon; please forgive me!
«В гостя́х хорошо́, а до́ма лу́чше».	"It's pleasant enough visiting, but at home it's better." "East or West, home is best."

II. READING EXERCISE

Утром в кварти́ре инжене́ра Мо́лотова позвони́л телефо́н.

— Алло́!

— Попроси́те, пожа́луйста, к телефо́ну Татья́ну Мо́лотову.

— Кто говори́т?

— Это её подру́га, Ве́ра Попо́ва

— Сейча́с ... Та́ня! Телефо́н! С **тобо́й** хо́чет говори́ть Ве́ра Попо́ва.

— Иду́! ... Алло́? ... Ве́ра?! Здра́вствуй, дорога́я! **Ты** давно́ в Ленингра́де? ...

147

— Миша, ты свободен в субботу вечером?

— Да, я свободен. А что?

— Вера **приглашает нас в гости.**

— Кто у **неё** ещё будет?

— У **неё** будет большой приём. **Будет** очень **интересно. Пойдём!**

— В большом обществе **мне** всегда **скучно,** но если **тебе** будет **весело,** я с удовольствием **принимаю** её **приглашение.**

В субботу вечером, Молотов с женой **едут в гости.**

— **Тебе** не **холодно** без пальто, Таня?

— Нет, сегодня **тепло.** Днём, на **солнце, было** даже **жарко.**

Позвонили. Хозяйка открыла **им** дверь.

— Добрый вечер, Таня. Я так рада **тебя** видеть!

— Вера, это мой муж, Михаил Сергеевич.

— **Очень приятно** познакомиться. Милости. просим... Таня, Михаил Сергеевич, **разрешите мне вам представить** Виктора Ивановича Светлова.

— **Да мы знакомы!** Как вы поживаете, Виктор Иванович? Что вы теперь делаете?

— **Трудно** ответить... **Время от времени** я пишу для журнала «Советский Писатель», работаю над новой книгой...

— Михаил Сергеевич, Таня, **простите,** — услышали они голос хозяйки. — Виктор! **Я хочу вас познакомить с** певицей Барсовой. Ты, Таня, иди со **мной,** а вы, Михаил Сергеевич, не **сидите в углу,** а поговорите с товарищем Сидоровым. Он гений! Но, пожалуйста, не спорьте с **ним!**

Молотов посмотрел на товарища Сидорова и подумал:

«.. В гостях хорошо, а дома лучше».

III. VOCABULARY

алло	hello	**рот** (†о)	mouth
вещь	thing, object	**слово**	word
		телефон	telephone
если	if (not whether)	**телефонист**	telephone operator
общество	society, company	**уютный, -'ая, -'ое**	cozy, comfortable
приглашение	invitation		
приём	reception, party	**хозяйка**	hostess, proprietress

Verbs

Imperfective	*Perfective*	*English*
звони́ть (Lesson 12)	позвони́ть (like звони́ть)	to ring, call up
знако́мить; знако́млю, знако́мишь, знако́мят	познако́мить (знако́мить)	to acquaint
знако́миться (знако́мить)	познако́миться (знако́мить)	to get acquainted
отвеча́ть (I)	отве́тить; отве́чу, отве́тишь, отве́тят	to answer
представля́ть (I)	предста́вить; предста́влю, предста́вишь, предста́вят	to introduce
приглаша́ть (I)	пригласи́ть; приглашу́, пригласи́шь, приглася́т	to invite
принима́ть (I)	приня́ть; приму́, при́мешь, при́мут	to receive, accept
проси́ть; прошу́, про́сишь, про́сят	попроси́ть (проси́ть)	to ask a favor, beg
разреша́ть (I)	разреши́ть; разрешу́, разреши́шь, разреша́т	to permit, solve
слы́шать, слы́шу, слы́шишь, слы́шат	услы́шать (like слы́шать)	I. to hear; P. to catch the sound (of)
сто́ить (II)	None	to cost

IV. GRAMMAR

A. Peculiarities in the singular masculine and neuter declensions

1. *Masculine*:

a. In accordance with Vowel Mutation Rule C, hard masculine nouns the stem of which is stressed and ends in ж, ш, щ, ч, ц take the ending -ем in the instrumental instead of -ом:

месяц "month": месяцем; товарищ: товарищем

b. After the prepositions в and на some masculine nouns take the ending -у (-ю) in the prepositional instead of -е:

в, на углу[1]	in, on the corner	на полу	on the floor
в саду	in the garden	в году	in the year
во рту	in the mouth	на мосту	on the bridge

2. *Neuter*:

a. In accordance with Vowel Mutation Rule A, neuter nouns ending in -же, -че, -ше, -ще, or in -це take -а instead of -я in the *genitive*: солнце: "sun": солнца; and -у instead of -ю in the *dative*: солнце: солнцу.

b. The neuter nouns имя "name" (Christian name) and время "time" have the following declension in the singular:

Nom.	имя	время
Gen.	имени	времени
Dat.	имени	времени
Acc.	имя	время
Instr.	именем	временем
Prep.	имени	времени[2]

B. Declension of the personal pronouns

	Singular					
	First Person		*Second Person*	*Third Person*		
	All Genders		*All Gen.*	*Masc.*	*Neut.*	*Fem.*
Nom.	я	I	ты you	он he	оно it	она she
Gen.	меня	of me	тебя	его		её
Dat.	мне	to me	тебе	ему		ей
Acc.	меня	me	тебя	его		её
Instr.	мной	by me	тобой	им		ею
	(мною)		(тобою)			(ней)
Prep.	обо мне	about me	о тебе	о нём		о ней

---

[1] Note that угол, рот lose the o in the oblique cases: угла, углу, etc.
рта, рту, etc.

[2] For the plural declension and other details, see Lesson 21 .

Plural

All Genders

Nom.	мы	we	вы	you	они́	they
Gen.	нас	of us	вас		их	
Dat.	нам	to us	вам		им	
Acc.	нас	us	вас		их	
Instr.	на́ми	by us	ва́ми		и́ми	
Prep.	о нас	about us	о вас		о них	

The *third* person *personal* pronouns take prefixed **н** when used as the object of prepositions. They do this in contrast to the *third* person *possessive* pronoun-adjectives, which *never* take prefixed **н**:

Personal Pronouns

Они́ пошли́ без него́ в теа́тр.	They went without him to the theater.
Я говори́л с ним, а не с ней.	I spoke with him and not with her.
Он спо́рил с ни́ми.	He argued with them.
Мы говори́ли о них.	We spoke about them.

Possessive Pronoun-Adjectives

У его́ бра́та есть автомоби́ль.	His brother has a car.
Я говори́л с её подру́гой.	I spoke with her girl friend.
Я спо́рил с их сосе́дкой.	I argued with their neighbor.
Мы говори́ли об их рабо́те.	We spoke about their work.

C. Impersonal expressions

1.

хо́лодно	It is cold.	интере́сно	It is interesting.
тепло́	It is warm.	ску́чно	It is boring.
жа́рко	It is hot.	удо́бно	It is comfortable.
тру́дно	It is difficult.	неудо́бно	It is uncomfortable.
легко́	It is easy.	прия́тно	It is pleasant.
хорошо́	It is good.	неприя́тно	It is unpleasant.
пло́хо	It is bad.	бо́льно	It is painful.

2. These impersonal expressions can be used with reference to a person. The person appears in the Russian sentence in the dative case.

		Literal Translation
мне хо́лодно	I am cold.	to me [it is] cold
тебе́ тепло́?	Are you warm? (fam.)	to you [it is] warm?
вам тепло́?	Are you warm? (pol.)	to you [it is] warm?
ему́ тру́дно	It is difficult for him.	to him [it is] difficult
ей легко́	It is easy for her.	to her [it is] easy
нам ве́село	We have a good time.	to us [it is] merry
удо́бно вам?	Are you comfortable?	to you [it is] comfortable?
им неудо́бно	They are uncomfortable.	to them [it is] uncomfortable
нам ую́тно	We are cozy, comfortable.	to us [it is] cozy, comfortable

3. To form the past and future tense, бы́ло and бу́дет are used respectively:

Мне бы́ло тру́дно говори́ть   It was difficult for me to speak
    по-ру́сски.   Russian.
Вам бу́дет легко́ говори́ть   It will be easy for you to speak
    по-ру́сски.   Russian.

4. The verbs хоте́ться "to feel like, have a desire" and каза́ться "to seem, appear":

Present	Мне хо́чется чита́ть.	I feel like reading.
Past	Ему́ хоте́лось есть.	He felt like eating (had the desire to eat).
Future	Им бу́дет хоте́ться[1] or Perf.: им захо́чется	They will feel like
Present	Мне ка́жется, что я бо́лен.	It seems to me that I am sick.
Past	Нам каза́лось, что он бо́лен.	It seemed to us that he was sick.
Future	Им бу́дет каза́ться or Perf.: им пока́жется	It will seem to them.

---
[1] Rarely used.

V. QUESTIONS

1. Когда́ позвони́л телефо́н в кварти́ре инжене́ра Мо́ло-
това? 2. Кого́ попроси́ли к телефо́ну? 3. Кто звони́л по теле-
фо́ну? 4. Свобо́ден Мо́лотов в суббо́ту ве́чером? 5. Кто
пригласи́л их в го́сти? 6. Кто ещё бу́дет у Ве́ры? 7. Бу́дет ли
у неё интере́сно? 8. Ску́чно ли Мо́лотову в большо́м о́бще
стве? 9. Почему́ при́нял Мо́лотов приглаше́ние Ве́ры? 10. Куда́
е́дут Мо́лотов с жено́й в суббо́ту ве́чером? 11. Почему́ Та́не
не́ было хо́лодно без пальто́? 12. Где бы́ло днём жа́рко?
13.Кто им откры́л дверь, когда́ они́ позвони́ли? 14. Что
сказа́ла им хозя́йка? 15. Зна́ла ли Ве́ра инжене́ра Мо́лотова?
16. Познако́мила ли Та́ня Мо́лотова свою́ подру́гу с му́жем?
17. Как Ве́ра Попо́ва познако́мила их с Ви́ктором? 18. Бы́ли
ли они́ уже́ знако́мы? 19. Что де́лает сейча́с Ви́ктор Ива́нович?
20. С кем хоте́ла хозя́йка познако́мить Ви́ктора Ива́новича?
21. О чём поду́мал Мо́лотов, когда́ он посмотре́л на това́рища
Си́дорова?

VI. GRAMMAR EXERCISES

Exercise with Grammar A

Give the correct case of the nouns in parentheses:

1. У меня́ нет (вре́мя) чита́ть. 2. Я не зна́ю его́ (и́мя).
3. Я хорошо́ по́мню его́ (и́мя). 4. С ва́шим (и́мя) вы мо́жете
тут де́лать, что хоти́те. 5. Когда́ мы у вас в гостя́х, мы не
ду́маем о (вре́мя). 6. Мы спро́сим хозя́йку о его́ (и́мя). 7. Мы
не мо́жем жить без (со́лнце). 8. Я с удово́льствием встреча́лся
со свои́м (това́рищ). 9. Ме́жду февралём и ма́ртом (ме́сяц) я
бу́ду жить в Москве́. 10. Что у вас во (рот)? 11. Он сиде́л в
(у́гол) и чита́л журна́л «Ру́сский Наро́д». 12. Я посмотре́л на
(пол); на (пол) лежа́ла моя́ но́вая кни́га. 13. Они́ у́жинают у
на́шего бра́та три ра́за в (год). 14. В (сад) сейча́с о́чень при-
я́тно; пойди́те в (сад).

Exercises with Grammar B

a. From the Reading Exercise write out all the *personal pronouns,* except those in the nominative case (singular or plural).
Give their person, case, and number, and their English meaning,
thus (14 forms in all):

с тобóй   2nd sing. (fam.)   Instrumental   "with you (thee)"
нас   1st plur.   Accusative   "us"

b. Supply the Russian equivalent of the English words in parentheses ("Thou" has been used wherever the *familiar* form of the second person is to be supplied).

1. Он сидéл óколо (me) и читáл (to me) интерéсную истóрию. 2. Брат поéхал в гóрод без (me). 3. Óколо (thee) э́тот пакéт? 4. Я купи́л скáтерть для (her). 5. Певи́ца Бáрсова больнá; у (her) боли́т гóрло. 6. У (us) сегóдня большóй приём. 7. Я бýду скучáть без (you). 8. У (them) в дóме мы встрéтили поэ́та Светлóва. 9. Сегóдня мы идём (to him), а зáвтра он придёт (to us). 10. Я (him) спрáшиваю по-англи́йски, а он (to me) отвечáет по-рýсски. 11. Даёт он (to thee) урóки рýсского языкá? 12. Нóвая скáтерть (to her) большáя рáдость. 13. Сегóдня невозмóжно идти́ (to them) в гóсти. 14. Сказáл он (to you), кудá они́ éдут? 15. Мой друг хóчет (me) ви́деть зáвтра, а (thee) в понедéльник. 16. Я попрошý (him) не спóрить с дóктором. 17. Хозя́йка спрóсит (her), где э́тот магази́н. 18. Они́ приглашáют (us) к себé на дáчу. 19. Покажи́те (to me) вечéрнюю звездý. 20. Мне всегдá вéсело (with thee), а тебé (with me). 21. Отéц лю́бит смея́ться над (him). 22. (With her) всегдá прия́тно поговори́ть. 23. Пéред (us) высóкая горá. 24. Кто живёт в кóмнате над (you)? 25. Кто éдет (with them) в óперу, а кто (with us) в теáтр. 26. Не говори́те с ним (about me)! 27. (About thee) писáли вчерá в газéте. 28. Онá позвони́ла (us) по телефóну. 29. Мы чáсто говори́м (about him) с сосéдом. 30. (About them) никтó не пóмнит. 31. (About us) все знáют. 32. Мы мнóго слы́шали (about you).

Exercises with Grammar C

a. Translate the words in parentheses:

1. Вчерá нам бы́ло óчень (cold). 2. Ей (easy) говори́ть по-рýсски. 3. Емý всегдá (interesting) на урóке. 4. Мне óчень (pleasant) познакóмиться с вáми. 5. (Is it difficult) писáть и говори́ть по-рýсски? Нет, (it is easy)! 6. Вам бýдет (uncomfortable) здесь. 7. Лéтом здесь (hot), а óсенью бýдет (warm) и óчень (pleasant). 8. Бы́ло вам (painful) у дóктора? 9. Счастли́вый человéк — емý никогдá не (boring)! 10. (I feel like) читáть, но нет хорóшей кни́ги. 11. (It seems) сегóдня бýдет (hot), нá небе ни óблака. 12. Они́ не éли весь день и тепéрь

(they felt very [much] like) пообе́дать. 13. (It is uncomfortable) здесь спать. 14. Когда́ (cold), я обыкнове́нно пью горя́чее молоко́. 15. Жаль, что вам бы́ло (boring) на конце́рте.

b. Give the following expressions in all persons:

1. Здесь мне удо́бно. 2. Мне о́чень бо́льно. 3. Мне легко́ чита́ть и говори́ть по-ру́сски. 4. Мне хо́чется пойти́ в кино́. 5. Мне ка́жется, что идёт дождь.

c. Change the following sentences into (1) the past tense; (2) the future tense:

1. Мне тепло́ в но́вом пальто́. 2. Ле́том нам всегда́ жа́рко. 3. В гостя́х вам ве́село. 4. Тебе́ не хо́лодно? 5. Ему́ ску́чно в большо́м о́бществе. 6. Нам хо́чется пое́хать в го́род. 7. Нам о́чень интере́сно познако́миться с профе́ссором. 8. Ему́ ка́жется, что он зна́ет э́то сло́во. 9. Ей хо́чется игра́ть в те́ннис. 10. Мне о́чень прия́тно познако́миться с ним.

VII. TRANSLATION INTO RUSSIAN

A

1. Sunday morning Véra Popóva called us up. 2. She invited us to (на and accusative) a big reception. 3. My husband does not work Sunday evening. 4. We accepted the invitation with great pleasure. 5. We knew that it would (i.e. will) be pleasant, interesting, and gay. 6. In the evening we drove to her [house] in our car. 7. It was a very warm evening. 8. Even without a coat I felt warm. 9. We rang and the hostess opened the door. 10. "Hello! How are you? Come (Welcome) in!" 11. "I am so happy to see you, Véra! This is my husband, Mikhaíl Sergéevich Mólotov." 12. "It is a pleasure! And now I want to introduce you and your husband to my good friend, the singer Bársova (Ба́рсовой). 13. Nina Alekséevna, permit me to introduce to you my friend Tatyána Petróvna Mólotova and her husband Mikhaíl Sergéevich. 14. "Oh, but we are already acquainted!" 15. "How are you, Nína?" 16. "And how are you, my dear?" 17. "We were at your last concert. It was so interesting!" 18. Mikhaíl Sergéevich looked at the singer and then at his wife and thought: "It's all right to go visiting, but it's better at home!"

B

1. It is raining today, and it is very cold outside. 2. I did not feel well. I had a headache and did not go to the office. 3. All morning I played cards with my sister, but she does not play well and I don't like to play with her. 4. The bell! I go to the telephone. 5. My friend Paul is calling. 6. He feels like playing cards tonight (today evening). 7. He has not called me [for] three weeks, but I don't mind (it's all the same to me). 8. I invite him to play with my brother and me. 9. Paul has not played cards with us [for] about a month. 10. Now he is very happy and accepts the invitation with great pleasure. 11. At two o'clock sharp the telephone rings again; [it is] my brother calling (calls) to tell me that in two hours he will be at our home (at us). 12. He always eats supper with my sister and me in our beautiful new apartment. 13. After supper Paul arrives in his big black and red car. 14. I introduce him to my brother. 15. "It is a pleasure to make your acquaintance — again!" says Paul and laughs. 16. "Dear Peter! You must remember that your brother Sasha and I know each other already for three years. 17. We have met often at the club "White Mountain," and how *many* times we have already played tennis and golf [together]!" 18. That's news, good news to me! Go ahead! Laugh, laugh! He who laughs last, laughs best!" 19. In the kitchen my sister has already prepared the tea; now she is watching the television program, while (a) we play cards until late in the evening. 20. We are comfortable and cozy in our large, warm [living] room, and have a very good time.

ADDITIONAL READING MATERIAL

Based on the vocabulary and grammar of the preceding lessons

ТЕЛЕФОН

Я так доволен, что наконец-то я дома. Когда работаешь целый день в конторе, вечером приятно посидеть дома, почитать интересную книгу, послушать радио . . .

Но только я вошёл в квартиру, я услышал звонок. Иду к телефону и говорю:

— Алло! —

— Кто говорит? —

— Говорит Томас Бар. С кем вы хотите говорить? —

— Это не квартира Петрова? Попросите, пожалуйста к телефону . . .

— Это не кварти́ра Петро́ва. У телефо́на господи́н Бар. —

— Ах, прости́те, прости́те за беспоко́йство ... —

Да, хорошо́ быть до́ма, ду́маю я и иду́ к удо́бному кре́слу. Но вот опя́ть слы́шу зазвони́л телефо́н!

— Алло́!

— Мэ́ри? Почему́ у тебя́ тако́й неприя́тный го́лос? Ты просту́жена? — слы́шу я незнако́мый го́лос по телефо́ну.

— Это не Мэ́ри говори́т. У телефо́на То́мас Бар. —

— Ва́ша фами́лия Бар! Да что вы говори́те! Я познако́милась с господи́ном Ба́ром в про́шлую суббо́ту на приёме у до́ктора Че́хова. Я так ра́да име́ть возмо́жность поговори́ть с ва́ми. Я так мно́го о вас слы́шала ... —

— Прости́те, говорю́ я. — Разреши́те мне вам сказа́ть, что я не тот господи́н Бар. Я не знако́м с до́ктором Че́ховым и в про́шлую суббо́ту я был в гостя́х у профе́ссора Джо́нса. —

— Ах, прости́те, пожа́луйста. До-свида́ния. —

Вот наконе́ц я сел в своё кре́сло, откры́л кни́гу и опя́ть сейча́с-же услы́шал звоно́к. Ну, и жизнь! Я по́мню, как моя́ мать всегда́ говори́ла: «В гостя́х хорошо́, а до́ма лу́чше». Не зна́ю, права́ ли была́ она́.

— Алло́! Кого́ попроси́ть к телефо́ну?

ВОСЕМНАДЦАТЫЙ УРОК | EIGHTEENTH LESSON

*Plural Declension of the Masculine, Neuter, and Feminine
Nouns — Declensional Peculiarities of the Masculine
Noun: plural in -a; irregular genitive plural —
Impersonal expressions (cont.) — Cardinal
numerals 5-12;* скóлько, мáло,
мнóго *(genitive plural)*

I. COMMON EXPRESSIONS AND IDIOMS

Узнáть расписáние поездóв	To find out the train schedule (timetable)
Каки́м пóездом мне éхать?	Which train am I to take?
Ехать скóрым пóездом	To take an express train
Опоздáть на пóезд	To be late for the train
Когдá отхóдит пóезд?	When does the train leave?
Дать знать	To notify
Дать, получи́ть телегрáмму	To send, receive a telegram
Сдать в багáж	To check the luggage
Томý назáд	Ago
Сейчáс же	Immediately

II. READING EXERCISE

Вчерá я **получи́л телегрáмму** от товáрищ**ей** из Москвы́: «Ждём твоегó приéзда».

Я с товáрищ**ами** не встречáлся **мнóго** мéсяц**ев**. Мы бы́ли давнó знакóмы. Мы вмéсте учи́лись в шкóле. В прáздники мы всегдá вмéсте ходи́ли в музé**и**, теáтр**ы**, кинó, а вечерáми[1] мы люби́ли читáть журнáл**ы** и́ли слу́шать рáди**о**.

Пóсле шкóлы Пётр и Алексéй получи́ли рабóту в Москвé, а я в Ленингрáде.

Мне кáжется, пять и́ли **шесть** мéсяцев **томý назáд** я написáл им, что **мне** не **нрáвится** моя́ рабóта. Здесь на завóд**ах** механики получáют **мáло**, а рабóтают **дéвять** часóв в день.

---

[1] Вечерáми (instr.) or по вечерáм (dat.) indicates the habitual or repeated nature of an action.

А, ·кро́ме того́, я скуча́л без това́рищей и мне хоте́лось жить́ с ни́ми в Москве́.

Я был о́чень дово́лен телегра́ммой[1] и сейча́с же позвони́л на вокза́л узна́ть расписа́ние поездо́в. Коне́чно, ра́но ещё ду́мать, каки́м по́ездом мне е́хать! До отъе́зда мне ну́жно уложи́ть все ве́щи в чемода́ны и отпра́вить сундуки́. На рабо́те я до́лжен поговори́ть с дире́ктором. Кро́ме того́, мне на́до дать знать хозя́йке, что я уезжа́ю и что ко́мната мне бо́льше не нужна́.

В пя́тницу у́тром, всё гото́во к отъе́зду. Я проща́юсь с хозя́йкой, беру́ чемода́ны и е́ду на вокза́л.

На вокза́ле толпа́, шум . . . не зна́ешь, кто уезжа́ет, кто приезжа́ет. Все одина́ково спеша́т, спо́рят с носи́льщиками, боя́тся опозда́ть на по́езд.

Сего́дня на вокза́ле ма́ло носи́льщиков. Но у меня́ то́лько два чемода́на и мне носи́льщики не нужны́. Оди́н чемода́н я сдаю́ в бага́ж, оди́н беру́ в ваго́н.

Ме́жду Москво́й и Ленингра́дом хоро́шее сообще́ние, и поезда́ иду́т ча́сто. Я пое́ду ско́рым по́ездом, пря́мо в Москву́. Я покупа́ю биле́т. Тепе́рь мо́жно дать телегра́мму това́рищам!

III. VOCABULARY

бага́ж	baggage	носи́льщик	porter
биле́т	ticket	отъе́зд	departure
ваго́н	carriage	прие́зд	arrival
вме́сте	together	солда́т	soldier
вокза́л	station	спорт	sport
дире́ктор	director	сунду́к	trunk, box, chest
класс	class	телегра́мма	telegram
кро́ме того́	besides that, moreover	чемода́н	suitcase
		шко́ла	school

Verbs.

Imperfective	Perfective	English
брать; беру́, берёшь, беру́т	взять; возьму́, возьмёшь, возьму́т	to take
нра́виться; нра́влюсь, нра́вишься, нра́вятся	понра́виться; (нра́виться)	I. to please, to like; P. to get (begin) to like

---

[1] Instrumental case with дово́лен.

Imperfective	Perfective	English
отправля́ть (I)	отпра́вить; отпра́влю, отпра́вишь, отпра́вят	to send off
получа́ть (I)	получи́ть; получу́, полу́чишь, полу́чат	to receive, get
проща́ться (I) (Use this verb with с (со) and the *instr*.)	прости́ться; прощу́сь, прости́шься, простя́тся	to say goodbye, farewell (to)
сдава́ть (дава́ть)	сдать (дать)	to give up, check, rent
смотре́ть, смотрю́, смо́тришь, смо́трят	посмотре́ть (like смотре́ть)	I. to look; P. take a look
укла́дывать (I)	уложи́ть, уложу́, уло́жишь, уло́жат	to pack (one's belongings)
узнава́ть; узнаю́ узнаёшь, узнаю́т	узна́ть (I)	to recognize

IV. GRAMMAR

A. Regular plural declension of the masculine, neuter, and feminine nouns

Plural endings of the three genders being *identical* or *closely related*, the three declensions are here juxtaposed for convenient reference and memorization:

MASCULINE[1]

	Hard	Soft	Soft
Nom.	столы́	музе́и	дожди́
Gen.	столо́в	музе́ев	дожде́й
Dat.	стола́м	музе́ям	дождя́м
Acc.	столы́	музе́и	дожди́
Instr.	стола́ми	музе́ями	дождя́ми
Prep.	стола́х	музе́ях	дождя́х

---

1 Observe Vowel Mutation Rule and remember that the *accusative* plural of *animate* masculine nouns is like their *genitive*.

NEUTER

	Hard	Soft	Soft
Nom.	места́	поля́	зда́ния
Gen.	мест	поле́й	зда́ний
Dat.	места́м	поля́м	зда́ниям
Acc.	места́	поля́	зда́ния
Instr.	места́ми	поля́ми	зда́ниями
Prep.	места́х	поля́х	зда́ниях

FEMININE

	Hard	Soft	Soft	Soft
Nom.	ко́мнаты	неде́ли	две́ри	фами́лии
Gen.	ко́мнат	неде́ль	двере́й	фами́лий
Dat.	ко́мнатам	неде́лям	двери́м	фами́лиям
Acc.	ко́мнаты	неде́ли	две́ри	фами́лии
Instr.	ко́мнатами	неде́лями	двери́ми	фами́лиями
Prep.	ко́мнатах	неде́лях	двери́х	фами́лиях

B. Declensional peculiarities of the masculine noun in the plural

1. *Nominative plural*:

In the nominative plural (and accusative with inanimate nouns), several masculine nouns have the ending -a when hard and -я when soft (instead of -ы and -и, respectively), with the stress on that ending:

Nom. Sing.	Nom. and Acc. Pl.		Nom. Sing	Nom. and Acc. Pl.	
ве́чер	вечера́	evening	го́род	города́	city
глаз	глаза́	eye	дом	дома́	house
лес	леса́	forest	по́езд	поезда́	train
го́лос	голоса́	voice			

The more important *animate* nouns of this type are: доктора́/о́в; профессора́/-о́в; учителя́/-е́й. (Nominative plural ending -á, accusative and genitive plural -о́в.)

Note that with this type of noun, in the *plural*, the *stress* is always on the *ending*: дома́, домо́в, дома́м, *etc.*

2. *Genitive plural*:

a. Several masculine nouns have for their *genitive plural* a form which is exactly like the *nominative singular*. The more important of these are: раз "once, one time"; солдáт "soldier"; глаз "eye."

b. Masculine nouns the stem of which ends in -ж, -ч, -ш, -щ have the ending -ей in the genitive plural (instead of -ов):

Nom. Sing.	*Gen. Pl.*	
карандáш	карандашéй	pencil
товáрищ	товáрищей	comrade

c. Masculine nouns the stem of which ends in -ц and which do not have the stress on the ending, take -ев in the genitive plural (instead of -óв): мéсяц; мéсяцев "month."

3. *Plural of* день: дни, дней, дням, дни, днями, днях.

C.   Impersonal expressions with the infinitive

Мóжно	[It is] permissible, possible one may, one can.
Нельзя́	[It is] forbidden, impossible, one may not, one cannot.
Нáдо or Нýжно	[It is] necessary, it is needed.

When used with the *dative*, these expressions acquire a personal force:

Мóжно мне игрáть в тéннис?	May I play tennis?
Нет, вам нельзя́ игрáть в тéннис.	No, you may not play tennis.
Мне нáдо (нýжно) идти́ домóй.	I must (have to) go home.

Note that нáдо, нýжно express need or necessity. To express *obligation* use дóлжен, должнá, должнó, должны́.

Я дóлжен идти́.	I must (should, ought to) go.
Онá должнá читáть.	She must read.
Они́ должны́ рабóтать.	They must work.

Note that до́лжен is *always* and на́до is *usually* used with *verbs*. With *nouns*, that is to express the need of *something* or *someone*, use ну́жен, нужна́, ну́жно, нужны́ (на́до cannot be used in this context.):

		Literal translation
Мне ну́жен стол.	I need a table.	to me [is] necessary a table
Ему́ нужна́ кни́га.	He needs a book.	to him [is] necessary a book
Тебе́ ну́жно перо́.	You need a pen.	to you [is] necessary a pen
Студе́нту нужны́ карандаши́.	The student needs pencils.	to the student [are] necessary pencils

Note that here the predicate adjective, ну́жен, -á -'o ,-ы́, agrees with the subject of the Russian sentence (стол, кни́га, перо́, карандаши́).

For the *past* and *future* of this construction, use proper forms of быть.

Вчера́ мне **нельзя́ бы́ло** чита́ть.	Yesterday I was forbidden to read.
Когда́ вам **мо́жно бу́дет** чита́ть?	When will you be permitted to read?
Мне **на́до (ну́жно) бы́ло** идти́ домо́й.	I had to go home.
Мне **ну́жен бу́дет** э́тот стол.	I shall need this table.
Мне **нужны́** бу́дут карандаши́.	I shall need pencils.

D. Translation of "to like"

"To like" is rendered by the verb нра́виться and the *dative* construction:

		Literal translation
Мне нра́вится э́та кни́га.	I like this book.	to me is pleasing this book
Этот стол ей нра́вится.	She likes this table.	to her is pleasing this table
Профе́ссору нра́вятся э́ти журна́лы.	The professor likes these journals.	to the professor are pleasing these journals

Note that the English subject (I, she, professor) is placed
in the *dative,* and the direct object (book, table, journals) becomes the *subject* of the Russian sentence, thus determining
person and number of the verb: кни́га (стол) нра́вится;
журна́лы нра́вятся.

Нра́виться should be used whenever the liking has been
established *just prior to* or *at the moment of* speaking about it:

О, эта карти́на мне нра́вится.   Oh, I like this picture!
(Seeing the picture for the first time.)

Люби́ть should be used:

a. when the liking is of longer standing:

Да, эту карти́ну я люблю́!   Yes, I like this picture!
(A picture which one has known and liked for some time.)

b. generally with *verbs:*

Я люблю́ чита́ть.   I like to read.

E. Cardinal numerals 5-12 and expressions of quantity [1]

1. *Cardinals:*

5	пять	8	во́семь	11	оди́ннадцать
6	шесть	9	де́вять	12	двена́дцать
7	семь	10	де́сять		

These numerals are followed by the noun in the *genitive
plural:* пять столо́в, шесть учителе́й, семь солда́т, во́семь раз.

2. **мно́го** "many," **ма́ло** "few," **ско́лько** "how much," "how
many" take the *genitive plural:* **мно́го** солда́т "many soldiers"; **ма́ло** столо́в "few tables"; **ско́лько** учителе́й "how
many teachers?"

V. QUESTIONS

1. Что вы получи́ли вчера́ от това́рищей? 2. Ско́лько
ме́сяцев вы не встреча́лись с това́рищами? Давно́ ли вы
знако́мы? 4. Где вы вме́сте учи́лись? 5. Где вы быва́ли в
пра́здники? 6. Что вы люби́ли де́лать вечера́ми? 7. Где полу-
чи́ли рабо́ту Пётр и Алексе́й? 8. Где вы получи́ли рабо́ту?
9. Почему́ вам не нра́вилась ва́ша рабо́та? 10. Где вам хоте́-
лось жить? 11. Куда́ вы позвони́ли узна́ть расписа́ние по-
ездо́в? 12. О чём ещё ра́но ду́мать? 13. Что ещё ну́жно сде́-

---

[1] For a listing of numerals, see Appendix II, Table VI.

лать до отъе́зда? 14. С кем вы должны́ поговори́ть на рабо́те?
16. Гото́во ли всё к отъе́зду в пя́тницу? 17. Ско́лько носи́ль-
щиков сего́дня на вокза́ле? 18. Почему́ вам не ну́жен носи́ль-
щик? 19. Куда́ вы берёте оди́н чемода́н? 20. Куда́ вы сдаёте
чемода́н? 21. Како́е сообще́ние ме́жду Москво́й и Ленингра́дом?
22. Пое́дете ли вы ско́рым по́ездом пря́мо в Москву́? 23. Что
вы покупа́ете на вокза́ле?

VI. GRAMMAR EXERCISES

Exercises with Grammar A

Give the *plural* declension of the following nouns:

a. Masculines: **автомоби́ль, конце́рт, трамва́й, студе́нт**
b. Neuters: **собра́ние, о́блако, ружьё, объявле́ние**
c. Feminines: **маши́на, ска́терть, исто́рия, дере́вня**
d. Various genders: **гость, река́, мост, а́рия, де́ло**

Exercises with Grammar B

a. From the Reading Exercise write out all *plural* nouns (with
the prepositions), giving their case and English meaning, as follows:

от това́рищей	Genitive	"from [my] friends"
с това́рищами	Instrumental	"with [my] friends"

b. Change bold face words to the *plural*:

1. По у́лице **шёл солда́т**. 2. Осенью ча́сто **идёт дождь**.
3. Я хочу́ отпра́вить **сунду́к** ма́лой ско́ростью. 4. На **вокза́ле**
нет **носи́льщика**. 5. Я получи́л телегра́мму для **учи́теля**. 6. **То-
ва́рищ уезжа́ет** на вокза́л без **чемода́на**. 7. **Ве́чером** мы ча́сто
хо́дим в теа́тр. 8. Я сейча́с е́ду в **гара́ж** за **автомоби́лем**. 9. За
до́мом сад. 10. Биле́т под **журна́лом**. 11. В теа́тре о́чень жа́рко.
12. Сего́дня я **говори́л** с **меха́ником** о его́ **клу́бе**. 13. Мне
ску́чно ду́мать об **уро́ке**. 14. Я **проща́юсь** с **прия́телем**.

c. Supply the correct *plural* endings:

1. Дома́ ме́жду ба́нк— и магази́н—. 2. Доктор—' живу́т
в це́нтре го́рода. 3. Поезд—' е́дут пря́мо в Москву́. 4. Вот
поезд—' для солда́т—. 5. Мы е́дем по́ездом и ви́дим город—'
и лес—'. 6. Учител—' у́чат нас ру́сскому языку́. 7 Профессор—' и учител—' рабо́тают в университе́т—, а инжене́р—
и меха́ник— на заво́д—. 8. Мы лю́бим вечер—' в клу́бе.

9. Уро́к— ру́сского языка́ нам нра́вятся; мы о́чень лю́бим язык—'. 10. По вечер—' в рестора́н— игра́ют орке́стр—. 11. В большо́м клу́бе в угла́х дива́н— и на полу́ ковр—'. 12. В пра́здник— днём мы хо́дим в музе́—, а ве́чером в теа́тр—. 13. Я не зна́ю его́ това́рищ— и прия́тел—. 14. В це́нтре город—' магази́н—, теа́тр—, музе́— и ба́нк—.

Exercise with Grammar C

Use the appropriate Russian expression in the appropriate tense in place of the English phrases in parentheses:

1. (May I) обе́дать с ва́ми? 2. (We have to) быть на вокза́ле в семь часо́в ве́чера. 3. Тут, на парохо́де (one cannot) хорошо́ пообе́дать. 4. Я (must) позвони́ть за́втра сосе́дке. 5. (You did not have to) знать э́то сло́во. 6. Брат (ought to) дать телегра́мму отцу́. 7. (He may not) опозда́ть на по́езд. 8. Эти чемода́ны (one can) сдать в бага́ж. 9. (He had to) идти́ в шко́лу вчера́. 10. (It is necessary) пить и есть хорошо́. 11. Здесь (it is possible) купи́ть и шля́пу и пальто́. 12. (Were you permitted) посмотре́ть, что они́ де́лают? 13 (He needs) стол и ковёр. 14. (They will need) хлеб и мя́со. 15. (You will have to) показа́ть ему́, как открыва́ть э́тот сунду́к.

Exercise with Grammar D

Supply the correct form of нра́виться or люби́ть. Give reasons for your choice.

1. Вы ..... му́зыку? 2. Това́рищу не ..... моя́ ко́мната. 3. До́ктор Че́хов всегда́ пьёт чай. Он не ..... ко́фе. 4. Оте́ц не ..... опа́здывать на по́езд. 5. Ле́том мы ..... жить в дере́вне. 6. Бра́ту о́чень ..... мой но́вый ковёр. 7. Они́ о́чень ..... свою́ мать. 8. Мое́й подру́ге ..... моя́ но́вая шля́па. 9. Ве́чером по́сле слу́жбы я ..... слу́шать ра́дио. 10. Мне ..... уро́ки ру́сского языка́.

Exercise with Grammar B and E

Write out the numbers in Russian and give the correct case forms of the nouns in parentheses:

1. Ско́лько (ме́сяц) вы бы́ли в Москве́? 2. (7 ме́сяц) тому́ наза́д мы получи́ли письмо́ от бра́та. 3. Тут, в ваго́не (9 солда́т). 4. Сего́дня на вокза́ле ма́ло (носи́льщик). 5. У меня́

было (5 карандаш). 6. В школе у него будет много (товарищ). 7. Который час? (6 час). 8. Сколько (раз) были вы в театре или в кино? 9. Я был (2 раз) в театре и (8 раз) в кино. 10. Сколько у тебя (глаз). У меня (2 глаз). 11. Работаете вы летом в саду (2 или 3 час)? 12. Нет, я работаю (5 час) и только по воскресеньям (2 или 3 час).

VII. TRANSLATION INTO RUSSIAN

A

1. I do not like my work in Leningrad. 2 [I] work like a machine and receive very little [money]. 3. My friend works in Moscow. 4. He wrote me that he works only five, six hours and in the evening goes to museums, theaters, concerts, and movies. 5. I also want to live and work in Moscow. 6. Today I found out about the train schedule and know which train to take. 7. I can go tomorrow morning by express to Moscow. 8. I shall pack the things into the suitcases. 9. The trunks I shall check; the suitcases I shall take into the car. 10. There is always a crowd at our station and few porters. 11. But I shall not need porters because I shall have only two suitcases. 12. I shall take one into the car and one I shall check. 13. I shall buy a ticket at the station and then send a telegram to my friend: "Am arriving early this evening." 14. I have not seen my friend for many months and shall be very happy to see him again.

B

1. Today is Saturday and on Saturdays my sister and I always go to the new department store at the corner of Uspenskaya Street. 2. We leave home (go away out of the house) at exactly nine o'clock, have lunch at the restaurant in the store, afterwards go to a movie, and are at home again at about six or seven o'clock. 3. In the store we go from department to department, talk with the saleswomen, and ask them: "How much are the radios and the television sets, the armchairs, and these lamps?" 4. My sister needs rugs and lamps for her new apartment; I need a new coat, and dresses, hats, and shoes. 5. "Sonya, do you like this blue dress?" I ask my sister. 6. "No, Masha, I don't like it at all (совсем); I love your old one, remember, the black and (with) white one?" 7. "But how do you like this red one?" 8. "Oh yes, this one *is* beautiful: I like this one very much! You must buy it! And it costs only eight

rubles!" 9. I ask the saleslady: "May I put on this dress? I like
it and want to buy it." 10. "No," the saleslady answers, "one is
not allowed (it is not permitted) to put on dresses in this store;
first one must (it is necessary to) buy them; this one costs
twelve rubles." 11. "But I thought these dresses cost only eight
rubles! 12. Well, it does not matter, I like this dress and must
have it!" 13. And so I pay the twelve rubles and another eleven
rubles for (за + acc.) a hat and two pairs of shoes. 14. And,
of course, my sister buys a very expensive rug and six lamps
for her large apartment. 15. I do not even ask her how many
rubles she had to pay for them. 16. At the restaurant we
just (only) have a snack and quickly drink a cup of black coffee.
17. It is already very late and we must hurry to the movie. 18. It
was nine o'clock, when we finaly were home again, exhausted
(tired ones) but happy.

ДЕВЯТНАДЦАТЫЙ УРОК | NINETEENTH LESSON

*Irregularities in the plural declension of masculine nouns
(-анин, -янин; irregular plural) — Plural declension of
adjectives, hard and soft — Numerals (ordinals
1-12, fractions) and time expressions (clock)*

I. COMMON EXPRESSIONS AND IDIOMS

Поезд опоздал на три четверти часа	The train was three quarters of an hour late.
Часы спешат, отстают на...	The watch is fast, is slow ...
Переводить стрелку	To set the watch
Часы пробили...	The clock has struck ...
Отправить малой скоростью	To send by freight
Снимать номер в гостинице	To take a room in a hotel
Я стал в очередь.	I got into line, took my place in the queue.
Впереди, позади меня	In front of me, behind me
«Людей посмотреть, да себя показать.»	To look at the people and to show oneself; "To see and be seen."

II. READING EXERCISE

Я так рад, что я, наконец, в Москве! Мой **поезд опоздал
на три четверти часа,** но на вокзале меня никто не ждал.
Товарищи были на работе и не могли меня встретить.

Я поехал прямо в гостиницу и **снял номер** на **пятом**
этаже. Из окна моей комнаты замечательный вид. Вот они
московские бульвары, парки, дома...

Я сейчас же пошёл осматривать город.

На углу я спросил милиционера:

— Где Красная площадь?

— Красная площадь совсем рядом, — ответил он. —
Идите прямо, потом поверните в **третью** улицу направо и
второй поворот налево будет Красная площадь.

Я поблагодарил милиционера и через десять минут, я
был уже на Красной площади.

Больши́е часы́ на ба́шне Кремля́ пока́зывали че́тверть четвёртого. Я прове́рил вре́мя на свои́х часа́х. Они́ то спеша́т, то отстаю́т. Они́ пока́зывали полови́ну четвёртого. Я перевёл стре́лку и пошёл по пло́щади.

Около мавзоле́я Ле́нина све́жие, краси́вые цветы́. Пе́ред мавзоле́ем толпа́ люде́й. Я стал в о́чередь.

В толпе́ бы́ли и крестья́не, и рабо́чие, и тури́сты англича́не. По пло́щади шла гру́ппа ребя́т.

Впереди́ меня́ гру́ппа крестья́н. — Вы отку́да, това́рищи? — спроси́л я.

— Из Сиби́ри. Вот прие́хали «люде́й посмотре́ть, да себя́ показа́ть»!

— Да, тут вы скуча́ть не бу́дете, това́рищи! — услы́шал я молоды́е голоса́ позади́. — Мы вот уже́ восьмо́й день осма́триваем Москву́. Замеча́тельный го́род! Мы никогда́ не ду́мали, что в одно́м го́роде мо́жет быть сто́лько краси́вых па́рков, сто́лько замеча́тельных музе́ев и теа́тров.

Часы́ на ба́шне Кремля́ про́били без че́тверти четы́ре, когда́ я вошёл в мавзоле́й Ле́нина.

III.　VOCABULARY

ба́шня (е)	tower	нале́во	to the left
бульва́р	boulevard	напра́во	to the right
вождь (m.)	leader	поворо́т	turn
гро́мко	loud (ly)	пра́вильно	correctly
гру́ппа	group	рабо́чий	worker
замеча́тельный, -ая, -ое	remarkable	слу́чай	occasion
		сто́лько	so much, so
класс	class	(+ gen.)	many
мавзоле́й	mausoleum	страна́	country
милиционе́р	policeman	тури́ст	tourist
моско́вский -'ая, -'ое	Moscow (adj.)	эта́ж	floor

Verbs

Imperfective	Perfective	English
благодари́ть (II)	поблагодари́ть (II)	to thank
закрыва́ть (I)	закры́ть, закро́ю, закро́ешь, закро́ют	to close, shut
класть (Lesson 5)	положи́ть, положу́, поло́жишь, поло́жат	to place, put

Imperfective	Perfective	English
осма́тривать (I)	осмотре́ть; осмотрю́, осмо́тришь, осмо́трят	to inspect, examine, sightsee
переводи́ть, перевожу́, перево́дишь, перево́дят	перевести́, переведу́, переведёшь, переведу́т	to move, transfer, translate
повора́чивать (I)	поверну́ть; поверну́, повернёшь, поверну́т	to turn
поправля́ться (I)	попра́виться, попра́влюсь, попра́вишься, попра́вятся	to get well improve
проверя́ть (I)	прове́рить; прове́рю, прове́ришь, прове́рят	to check
снима́ть (I)	снять; сниму́ сни́мешь, сни́мут	to take off, to rent

IV. GRAMMAR

A. Irregularities in the plural of masculine nouns

1. *Masculine nouns ending in* -анин *and* -янин *drop the syllable* ин. Thus, англича́нин "Englishman" and крестья́нин "peasant" have the following plural declension, typical of this type of nouns:

Nom.	англича́не	крестья́не
Gen.	англича́н	крестья́н
Dat.	англича́нам	крестья́нам
Acc.	англича́н	крестья́н
Instr.	англича́нами	крестья́нами
Prep.	англича́нах	крестья́нах

Note particularly the nominative case ending -e and the lack of ending in the genitive case.

2. *Irregular plurals*:

Singular		Plural		Plural Declension
господи́н господжа́	Mr., Sir Mrs., Lady	} господа́	gentlemen, ladies, Mr. and Mrs.	N. господа́ G. госпо́д D. господа́м A. госпо́д I. господа́ми P. господа́х

Singular		*Plural*		*Plural Declension*
граждани́н	citizen	} гра́ждане	citizens	like англича́не
гражда́нка[1]	citizeness			
дитя́[3]	child	де́ти	children	N. де́ти G. дете́й D. де́тям A. дете́й I. детьми́ P. де́тях
ребёнок	child	ребя́та	lads, fellows, youngsters	like господа́, except that stress remains on я throughout
челове́к	man person	лю́ди[3]	people	like де́ти
цвето́к (+ о)	flower	цветы́	flowers	reg. like столы́
цвет	color	цвета́	colors	like цветы́, ex- cept nom. and acc.: цвета́

B. Declension of the adjective in the plural

	Hard	*Soft*
	All Genders	
Nom.	но́вые	после́дние
Gen.	но́вых	после́дних
Dat.	но́вым	после́дним
Acc.	Like Nom. or Gen.	Like Nom. or Gen.[4]
Instr.	но́выми	после́дними
Prep.	но́вых[5]	после́дних

[1] Гражда́нка has the plural гражда́нки.

[2] The *singular* declensional forms are rare. They are: дитя́, дитя́ти, дитя́ти, дитя́, дитя́тею, дитя́ти.

[3] When counting, the singular or plural genitive of челове́к is used. Three, six people were in our room.

три челове́ка }
шесть челове́к } бы́ло в на́шей ко́мнате.

[4] Like nominative when modifying an *inanimate* noun; like genitive when modifying an *animate* noun.

[5] For Vowel Mutation Rules see p. 31.

Adjectives ending in -о́й (молодо́й) are declined exactly like но́вый, the stress, however, always falling on the ending.

C. Numerals and time expressions

1. Ordinals 1st - 12th:[1]

1st пе́рвый, -'ая, -'ое		7th седьмо́й, - а́я, - о́е
2nd второ́й, - а́я, - о́е		8th восьмо́й, - а́я, - о́е
3rd тре́тий, -'ья, -'ье		9th девя́тый, -'ая, -'ое
4th четвёртый, -'ая, -'ое		10th деся́тый, -'ая, -'ое
5th пя́тый, -'ая, -'ое		11th оди́ннадцатый, - ая, - ое
6th шесто́й, - а́я, - о́е		12th двена́дцатый, - ая, - ое

Ordinals, except тре́тий, are declined like adjectives in -ый or -о́й, depending on the ending:

> пе́рвый, пе́рвого, пе́рвому, etc.
> второ́й, второ́го, второ́му, etc.

2. Declension of тре́тий:

	Singular Masc.	Singular Neut.	Singular Fem.	Plural, All Genders
Nom.	тре́тий	тре́тье	тре́тья	тре́тьи
Gen.	тре́тьего	тре́тьего	тре́тьей	тре́тьих
Dat.	тре́тьему	тре́тьему	тре́тьей	тре́тьим
Acc.	Nom. or Gen.	тре́тье	тре́тью	Nom. or Gen.
Instr.	тре́тьим	тре́тьим	тре́тьей	тре́тьими
Prep.	тре́тьем	тре́тьем	тре́тьей	тре́тьих

3. Fractions:[2]

че́тверть часа́ (genitive singular of час)	quarter of an hour
че́тверть фу́нта (genitive singular of фунт)	quarter of a pound
полчаса́ (gen. sing.)	half an hour
полфу́нта (gen. sing.)	half a pound
три че́тверти[3] часа́	three quarters of an hour
три че́тверти фу́нта	three quarters of a pound

---

[1] Most ordinals are formed by dropping the -ь of the cardinal and adding the endings -ый or -о́й. Ordinals agree with their noun in gender, case, and number.

[2] A complete *systematic* treatment of the complicated topic of *fractions* exceeds the scope of this elementary text. Therefore a strictly *functional* approach is used.

[3] че́тверти is the genitive singular of че́тверть, which is declined like дверь.

4. *Time Expressions*:

Который час?	What time is it?
По мойм часáм...	By my watch. ...
час нóчи	1:00 A. M.
четы́ре часá утрá	4:00 A. M.
шесть часóв вéчера	6:00 P. M.
одúннадцать часóв утрá	11:00 A. M.
одúннадцать часóв вéчера	11:00 P. M.

в двенáдцать часóв дня	
в пóлдень	} at noon
в двенáдцать часóв нóчи	
в пóлночь	} at midnight

Quarter past the hour:

12:15 чéтверть пéрвого	2:15 чéтверть трéтьего
1:15 чéтверть вторóго	3:15 чéтверть четвёртого

Half past the hour:

4:30 половúна пя́того	6:30 половúна седьмóго
5:30 половúна шестóго	7:30 половúна восьмóго

Quarter to the hour:

8:45 без чéтверти дéвять	10:45 без чéтверти одúннадцать

Note that in Russian one *always* refers to the *coming* hour: whereas we say: "quarter past one," the Russian literally says: "quarter of the *second* hour" (вторóго); whereas we say: "half past two," the Russian says: "half of the *third* hour" (трéтьего); whereas we say "quarter to three" (in this case also looking to the *coming* hour), the Russian literally says: "without a quarter three," and so forth.

VOCABULARY BUILDING

Perfective Verbs

Imperf.	Perfective with the Prefix с	English
(дéлать)	сдéлать (I)	to do, complete
(есть)	съесть	to eat up, consume
	conjugated like есть	
(умéть)	сумéть	to know how, contrive
	conjugated like умéть	
(мочь)	смочь[1]	to be able
	conjugated like мочь	

[1] In the *future* tense, only смочь is used (never мочь with быть): я смогу́, ты смóжешь, etc. (never я бу́ду мочь, etc.).

	With the Prefix про	

(чита́ть)	прочита́ть (I)	to read through
	прочёсть; прочту́,	to read through
	прочтёшь, прочту́т	
	прочёл, прочла́, прочли́	read through

V. QUESTIONS

1. Ра́ды ли вы, что вы наконе́ц в Москве́? 2. На ско́лько опозда́л ваш по́езд? 3. Почему́ това́рищи вас не жда́ли на вокза́ле? 4. Куда́ вы пое́хали с вокза́ла? 5. Како́й вид из окна́ ва́шей ко́мнаты? 6. Куда́ вы пошли́ из гости́ницы? 7. Кого́ вы спроси́ли, где Кра́сная пло́щадь? 8. Как вам на́до бы́ло идти́ на Кра́сную пло́щадь? 9. Где вы бы́ли че́рез де́сять мину́т? 10. Кото́рый час пока́зывали больши́е часы́ на ба́шне Кремля́? 11. Почему́ вы прове́рили вре́мя на свои́х часа́х? 12. Почему́ вы перевели́ стре́лку на свои́х часа́х? 13. Что вы уви́дели о́коло мавзоле́я Ле́нина? 14. Что вы уви́дели пе́ред мавзоле́ем Ле́нина? 15. Почему́ вы ста́ли в о́чередь? 16. Кто был в толпе́? 17. Кто шёл по пло́щади? 18. Кто был впереди́ вас? 19. Что вы их спроси́ли? 20. Для чего́ крестья́не прие́хали в Москву́? 21. О чём говори́ли молоды́е лю́ди позади́ вас? 22. Ско́лько вре́мени они́ уже́ осма́тривают Москву́? 23. Ду́мали ли они́ что в одно́м го́роде мо́жет быть сто́лько замеча́тельных музе́ев, теа́тров и сто́лько краси́вых па́рков? 24. Кото́рый час проби́ли часы́ на ба́шне Кремля́, когда́ вы вошли́ в мавзоле́й Ле́нина?

VI. GRAMMAR EXERCISES

Exercises with Grammar A

a. From the Reading Exercise write out all irregular *plural* nouns (given in Grammar A.), giving their case and English meaning and the corresponding *singular* form, as follows (9 forms in all):

| цветы́ | Nominative | "flowers" | цвето́к |
| людей | Genitive | "people" | челове́ка |

b. Translate the English words in parentheses:

1. Они́ свобо́дные (people). 2. Мы купи́ли автомоби́ль для молоды́х (people). 3. Мы говори́ли весь ве́чер о ру́сских

(people). 4. К весёлым (Englishmen) приéхали приятели. 5. У
рýсских (peasants) всегдá мнóго рабóты. 6. Эти (citizens)
говоря́т по-рýсски. 7. Он идёт по плóщади с (youngsters).
8. Рýсские (citizens) лю́бят Россúю. 9. В садý бы́ли красúвые
(flowers). 10. (The colors) цветóв бы́ли óчень красúвы. 11. Я
написáл нáшему инженéру о дóме (of Mr. and Mrs.) Петрóвых.
12. Сундукú (of the Englishmen) ещё на вокзáле. 13. Я знáю
её (children) óчень хорошó. 14. Онá пошлá с (children) в
кинó. 15. Онú серьёзные (youngsters)! 16. Вчерá я говорúл с
рýсскими (citizens), с (peasants), с инженéрами, докторáми,
учителя́ми. 17. Очевúдно все (children) сегóдня в шкóле.

Exercises with Grammar A and B

a. From the Reading Exercise write out all *plural* adjectives
giving their case and English meaning, as follows (9 adjectives in
all):

москóвские   Nominative   "Moscow" (adj.)

b. Change all bold face words into the *plural*:

1. Вот **замечáтельный дом.** 2. Сегóдня у меня́ есть **хорóший билéт** в теáтр. 3. **Я живý** óколо **большóго пáрка.** 4. Мне
скýчно жить в Москвé без **хорóшего товáрища.** 5. Нам не
нýжен плохóй инженéр. 6. Я всегдá éзжу за покýпками в **дорó-
гóй магазúн.** 7. Я люблю́ **свéжий зúмний день.** 8. **Я хочý**
учúться в **нóвом университéте.** 9. **Мне** приятно éхать на
удóбном автомобúле. 10. Я идý в парк с **мáленьким ребёнком.**
11. В трамвáе мы сидéли мéжду **англúйским турúстом** и **рýсским рабóчим.** 12. **Занятóй господúн** никогдá не **читáет** москóвского журнáла. 13. **Тебé** бýдет скýчно на дáче в **дождлúвый день.** 14. Я написáл товáрищу о **послéднем приёме** в дóме
господúна Петрóва (Петрóвых). 15. Мы мнóго знáем о **рýсском
вождé.** 16. По плóщади **шёл мáленький ребёнок** с **молоды́м
учúтелем.** 17. **Какóй красúвый цветóк!** 18. Мне **нрáвится егó
цвет!**

c. Give the full declension (singular and plural) of the following
expressions:

1. Послéдний, лéтний день. 2. Рýсский человéк. 3. Мáленький ребёнок. 4. Молодóй англичáнин. 5. Красúвый цветóк.

Exercises with Grammar C

a. Change the cardinal numerals to ordinals, for example:

Одúн милиционéр *to* **Пéрвый** милиционéр

1. Одно кресло. 2. Две зимы́. 3. Три пла́тья. 4. Четы́ре слу́чая. 5. Пять ра́дио. 6. Шесть заво́дов. 7. Семь биле́тов. 8. Во́семь уро́ков. 9. Де́вять ме́сяцев. 10. Де́сять солда́т.

b. Give the Russian of the ordinals in parentheses:

1. Он тут на заво́де (1st) меха́ник. 2. У меня́ нет (2nd) шля́пы. 3. Я опозда́л да́же к (3rd) по́езду! 4. Я не ви́жу (4th) биле́та. 5. Иди́те пря́мо в (5th) ваго́н. 6. Я прие́хал на вокза́л пе́ред (3rd) звонко́м. 7. Брат стал в о́чередь в (8th) раз. 8. Мы сня́ли ко́мнату на (9th) этаже́. 9. Я по́мню э́то ме́сто в (5th) уро́ке. 10. Дека́брь (12th) ме́сяц го́да.

c. Express in Russian:

(1) 2:00 A. M.; 4:00 P. M.; 7:00 P. M.; 10:00 A. M.

(2) Quarter past six (6:15); 5:15; 2:15; 8:15.

(3) Half past nine (9:30); 8:30; 7:30; 4:30.

(4) Quarter to two (1:45); 6:45; 5:45; 2:45; 12:45.

d. In the following sentences give the Russian of the expressions in parentheses. Write out all numerals in full.

1. Я бу́ду у вас (in five minutes). 2. Брат опозда́л на (two hours). 3. Её часы́ спеша́т на (ten minutes). 4. Его́ часы́ отста-ю́т на (quarter of an hour). 5. Мы обе́даем (at 12:30). 6. Вы бу́дете на вокза́ле (at 2:45 P. M.)? 7. Това́рищи е́дут в го́род (in 45 minutes). 8. Ве́чером до́ктор е́дет в го́спиталь (for 2 or 3 hours). 9. Я прие́ду домо́й (in half an hour). 10. Мы бу́дем на Кра́сной пло́щади (at 3:45) 11. Бы́ло (5:00) когда́ мы вошли́ в мавзоле́й Ле́нина. 12. Милиционе́р на углу́ (checked the time) у себя́ на часа́х. 13. ("What time is it?"), спра́шивает милиционе́ра крестья́нин. 14. ("It is a quarter to four"), отве-ча́ет он. 15. Она́ купи́ла (quarter of a pound) ма́сла и (half a pound) мя́са. 16. Я ждал не то́лько (half an hour), а (three quarters of an hour).

VII. TRANSLATION INTO RUSSIAN

A

1. We had often seen Moscow, the Red Square, and the tomb of Lenin (Ле́нина) in the movies. 2. But now we did not

know how to get (go) from our hotel to the square. 3. We had arrived in Moscow (Мы приéхали в Москву́) at quarter to eight this morning. 4. Our train had been a quarter of an hour late. 5. We went immediately to the hotel and took a room there. 6. We had breakfast, and at half past nine we went to see (sightsee) the city. 7. There, at the corner, was a policeman. 8. "Tell us please: where are the Kremlin and the Red Square?" 9. The policeman looked at us and asked: "Where are you from? Are you English (Englishmen)? How long have you been here (are you already here)?" 10. Then he told us: "The Kremlin and Red Square are right close by. Go straight ahead, then turn left and there will be the square." 11. We thanked the policeman and within five minutes we were on the square. 12. In front of Lenin's tomb was a big crowd. 13. When we got into line, the big clock on the tower of the Kremlin struck eleven. 14. I checked [my] watch, because it is always slow; it showed 10:45; I set it. 15. It was already 12 o'clock when we entered the mausoleum.

B

1. Yesterday we drove to the little old station of Blinsk to find out the train schedule and to buy tickets. 2. We wanted to take an express train; there was only one from (из) Blinsk to Leningrad, at 5:15 in the morning, and we decided to take it. 3. My brother wanted to buy first class tickets (tickets of first class), but that was impossible because we had only twelve rubles, and we needed three tickets. 4. We had to buy second class tickets, but it's all the same to me how I shall travel to Leningrad — first, second, or even third class (instr.). 5. Then we sent a telegram to notify our friend in Leningrad that we would (shall) arrive there on Friday at eleven o'clock in the morning. 6. Now everything is ready for our departure. 7. We have notified our landlord that we are leaving (driving away) at five o'clock on Friday morning, and that we do not need his two rooms any longer. 8. We have packed our last belongings (things) into very expensive, beautiful, and new suitcases and trunks. 9. The four suitcases we take with us into the train (train carriage), but the very large trunks we are sending by freight. 10. Last night I slept very badly. At midnight I asked my brother, "What time is it?" 11. For a long time he did not even answer, but finally he said: "Peter, what [is the matter] with you? It is still very early, by my watch only quarter past twelve! Sleep and don't talk!" 12. Finally,

at half past three we all got up, quickly dressed, drank a cup of coffee, and drove to the station. 13. I was, of course, afraid of being (to be) late for the train, but we were on time (во́ вре́мя), since (because) from our house to the station it is not far at all: one drives three minutes straight ahead along (по & dat.) Blinskaya Street, turns right into the fourth street, and there is (вот) the station. 14. When we arrived at the station, the large, old clock on the station building was just striking five o'clock. 15. At exactly 5:15 our train left Blinsk and at 11:00 we arrived at Leningrad and suddenly caught sight of the huge station. 16. At the station there was a large crowd of people. 17. In front of our car there were children with flowers in their hands, and groups of [factory] workers and peasants. 18. They were meeting a group of Englishmen; everybody was talking, laughing, and hurrying. 19. At last our friend Ivanov caught sight of us. He was very happy to see us and drove off with us in a taxi to his beautiful home. 20. Here we shall live almost two weeks, from this Friday until Tuesday of next week. 21. We shall sight-see the entire city, its famous boulevards and buildings, museums, and theaters, its remarkable bridges over the river Neva, its enormous squares and beautiful parks. 22. Yes, we shall not be bored in this city and our twelfth day will be as (та́кже) interesting as the first.

ADDITIONAL READING MATERIAL

Based on the vocabulary and grammar of the preceding lessons

М. П. АНДРЕЕВ

Семь ме́сяцев тому́ наза́д Михаи́л Петро́вич Андре́ев получи́л рабо́ту на большо́м заво́де недалеко́ от го́рода Лос-Анжелеса в Калифо́рнии.

Андре́ев никогда́ не люби́л больши́х городо́в, но Лос-Анжелес ему́ о́чень понра́вился: мно́го краси́вых домо́в, садо́в, больши́х па́рков. Есть та́кже и интере́сные музе́и и хоро́шие университе́ты. Коне́чно да́же в не́сколько дней нельзя́ осмотре́ть всего́ го́рода.

Андре́ев прекра́сный меха́ник. Он рабо́тает бы́стро и хорошо́ и на заво́де все им дово́льны. Андре́ев то́же дово́лен свое́й рабо́той. Он дово́лен и часа́ми рабо́ты и свои́ми но́выми това́рищами.

Андре́ев снял дом недалеко́ от заво́да и недалеко́ от свои́х но́вых това́рищей. Обыкнове́нно, все рабо́чие э́того заво́да живу́т там. Дома́ рабо́чих просты́е, но удо́бные: у всех домо́в есть гара́жи, потому́ что у всех рабо́чих есть свои́ автомоби́ли, — а пе́ред дома́ми — небольши́е сады́, где всегда́ мно́го краси́вых цвето́в.

Андре́ев, его́ жена́ и их де́ти америка́нские гра́ждане. Для дете́й есть хоро́шая шко́ла недалеко́ от до́ма; есть та́кже городски́е па́рки, где ребя́та мо́гут игра́ть це́лый день.

Жена́ Андре́ева ра́да была́ узна́ть, что совсе́м ря́дом есть мно́го хоро́ших магази́нов и ей не ну́жно бу́дет далеко́ е́здить за поку́пками. Кро́ме того́ ей о́чень нра́вятся их но́вые сосе́ди. Они́ ми́лые и прия́тные лю́ди, — а так ва́жно име́ть хоро́ших сосе́дей, когда́ име́ешь ма́леньких дете́й! Андре́ев же рад, что вечера́ми с сосе́дями мо́жно поигра́ть в ка́рты и́ли поговори́ть.

— Мы должны́ ка́ждый день благодари́ть Бо́га за то, что мы так хорошо́ живём! — говори́т жена́ Андре́ева му́жу и де́тям. Никогда́ нельзя́ забыва́ть, что не все так счастли́вы как мы! —

ДВАДЦАТЫЙ УРОК | TWENTIETH LESSON

Declensional peculiarities of the neuter noun in the plural:
plurals in -a; in -и; genitive infix; plural of **óзеро** — *Plural*
of the possessive pronoun-adjective; pronoun adjectives
такóй, какóй, котóрый, чей — *Date expressions*

I. COMMON EXPRESSIONS AND IDIOMS

В пéрвых чи́слах ...	In the first days of ...
Продолжа́ть образова́ние	To continue (one's) education
Поступи́ть в университéт	To enroll at a university
Поступи́ть на отделéние ...	To enroll in the department of ...
Окóнчить медици́нский факультéт	To graduate from Medical School
Получи́ть дипло́м	To receive (earn) a diploma
На юриди́ческом факультéте	In the Law School (faculty of Law)
При университéте	At the university
Из ра́зных стран	From various countries

«Учéние — свет, а нéучение — тьма!»

"Knowledge is light; ignorance is darkness!"

II. READING EXERCISE

Осенью, **в пéрвых чи́слах сентября́,** в на́шем гóроде открыва́ется нóвый университéт. Для населéния на́шего гóрода
э́то большóе собы́тие. С откры́тием университéта наш гóрод
займёт положéние одногó из культу́рных цéнтров страны́!

Вчера́ на собра́нии в моéй шкóле я сдéлал доклáд: «Наш
университéт». На́шим ребя́там óчень понра́вился мой докла́д.
В э́том докла́де я объясни́л мои́м товáрищам, что учéние
óчень вáжное заня́тие.

Нам нужны́ учёные, инженéры, меха́ники и докторá. Без
их зна́ний на́ши рабóчие не смóгут рабóтать на на́ших завóдах, а крестья́не — на свои́х поля́х.

Пото́м я рассказа́л им о но́вом университе́те, где я и мои́ това́рищи бу́дем **продолжа́ть на́ше образова́ние.**

В университе́те бу́дет пять и́ли шесть зда́ний. В но́вых зда́ниях бу́дут больши́е о́кна, бу́дет мно́го во́здуха и ме́ста для студе́нтов. Занима́ться в таки́х зда́ниях бу́дет о́чень прия́тно! **При университе́те** бу́дет своя́ библиоте́ка.

В университе́те бу́дет не́сколько отделе́ний. **Каки́м** предме́том студе́нты захотя́т занима́ться — **на то отделе́ние они́ и посту́пят.** Захо́чешь изуча́ть эконо́мику, — **посту́пишь на экономи́ческое отделе́ние;** бу́дущие доктора́ должны́ **око́нчить медици́нский факульте́т,** а юри́сты должны́ **получи́ть** дипло́м на юриди́ческом факульте́те.

Заня́тия в университе́те бу́дут **с пя́того сентября́ до деся́того ию́ня.** Бу́дет и ле́тний семе́стр **с пя́того ию́ля до шесто́го а́вгуста.** Бу́дут, коне́чно, и пра́здники. По́сле экза́менов, в конце́ ка́ждого семе́стра, студе́нтам даю́т не́сколько дней о́тдыха.

В университе́те бу́дут преподава́ть изве́стные учёные. Профессора́ прие́дут к нам **из ра́зных стран:** из Англии, из Фра́нции...

Учи́тель поблагодари́л меня́ за тако́й хоро́ший докла́д и попроси́л нас всегда́ по́мнить:

«Учéнье — свет, а нéученье — тьма».

III. VOCABULARY

бу́дущий, -ая, -ее	future	откры́тие	discovery
		положе́ние	situation
ва́жный, -'ая, -'ое	important	предме́т	object, subject
		семе́стр	semester, term
дипло́м	diploma	собы́тие	event, occurrence
докла́д	report	студе́нт	student
зада́ча	problem, task	уче́ние	learning, study
заня́тие	classes, occupation	учёный	savant, scientist, scholar
зна́ние	knowledge	центр	center
культу́рный, -'ая, -'ое	cultural	экза́мен	examination
		эконо́мика	economics
населе́ние	population	юри́ст	lawyer, jurist
не́сколько	some, several, a few		

Verbs

Imperfective	Perfective	English
занима́ть (I)	заня́ть; займу́, займёшь, займу́т	to occupy
занима́ться (I)	заня́ться (заня́ть)	to study, be busy (with)
запомина́ть (I)	запо́мнить (II)	to remember, memorize
изуча́ть (I)	изучи́ть; изучу́, изу́чишь, изу́чат	I. to study, learn; P. to master
объясня́ть (I)	объясни́ть (II)	to explain
ока́нчивать (I)	око́нчить; око́нчу, око́нчишь, око́нчат	to finish
поступа́ть (I)	поступи́ть; поступлю́ посту́пишь, посту́пят	to enter, enroll, act
преподава́ть (дава́ть)	препода́ть (дать)	to teach, instruct
продолжа́ть (I)	продо́лжить; продо́лжу, продо́лжчшь, продо́лжат	to continue
расска́зывать (I)	рассказа́ть (сказа́ть)	to tell, narrate

Note: It is very important to know the *cases* which verbs of *learning* and *studying* take:

учи́ться "to study, learn" takes the *dative* case when referring to a field of study:

Я учу́сь ру́сскому языку́. I study the Russian language.

When referring to a specific task, however, the *accusative* is used:

Я учу́ ру́сский уро́к. I am studying the Russian lesson.

Also note:

Я учу́сь в университе́те. I am studying at the university.

изучáть "to study, learn (thoroughly)" takes the *accusative* and is never used without a direct object:

Они изучáют рýсский язы́к.   They are studying Russian.

занимáться "to occupy oneself with, study" takes the *instrumental*. It may be used without an object expressed:

Он занимáется. Он занимáется   He is studying. He is studying
рýсским языкóм.   the Russian language.

IV. GRAMMAR

A. Declensional peculiarities of the neuter noun in the plural[1]

1. Neuter nouns ending in -же, -че, -ше, -ще, -це change я of the endings to **a**:

сóлнце: сóлнца, сóлнц, сóлнцам, сóлнца, etc. "sun".

2. Neuter nouns the stem of which ends in two consecutive consonants usually insert **o** or **e** in the *genitive plural*:

Nom. Sing.	Gen. Pl.	
окнó	окóн	window
письмó	пи́сем	letter
числó	чи́сел	number

The vowel to be inserted will be indicated in the vocabularies as follows: окнó (o); письмó (e); крéсло (e).

3. Neuter plurals in -и:

ýхо: ýши, ушéй, ушáм, ýши, ушáми, ушáх "ear"

плечó: плéчи, плеч, плечáм, плéчи, плечáми, плечáх "shoulder"

я́блоко: я́блоки, я́блок, я́блокам, я́блоки, я́блоками, я́блоках "apple"

4. Plural of óзеро: озёра, озёр, озёрам, озёра, озёрами, озёрах "lake"

B. Pronoun-adjectives

1. *Declension of the possessive pronoun-adjective in the plural (for its declension in the singular see Lesson 14):*

---

[1] For a review of the regular declension of the neuter noun see Lesson 18, p. 161.

All Genders				
Nom.	мой	твой	свой	наши	ваши
Gen.	мойх	твойх	свойх	наших	ваших
Dat.	мойм	твойм	свойм	нашим	вашим
Acc.	N. or G.	N. or G.	N. or G.	N. or G.	N. or G.
Instr.	мойми	твойми	свойми	нашими	вашими
Prep.	мойх	твойх	свойх	наших	ваших

Remember that the pronouns его "his, its," её "her, hers," их "their, theirs" used as possessives do not change in form.

2. *Demonstrative and interrogative pronoun-adjectives:*

a. The *demonstrative* pronoun-adjective такой, такая, такое "such a, such a one" is declined like an adjective in -ой : такой, такого etc.

Такой, -ое is used in *emphatic* questions:

> Кто это такой?   Who is that?
> Что это такое?   What is that?

b. The interrogative pronoun-adjective какой, какая, какое is translated by "which, what kind of, what sort of":

> Какие часы?   What kind of watch?

It is declined like an adjective in -ой.

The interrogative pronoun-adjective который, которая, которое is translated by "what, which, which one."

Который час?   What time? *Lit.*: Which hour?
Которое сегодня число   What date is today?

It is declined like an adjective in -ый.

c. The *interrogative possessive* pronoun-adjective чей, чья, чьё, чьи "whose" is declined like третий: чей, чьего, чьему, etc.; чья, чьей etc.

Чей этот журнал? or Это чей журнал?   Whose magazine is it?
Чья эта книга?   or Это чья книга?   Whose book is it?
Чьё это перо?   or Это чьё перо?   Whose pen is it?

Sometimes the possessives are used instead of forms of чей:

Это твой журна́л?	[Is] this (it) your magazine?
Это ва́ша кни́га?	[Is] this (it) your book?
Это их письмо́?	[Is] this (it) their letter?

C. Date expressions

Кото́рое сего́дня число́?	What is the date (today)?
Сего́дня второ́е апре́ля.	Today is the second of April
Кото́рое число́ бы́ло вчера́?	What date was yesterday?
Вчера́ бы́ло пе́рвое[1] апре́ля.	Yesterday was the first of April.
Кото́рое число́ бу́дет за́втра?	What date will tomorrow be?
За́втра бу́дет тре́тье апре́ля.	Tomorrow will be the third of April.

"On" is expressed by means of the *genitive* of the ordinal, thus:

Кото́рого числа́?	On what date?
Пя́того ма́я	On the fifth of May
Деся́того ию́ня	On the tenth of June

"From . . . to" is rendered by с . . . до, both prepositions being followed by the *genitive*:

С тре́тьего ию́ня до седьмо́го ию́ля	From the third of June to the seventh of July
С пе́рвого до пя́того ма́я	From the first to the fifth of May
С утра́ до ве́чера	From morning to evening

От . . . до is also used to express "from . . . to":

От второ́го до деся́того декабря́	From the second to the tenth of December

V. QUESTIONS

1. Когда́ открыва́ют но́вый университе́т? 2. Почему́ э́то тако́е большо́е собы́тие для населе́ния ва́шего го́рода? 3. Где вы сде́лали вчера́ докла́д? 4. О чём вы сде́лали докла́д? 5. Понра́вился ли ребя́там ваш докла́д? 6. Почему́ нам нужны́

---

[1] Notice that the *neuter* form of the *ordinal* numeral must be used, since число́, a neuter noun, is understood. Literally:
Сего́дня второ́е число́ апре́ля.   Today is the second (date) of April.

учёные, инженéры, доктора́ и механики? 7. Где вы бу́дете продолжа́ть ва́ше образова́ние? 8. Ско́лько зда́ний бу́дет име́ть университе́т? 9. Почему́ бу́дет так прия́тно занима́ться в ва́шем университе́те? 10. Ско́лько бу́дет отделе́ний в университе́те? 11. Куда́ посту́пит студе́нт изуча́ть эконо́мику? 12. Како́й факульте́т должны́ око́нчить бу́дущие доктора́? 13. Где должны́ получи́ть дипло́м юри́сты? 14. С кото́рого числа́ бу́дут заня́тия в университе́те? 15. Бу́дет ли ле́тний семе́стр? 16. Даю́т ли студе́нтам не́сколько дней о́тдыха по́сле экза́менов? 17. Каки́е учёные и профессора́ бу́дут преподава́ть в университе́те? 18. Отку́да они́ прие́дут? 19. Был ли учи́тель дово́лен ва́шим докла́дом? 20. Что он попроси́л вас запо́мнить?

VI. GRAMMAR EXERCISES

Exercises with Grammar A

a. Give the *plural* declension of the following nouns:

сообще́ние, воскресе́нье, нача́ло, университе́т, стена́, посте́ль, кусо́к, рубль, движе́ние, пла́тье.

b. Repeat the above exercise adding appropriate forms of the possessive, demonstrative, and interrogative adjectives, *e.g.*: како́е сообще́ние, э́то воскресе́нье, наш университе́т, etc.

c. From the Reading Exercise write out all *plural* nouns, along with their adjectives, and change them into the corresponding *singular* forms, *as follows*: в пе́рвых чи́слах; в пе́рвом числе́.

d. Give the correct *plural* forms of nouns in parentheses:

1. Ве́чером у нас бу́дут (собра́ние) в сосе́днем клу́бе. 2. В Нью Йо́рке о́чень высо́кие (зда́ние). 3. Около твое́й дере́вни краси́вые (о́зеро). 4. На на́ших (ме́сто) сиде́ли на́ши знако́мые. 5. Мы слу́шаем (у́хо). 6. Со́лнце сейча́с за (о́блако). 7. В ва́шей газе́те нет (объявле́ние). 8. Они́ пошли́ из (отделе́ние) в (отделе́ние). 9. Они́ живу́т в э́тих краси́вых (зда́ние). 10. У них но́вые (пальто́). 11. Я иду́ на по́чту за (письмо́). 12. Цветы́, пе́ред (окно́). 13. На столе́ — пять (я́блоко). 14. У его́ сестры́ краси́вые (плечо́). 15. Студе́нт ест э́ти (я́блоко) с хле́бом и сы́ром.

Exercises with Grammar B

a. Translate the possessive pronoun-adjectives in parentheses:

1. (My) часы́ пока́зывают че́тверть тре́тьего. 2. Кото́рый час на (yours)? 3. В (our) университе́тах занима́ться о́чень

прия́тно! 4. Учи́тель лю́бит говори́ть о (his own) зна́ниях. 5. Мне ну́жно мно́го занима́ться к (my) экза́менам. 6. Мы хорошо́ зна́ем (their) дете́й. 7. К (our) студе́нтам приезжа́ет но́вый профе́ссор. 8. Он бу́дет жить в (our) до́ме. 9. (Their) прия́телям не понра́вился (his) но́вый автомоби́ль. 10. Нам о́чень понра́вился (their) докла́д. 11. Я запакова́л ве́щи в (her) чемода́ны. 12. Я зна́ю (his) дете́й. 13. Ты расска́жешь нам о (your) экза́менах, а мы расска́жем тебе́ о (ours).

b. Replace the English words in parentheses by proper forms of тако́й, како́й, кото́рый, чей:

1. Сего́дня (such a) хоро́шая пого́да. 2. В (such a) хоро́шую пого́ду нельзя́ сиде́ть до́ма. 3. Занима́ться в (such a) университе́те большо́е удово́льствие. 4. Для (such a) собы́тия я куплю́ но́вое пла́тье. 5. (What) тепе́рь час на ва́ших часа́х? 6. (Whose) э́та кни́га и (whose) э́то перо́? 7. (What sort of) пра́здник за́втра? 8. (What kind of) предме́том вы сейча́с занима́етесь? 9. (Whose) э́тот журна́л? 10. На (what sort of) кре́сле вы сиди́те? 11. (What kind of) по́ездом вы е́дете? 12. (Which) письмо́ вы получи́ли от бра́та? 13. О (what sort of) кни́ге они́ говори́ли вчера́? 14. (Which) уро́к они́ сего́дня у́чат? 15. (What sort of) места́ у нас сего́дня в теа́тре?

Exercises with Grammar A and B

a. Change the following sentences to the *plural*:

1. Како́е интере́сное о́блако! 2. Где ва́ше письмо́? 3. Я не могу́ жить в ко́мнате без окна́. 4. Пе́ред собра́нием мы всегда́ еди́м в рестора́не. 5. Я был гото́в к большо́му собы́тию. 6. Я принима́ю ва́ше приглаше́ние. 7. Ве́чером я бу́ду в э́том большо́м зда́нии. 8. С его́ зна́нием, коне́чно, он мо́жет преподава́ть в университе́те. 9. Мы мно́го смея́лись над твои́м письмо́м. 10. В теа́тре он лю́бит сиде́ть на хоро́шем ме́сте. 11. Профе́ссор рассказа́л нам о собы́тии в Сиби́ри. 12. Учи́тель спроси́л меня́ о моём заня́тии. 13. Я забы́л об его́ письме́. 14. В кото́ром зда́нии бу́дет собра́ние? 15. В тако́м прекра́сном по́ле, коне́чно, мно́го цвето́в.

b. Give the full declension (singular and plural) of the following phrases:

1. моё у́хо. 2. его́ но́вое откры́тие. 3. тако́е большо́е о́зеро. 4. како́е но́вое заня́тие? 5. кото́рое число́?

Exercise with Grammar C

Translate the English expressions in parentheses, writing out all numbers in full:

1. (What) числа́ вы бу́дете на да́че? 2. Мне ка́жется, что в понеде́льник бы́ло (3rd of November). 3. Я бу́ду о́чень за́нят (on the 9th of August). 4. (From the 4th of July to the 8th of October) мы бы́ли в Росси́и, в Москве́ и в Ленингра́де. 5. Я получи́л письмо́ от бра́та (from the 8th of April). 6. (On what date) вас пригласи́ли в го́сти к до́ктору Че́хову? 7. Я бу́ду рабо́тать тут в ба́нке (from the 4th of July to the 9th of December). 8. Я бу́ду до́ма (on the 6th of January). 9. (From the 5th of April) мы бу́дем жить в дере́вне. 10. Он приезжа́ет в Москву́ (on the 10th of June). 11. (On what date) ты конча́ешь заня́тия в шко́ле? 12. (On the 7th of November) я купи́л по слу́чаю прекра́сную обстано́вку.

VII.   TRANSLATION INTO RUSSIAN
A

1. During the first days of October I have to give a report in my school. 2. I shall speak about New York. 3. In August and September I had been in New York and had seen (sightseen) the city. 4. I had never seen such high buildings, such beautiful theaters, museums, and parks. 5. I shall also tell in my report about the great universities in New York. 6. We all know, how important it is to study. 7. Without good teachers, doctors, and engineers there can be no universities, no hospitals, no factories. 8. Next year I want to continue my education at a university in New York. 9. It will be interesting and pleasant to study with such famous professors, in such beautiful buildings. 10 I shall enroll in the department of economics. 11. I shall study a lot, but from the first of June to the tenth of September I shall always work in our kolhoz. 12. After three, four years I shall graduate from the department of economics and receive a diploma. 13. That will be a great event in my life.

B

1. Here is (вот) the first of June, the last day of my first semester at this university. 2. In the first days of September I had enrolled in the medical faculty. 3. That was a great day

in my life. On the first of September I had left (departed from)
our little city of Blinsk, and on the fifth of that month I was
a student at the famous cultural center of our country. 4. From
the second to the fifth of September I had to take (держа́ть)
many examinations. I had never seen such difficult questions.
5. I had never been at such a large university and at first I
kept asking (asked): "Whose buildings are these and whose
are those?" 6. My comrades laughed at me: "What a question!"
they said, "of course all these (э́ти) buildings belong to
(are of) the university!" 7. I had never seen such beautiful
buildings, such interesting museums, and such huge libraries.
8. And how many professors are teaching, how many students
from various countries are studying here! 9. Each professor
teaches only two or three, sometimes only one, subject; the
students are studying three or four. 10. At first my brother
had enrolled in the faculties of economics and law, but now he
is studying only economics. 11. I had promised my grandmother
to come straight to her country house as soon as our vacations
begin. 12. And so I am leaving by (with) an early train and
shall be at Grandmother's tomorrow morning, at five or six
o'clock. 13. I had never in my life worked so hard and now I
am very glad that the vacations have started; every year we
have summer vacations from the first of June to the ninth
of September, three months and a week. 14. On the tenth of
September classes will start again. 15. Tomorrow I shall be
with dear old Grandmother. She had written me ten letters
every month while I did not have time or energy to send her
even one a month. 16. How I love the country life at Grandmother's! There I am a free person and can do what I please all
day. 17. In good weather I shall often walk to the neighboring
village where my friend, the blacksmith, lives. 18. It is far to
the village; the road (way) there goes now uphill, now downhill, and across a little old bridge. 19. I love the view from the
bridge: the blue river, the beautiful fields and woods, and far,
far away the high, blue mountains. 20. In bad weather I shall
help Grandmother around the house; I shall tell her about
the noisy city life at the university, and explain my studies to
her. 21. And in the evening I shall read aloud to her; she loves
it and has often told me: "Kolya, when you read I can listen
a whole day (even: хоть) and am never bored." 22. Yes, I
do love my life at the university but I also love the summer
days at Grandmother's.

ДВАДЦАТЬ ПЕРВЫЙ УРОК | TWENTY-FIRST LESSON

Plural of брат, стул, перо́, де́рево, лист, друг, сын, муж; плечо́, де́ньги; *neuters in* -мя — *Pronoun-adjectives* э́тот, тот — *Verbs* быть, быва́ть, станови́ться, стать (*with instrumental*) — *Declension of* оди́н; *adjectives with cardinal numerals*

I. COMMON EXPRESSIONS AND IDIOMS

Всю про́шлую неде́лю	All last week
На про́шлой неде́ле	Last week
За э́тот год	In the course of this year
При э́том	Besides
Де́ло в том, что...	The reason is, the fact is, that . . .
Устро́ить пикни́к	To have (arrange) a picnic
Мне ста́ло лу́чше.	I am better, have improved.
Че́рез не́сколько лет	In a few years
Специали́ст по боле́зням	Specialist for ailments
Похо́жий на	Resembling, like
Кла́няйтесь! (with dative)	Remember me kindly to . . .
Всего́ хоро́шего!	Good-bye! farewell! *Lit.*: of everything good (жела́ть + gen. is understood.)

II. READING EXERCISE

9-го ию́ня

Дороги́е бра́тья, Михаи́л и Яков, —

Мы получи́ли ва́ше письмо́ **на про́шлой неде́ле**. Прости́те, что не сра́зу вам отве́тили, но **де́ло в том, что** к нам прие́хал **на э́той неде́ле** гость из Москвы́.

Вы, коне́чно, по́мните Шу́ру Петро́ва? Он **был** больши́м прия́тел**ем** мои́х сын**ове́й** и ча́сто **быва́л у нас** в про́шлом году́. Вы должны́ знать его́ бра́т**ьев**. Ста́рший брат **был** учи́тел**ем** в на́шей шко́ле, а мла́дший неда́вно **стал** председа́тел**ем** на́шего колхо́за.

В э́том году́ Шу́ра жил **оди́н** в Москве́. Он поступи́л на медици́нский факульте́т моско́вского университе́та. **Че́рез не́сколько лет** он бу́дет специали́стом по боле́зням у́ха, го́рла и но́са.

191

За э́тот год он измени́лся. Он стано́вится о́чень похо́жим на своего́ отца́. Нельзя́ не любова́ться его́ откры́тым лицо́м, краси́выми глаза́ми, высо́ким лбом ...

Он прие́хал к нам в дере́вню «отдохну́ть», но вы зна́ете, како́й у молодёжи о́тдых! С утра́ до ве́чера в до́ме раздаю́тся молоды́е, весёлые голоса́, — шум, крик, визг ... То молодёжь устро́ит пикни́к под дере́вьями в на́шем саду́, то взду́мают купа́ться и пое́дут на озёра в сосе́днюю дере́вню! А то быва́ет, сидя́т це́лый день до́ма со свои́ми друзья́ми!

Времена́ми мы уже́ не ра́ды, что пригласи́ли его́!

При э́том всю про́шлую неде́лю я была́ просту́жена: — у меня́ был на́сморк, боле́ли голова́, спина́ и пле́чи. В про́шлый понеде́льник я совсе́м не могла́ подня́ться с посте́ли! Тепе́рь мне ста́ло лу́чше.

Для тебя́, Михаи́л, у меня́ ещё две больши́х но́вости: — в бу́дущем ме́сяце това́рищ Си́доров уезжа́ет на рабо́ту на Кавка́з, а его́ жена́, Ма́ша, займёт его́ ме́сто на сосе́днем заво́де!

Вот и все на́ши собы́тия. Ребя́та вам кла́няются. Кла́няйтесь на́шим друзья́м!

Всего́ хоро́шего!
Ве́ра.

III. VOCABULARY

бе́дный, -'ая, -'ое	poor	несча́стный, -'ая, -'ое	unhappy
бога́тый, -'ая, -'ое	rich	нос	nose
визг	squeal, shriek	откры́тый, -'ая, -'ое	open, honest
времена́ми	at times	писа́тель (m.)	writer, author
высо́кий, -'ая, -'ое	high	президе́нт	president
де́ньги	money	председа́тель (m.)	presiding officer, chairman
друго́й, -'ая, -'ое	other	просту́женный, -ая, -ое	affected by a cold
крик	shouting	светло́	light, bright
лицо́	face	ско́ро	soon, quickly
лоб (†о)	forehead	спина́	back
мла́дший, -'ая, -'ее	younger, youngest, junior	сра́зу	at once
		ста́рший, -'ая, -'ее	elder, eldest, senior
молодёжь	young people	темно́	dark
неда́вно	recently		

Verbs

Imperfective	*Perfective*	*English*
	вздýмать (I)	to get the idea
изменя́ться (I)	измени́ться (II)	to change
кла́няться (I) (+Dat.)	поклони́ться; поклоню́сь, покло́нишься, покло́нятся	to greet, give regards to
купа́ться (I)	вы́купаться (I)	to bathe (swim)
любова́ться; любу́юсь, любу́ешься, любу́ются (+instrumental or на + Acc.)	полюбова́ться (любова́ться)	to admire (while looking at)
отдыха́ть (I)	отдохну́ть; отдохну́, отдохнёшь, отдохну́т	to rest
поднима́ться (I)	подня́ться; подниму́сь, подни́мешься, подни́мутся	to arise, get up
раздава́ться (дава́ть)	разда́ться (дать)	to resound
станови́ться; становлю́сь, стано́вишься, стано́вятся	стать; ста́ну, ста́нешь, ста́нут	to become, grow, place oneself, begin

IV. GRAMMAR

A. Noun

1. *Plural declension of* брат; стул; перо́; де́рево; лист:

Nom.	бра́тья	сту́лья
Gen.	бра́тьев	сту́льев
Dat.	бра́тьям	сту́льям
Acc.	бра́тьев	сту́лья
Instr.	бра́тьями	сту́льями
Prép.	бра́тьях	сту́льях

    Like **стул** "chair" are declined **перо́** "feather, pen," **де́рево** "tree," and **лист** "leaf (of a tree)." Лист in the meaning of "sheet, piece of paper" has a regular plural declension: **листы́, листо́в, листа́м, листы́** etc. Note the special *plural* declension of **муж** "husband," **друг** "friend," and **сын** "son":

Nom.	мужья́	друзья́	сыновья́
Gen.	муже́й (!)	друзе́й (!)	сынове́й (!)
Dat.	мужья́м	друзья́м	сыновья́м
Acc.	муже́й (!)	друзе́й (!)	сынове́й (!)
Instr.	мужья́ми	друзья́ми	сыновья́ми
Prep.	мужья́х	друзья́х	сыновья́х

    2. *Declension of* **де́ньги** *"money"*:

Nom.	де́ньги	Acc.	де́ньги
Gen.	де́нег	Instr.	деньга́ми
Dat.	деньга́м	Prep.	де́ньгах

    3. *Plural declension of neuter nouns in* -мя: **и́мя; вре́мя**[1] (for the singular, see Lesson 17.):

Nom.	имена́	времена́
Gen.	имён	времён
Dat.	имена́м	времена́м
Acc.	имена́	времена́
Instr.	имена́ми	времена́ми
Prep.	имена́х	времена́х

B. Declension of the demonstrative pronoun-adjectives э́тот "this," тот "that"

Singular	Masc.	Neut.	Fem.	Plural All Genders
Nom.	э́тот	э́то	э́та	э́ти
Gen.	э́того	э́того	э́той	э́тих
Dat.	э́тому	э́тому	э́той	э́тим
Acc.	N. or G.	э́то	э́ту	N. or G.
Instr.	э́тим	э́тим	э́той (ою)	э́тими
Prep.	э́том	э́том	э́той	э́тих

[1] Other neuters in -мя are given here for reference only: **зна́мя** "flag, standard"; **пла́мя** "flame"; **пле́мя** "tribe"; **бре́мя** "burden"; **се́мя** "seed"; **стре́мя** "stirrup"; **те́мя** "crown (of the head)"; **вы́мя** "udder."

Singular	Masc.	Neut.	Fem.	Plural All Genders
Nom.	тот	то	та	те
Gen.	того	того	той	тех
Dat.	тому	тому	той	тем
Acc.	N. or G.	то	ту	N. or G.
Instr.	тем	тем	той (тою)	теми
Prep.	том	том	той	тех

Note that the two declensions are identical except for the substitution of e for и in the endings of the instrumental singular masculine and neuter and of the entire plural of тот. Also note the difference in stress position.

C. The verbs быть, бывать (I), становиться, стать

1. Бывать means "to be occasionally" or "habitually" and with y and the genitive stands for "to visit":

Он часто бывает у нас.   He frequently visits us.

It also renders "to happen, to take place":

Это часто бывает.   That often happens.

2. Становиться (imperfective), стать (perfective) mean:

a. "to place oneself, take up one's position":

Он становится в очередь.   He takes his place in line (gets into line).

b. "to become, get, grow":

Становится холодно, жарко,   It is becoming cold, hot, dark,
темно, светло.   light, etc.
Мне стало очень весело.   I became (grew) very merry.

c. Стать means "to begin" when used with an infinitive:

Он скоро станет говорить   He will soon begin to speak
по-русски.   Russian.

3. When a noun or adjective is used as a predicate of быть,[1] становиться, стать, it usually appears in the *instrumental* case instead of the nominative:

Он был (будет) инженером.[1] He was (will be) an engineer.
Он стал (станет) солдатом.   He became (will become) a
                             soldier.

_____

[1] With быть this rule applies only in the *past* and *future* (i. e. when быть is actually *expressed*) and only when a *change* is implied: Теперь он учитель, а скоро будет профессором.

D. Numerals

1. *Full declension of* один, одна, одно *"one"*:

	Masc.	*Singular* Neut.	Fem.	*Plural* All Genders
Nom.	один	одно́	одна́	одни́
Gen.	одного́	одного́	одно́й	одни́х
Dat.	одному́	одному́	одно́й	одни́м
Acc.	like N. or G.	одно́	одну́	like N. or G.
Instr.	одни́м	одни́м	одно́й	одни́ми
Prep.	одно́м	одно́м	одно́й	одни́х

Оди́н, одна́, одно́, одни́ is also used in the meaning of "alone, only":

Он оди́н.   He is alone.   Он оди́н э́то зна́ет.   Only he
                                                  knows it.
Мы одни́.   We are alone.   Мы одни́ э́то зна́ем.   Only we
                                                  know it.

Одни́ is also used in the meaning of "some": Одни́ кни́ги на столе́, а други́е на полу́. *Some* books are on the table and others are on the floor.

2. Adjectives after all cardinal numerals (except оди́н) are in the genitive plural.[1]

два больши́х стола́   two big tables
четы́ре интере́сных кни́ги   four interesting books

V. QUESTIONS

1. Когда́ вы получи́ли письмо́ от бра́тьев? 2. Кем был Шу́ра Петро́в? 3. Когда́ он ча́сто быва́л у вас? 4. Кем был его́ ста́рший брат? 5. Кем неда́вно стал его́ мла́дший брат? 6. Где жил Шу́ра в э́том году́? 7. Куда́ он поступи́л? 8. Кем он ста́нет че́рез не́сколько лет? 9. Измени́лся ли Шу́ра за э́тот год? 10. На кого́ он стано́вится похо́ж? 11. Почему́ он прие́хал к нам в дере́вню? 12. Что раздаётся в до́ме с утра́ до ве́чера? 13. Что де́лает молодёжь? 14. Сидя́т ли они́ иногда́ до́ма со свои́ми друзья́ми? 15. Когда́ вы бы́ли просту́жены? 16. Чем вы бы́ли больны́? 17. Ста́ло ли вам тепе́рь лу́чше? 18. Для кого́ у вас две больши́х но́вости? 19. Когда́ уезжа́ет

---

[1] This rule applies only when the numeral is in the nominative, genitive, or accusative.

товарищ Сидоров? 20. Куда он уезжает? 21. Кто занимает его место на заводе? 22. Кто кланяется Михайлу и Якову? 23. Кому вы кланяетесь?

VI. GRAMMAR EXERCISES

Exercise with Grammar A

Give the correct *plural* forms of the nouns in parentheses:

1. Мой (сын) вам кланяются. 2. В Москве я жил один и очень скучал без моих (друг). 3. Я рад, что я понравился вашим милым (друг). 4. В этом году у моих (брат) много работы. 5. Я хочу поехать в деревню с твоими (брат). 6. Почему моя книга и мой журнал под этими (стул)? 7. На этих (стул) удобно сидеть. 8. Я недавно любовался этими прекрасными (озеро). 9. В этих (озеро) приятно купаться. 10. У нас столько новых знакомых, что мы не помним их (имя). 11. Мы вздумали устроить пикник под (дерево) нашего сада. 12. В нашем саду мало (дерево). 13. Наша дача около тех высоких (дерево). 14. Ты не знал (имя) наших новых профессоров? 15. Мы слушаем (ухо). 16. Моя подруга вздумала купить шляпу с большими чёрными (перо). 17. Мои старшие (брат) продолжают своё образование в Московском университете. 18. Дети играли в парке между (дерево). 19. Мы часто вспоминаем о тех прекрасных (время). 20. (Время) теперь стали другими. 21. (Время) мы уже не рады, что его пригласили. 22. Он помнит (имя) всех своих учеников.

Exercises with Grammar A and B

a. Translate the pronoun adjectives in parentheses:

1. (This) **стул будет** в твоей комнате, а (that) **кресло** в моей. 2. У (this) **студента** нет **пера**. 3. Около (that) **дерева** мы можем отдохнуть. 4. Он много занимался перед (this) **экзаменом**. 5. В (this) **университете** нет библиотеки, а в (that) есть. 6. Мы всегда ездим за покупками в (this) **город**. 7. Мы берём (this) **журнал** домой. 8. В (that) **колхозе** новый председатель. 9. **Я спешу** к (this) **поезду**.

b. In the above exercise place all words which are in parentheses and all boldface words into the *plural*.

c. Give the full declension (sing. & plur.) of the following:

на́ша пе́рвая кни́га, э́тот большо́й го́род, како́й краси́вый
го́лос, тот ста́рый англича́нин, кото́рое число́, тако́е си́нее
о́зеро, то знамени́тое и́мя, дорого́й друг, оди́н бе́лый лист,
на́ши де́ньги.

Exercises with Grammar C

a. Change the following sentences into the past tense:

1. Мой ста́рший брат ча́сто быва́ет в го́роде. 2. Тут ча́сто
быва́ют дожди́. 3. На вокза́лах всегда́ быва́ет толпа́ люде́й.
4. В э́том го́роде быва́ет мно́го тури́стов. 5. В на́шем кли́мате
иногда́ быва́ет ра́нняя весна́. 6. Вы ча́сто быва́ете в кино́? 7. Он
ка́ждое воскресе́нье быва́ет у нас. 8. Э́то иногда́ быва́ет со
мной.

b. Change the following into the *perfective* aspect past and future:

1. О́сенью в дере́вне стано́вится ску́чно. 2. Мне стано́вится
хо́лодно. 3. Она́ стано́вится в о́чередь за ма́слом. 4. Они́ те-
пе́рь ско́ро стано́вятся профессора́ми. 5. Ты стано́вишься
о́чень похо́ж на своего́ отца́. 6. Он стано́вится умне́е (more clever). 7. Станови́лось темно́. 8. Станови́лось хо́лодно.

c. Supply the endings:

1. Он стал изве́стн— учён—. 2. Он был прост—' солда́т—.
3. Весно́й он ста́нет инжене́р—. 4. Он бу́дет председа́тел— на́-
шего клу́ба. 5. Они́ всегда́ бы́ли хоро́ш— прия́тел—. 6. Он
стал специали́ст— по боле́зням у́ха, го́рла и но́са. 7. Он стал
о́чень бога́т— челове́к—. 8. Зна́ете к— (кто) она́ ста́ла?
Знамени́т— певи́ц—.

Exercises with Grammar D

a. Translate the words in parentheses:

1. В ко́мнате (one) стул и (one) кре́сло. 2. Здесь есть
ме́сто для (one) челове́ка. 3. Мы пригласи́ли на да́чу (one)
го́стя. 4. Мы сиди́м за (one) столо́м. 5. К (one) мое́й подру́ге
прие́хали бра́тья из Сиби́ри. 6. Гру́ппа крестья́н е́дет в (one)
ваго́не. 7. Я зна́ю то́лько (one) о́перу. 8. Мы бы́ли (alone) в
ко́мнате. 9. Я взду́мал купа́ться в о́зере (alone). 10. У нас (one)

голова́, (one) нос, (one) лоб, (one) рот, (one) спина́ и (one) лицо́.

b. Translate the expressions in parentheses:

1. В на́шем го́роде (five big buildings). 2. (nine little children) игра́ли в па́рке. 3. Моя́ сосе́дка купи́ла (three dresses). 4. Я сейча́с получи́л (one interesting periodical). 5. В э́том ме́сяце бы́ло то́лько (six rainy days). 6. В ку́хне (five red chairs). 7. Вчера́ я получи́л (seven important letters). 8. В моём саду́ (two high trees). 9. У неё (twelve new pens). 10. Он купи́л (ten big apples). 11. У мое́й сосе́дки (two beautiful violins). 12. Сего́дня (first summer day). 13. В про́шлом ме́сяце бы́ло то́лько (three good summer days). 14. Ему́ тру́дно написа́ть э́ти (two long letters).

General Review of Verbs[1]

a. Give the *past* tense and English meaning of the following verbs:

1. сказа́ть 2. отве́тить 3. есть 4. класть 5. мочь 6. **вести́** 7. идти́ 8. поправля́ться 9. проче́сть 10. одева́ться.

b. Give the *imperative* forms and English meaning of the following verbs:

1. гото́вить 2. е́хать 3. быть 4. есть 5. писа́ть 6. смея́ться 7. ждать 8. брать 9. занима́ться 10. пить.

c. Give the four key forms in the *imperfective* and the *perfective* aspects, as well as the English meaning of the following verbs:

1. дава́ть 2. входи́ть 3. одева́ться 4. приглаша́ть 5. принима́ть. 6. брать 7. предпочита́ть 8. снима́ть 9. объясня́ть 10. станови́ться.

VII. TRANSLATION INTO RUSSIAN
A

1. All last week I was with my friends in the country. 2. They have a large country home in a very beautiful spot.

---

[1] This type of Review Exercise should be repeated with the verbs of every five lessons.

3. I came here to rest. **4.** Last week [it] was very cold, and it rained all the time. **5.** But this week there is much sun; it has turned (become) warm, even hot. **6.** On Monday of this week we had a picnic under the trees in my friend's beautiful garden. **7.** On Wednesday or Thursday, we shall drive for a swim (to bathe) to the lake at the neighboring village. **8.** I have improved (in the course of) this week. **9.** I had been very sick all last year and at times could not even get up. **10.** Besides, I was all alone in the house. **11.** My sons were working in a plant at Leningrad and my daughter was at the Moscow University. **12.** Our doctor, an ear-nose-and-throat specialist, visited me four or five times last year. **13.** He told me that I must go to the country to rest and improve [my health]. **14.** The doctor was right; I needed rest and fresh air. **15.** Here in the country I have grown healthy again.

B

1. Dear Paul,

I am writing to you from the country home of my brother's friend, the writer Ivanov. **2.** Do you remember, I told you that we would (will) go to Paris[1] and would live almost two weeks with Mr. Ivanov? **3.** And here I am! All last week, for seven wonderful days, we saw (sight-saw) the great city of Paris. I shall always remember those famous buildings and huge squares, the long streets, and remarkable bridges. **4.** After we had seen the entire city, on the eighth day, last Saturday, Mr. Ivanov took us in his beautiful new car to his country house. **5.** He owns not only one, but two, enormous country homes, one on (at) the River Seine[2], and another in the mountains. **6.** And he has not only one car but three big new ones; one is always in the city, the others, the "country" cars, are always in the country. **7.** Mr. Ivanov is not poor; he obviously has a great deal of (very much) money! **8.** Besides us (кроме нас) there are at his country place five other good friends of Mr. Ivanov; they frequently visit him there. **9.** I do not remember their names now, but I do know that one of them is a singer from (of) the Paris opera, another is a very serious and very boring engineer from America; there are also two skinny, old Englishmen, and a nice, jolly lady teacher resembling my mother. **10.** Mr. Ivanov has a very large family and had invited his father and mother and his brothers and sisters for this week to his country house, where they can rest and have a good time. **11.** But two [of his] famous brothers,

---

[1] Париж
[2] Сейн

also writers, were too busy in the city, and his father and mother had colds (were affected by a cold). 12. And so only his youngest brother Sasha and his beautiful elder sister could come (приехать). 13. Sasha is a student at the Paris University in the medical faculty, and in a year or two he will become a nose-throat-and-ear specialist. 14. The young people have, of course, arranged picnics; they go swimming, and play golf or tennis. 15. Do you know, Paul, how many lakes there are here? Three beautiful little lakes — and through them there flows (течёт) a little river. 16. And the mountains are only three hours from here; yesterday we drove there in one of Ivanov's "country" cars. 17. I have never lived such an interesting, free life; everyone here can do what he wants; some play cards or read or look at television programs all day long; others walk in the fields or go swimming in the beautiful lakes or drive to (into) the mountains. 18. But now it is turning (becoming) rainy and cold and tomorrow Mr. Ivanov and his friends will drive to Paris and we shall have to drive back to our little old town of Domrémy.[1] 19. There I shall always think of the twelve wonderful Paris days. 20. Remember me kindly to our friends in Domrémy and tell them that within three days I shall be home again.

Good bye!
Your Peter.

ADDITIONAL READING MATERIAL

Based on vocabulary and grammar of preceding lessons, with special emphasis on Lessons 13, 14, 19, 20, and 21

МОЯ ЖИЗНЬ ПО РАСПИСАНИЮ.

Говорят, что у меня скучная жизнь. Но пусть говорят, что хотят. Я занятой человек и у меня нет времени думать о том, что говорят люди.

Летом, зимой, весной и осенью, с понедельника до субботы я всегда на службе. Конечно, летом, в августе, в первых числах августа, мы с женой всегда уезжаем из города на две-три недели в горы или к морю. На работу мне надо ехать поездом полчаса. За это время я прочитываю газету, думаю о работе и не замечаю как проходит время. Поезд приходит на вокзал ровно в четверть девятого и через несколько минут я уже сижу за столом своей конторы.

---

[1] Домреми

В по́лдень я ухожу́ из конто́ры на три че́тверти ча́са на обе́д. По понеде́льникам и среда́м я ем в небольшо́м рестора́не за угло́м от конто́ры, а по вто́рникам, четверга́м и пя́тницам я, обыкнове́нно, хожу́ в ру́сский рестора́н, че́рез у́лицу от конто́ры.

Как то́лько часы́ пока́зывают без че́тверти пять, пора́[1] собира́ться е́хать домо́й. Мое́й жене́ никогда́ не на́до спра́шивать: — В кото́ром часу́ ты бу́дешь сего́дня до́ма? — К у́жину я никогда́ не опа́здываю!

Че́рез час я уже́ до́ма. Обыкнове́нно, у жены́ у́жин гото́в во́-время, но иногда́ она́ опа́здывает с у́жином и тогда́ у меня́ есть вре́мя проче́сть вече́рнюю газе́ту. Жена́ говори́т, что я всегда́ чита́ю и́ли журна́л, и́ли газе́ту, и́ли кни́гу. «Му́жу всё равно́ есть ли у нас обе́д. Но е́сли нет газе́ты, журна́ла и́ли книг, тогда́ он несча́стный челове́к», ча́сто говори́т она́.

Два ра́за в неде́лю, в понеде́льник и в сре́ду ве́чером я е́зжу на час-два в клуб.

В январе́ про́шлого го́да я стал председа́телем о́бщества писа́телей и два ра́за в ме́сяц до́лжен устра́ивать собра́ние, а раз в год в ма́рте ме́сяце, я до́лжен сам де́лать докла́д о рабо́те на́шего о́бщества.

В четве́рг ве́чером у меня́ уро́к ру́сского языка́. Я занима́юсь ру́сским языко́м ка́ждый день, час в день. В пя́тницу ве́чером к нам прихо́дят сосе́ди на два-три часа́ игра́ть в ка́рты. «Когда́ рабо́таешь всю неде́лю, в пя́тницу пора́ поду́мать об о́тдыхе», говори́т жена́. В суббо́ту у́тром я помога́ю жене́ по хозя́йству, е́зжу с ней в го́род за поку́пками, рабо́таю по до́му и́ли в саду́. Воскресе́нье — день о́тдыха. Мы за́втракаем по́здно, идём в це́рковь, обе́даем, а по́сле обе́да я коне́чно за́нят газе́той ча́са два. Вот и коне́ц неде́ли! Мне не на́до ду́мать, что я бу́ду де́лать на бу́дущей неде́ле, в бу́дущем ме́сяце и в бу́дущем году́, — у меня́ уже́ гото́во расписа́ние на мно́го лет!

---

[1] пора́ (adverb) "it is time," but is also used in poetic or archaic language as a noun in the meaning of "time": ле́тняя пора́ summertime; вре́мя unit of time, duration; раз once, one time, times; number of occurrences, performances.

ДВАДЦАТЬ ВТОРОЙ УРОК

TWENTY-SECOND LESSON

Masculine nouns ending in -a or -я — The reflexive pronoun себя *and the emphatic* сам — *Translation of "let me, us, him, them"; Use of the infinitive in the imperative mood; Infinitive with the dative rendering "have to," "am to"*
[*Review of the feminine noun declension in the plural*]

I. COMMON EXPRESSIONS AND IDIOMS

Одна шестая часть	One-sixth part
Вся обитаемая суша	The entire habitable land
Условия жизни	Conditions of life
Собирать урожай	To bring in the harvest
Животный и растительный мир	Fauna and flora
Лесо-степь	Tundra. *Lit.*: forest-steppe
Плодородная почва	Fertile soil
Плантация сахарной свёклы	Sugar beet plantation
Фруктовый сад	Orchard. *Lit.*: fruit garden
Природные богатства	Natural resources; raw material wealth
Район добычи и обработки	The region of extraction and processing
Сахарный тростник	Sugar cane

II. READING EXERCISE

УРОК ГЕОГРАФИИ

Давайте посмотрим на карту Советской России или С.С.С.Р. Эта страна занимает **одну шестую часть всей обитаемой суши.** От западных границ С.С.С.Р. до восточных семь тысяч миль, а от северных границ до южных почти четыре тысячи миль.

Конечно, на такой большой территории встречаются разнообразные климаты и **условия жизни.** Представьте **себе,** что в тот же **самый** день, когда на севере России идёт снег, на юге **собирают урожай!**

Животный и растительный мир северных областей очень беден. К югу начинается зона лесов, за зоной лесов зона **лесо-степи,** а затем начинается великая русская равнина.

203

Зóна равни́н занима́ет большу́ю пло́щадь. **Плодоро́дная по́чва** э́той зо́ны даёт прекра́сные урожа́и.

У ю́жных грани́ц вели́кой ру́сской равни́ны нахо́дятся **планта́ции са́харной свёклы** и **фрукто́вые сады́.** На ю́ге, за зо́ной равни́н идёт зо́на пусты́нь.

За высо́кими гора́ми Сре́дней А́зии и Кавка́за лежи́т суб-тропи́ческая зо́на. Тут о́чень тёплый и прия́тный кли́мат. В не́которых места́х э́той зо́ны расту́т апельси́ны, лимо́ны, а в други́х расту́т хло́пок, **са́харный тростни́к** и каучуконо́сы.

В Росси́и мно́го больши́х рек. Посмо́трим на ка́рту азиа́тской ча́сти С.С.С.Р. Тут вы уви́дите мно́го дли́нных и широ́ких рек. В европе́йской ча́сти страны́ та́кже нахо́дятся больши́е и дли́нные ре́ки: Во́лга, Днепр, Дон.

Приро́дные бога́тства Росси́и разнообра́зны. Гла́вный **райо́н добы́чи и обрабо́тки** нéфти нахо́дится на Кавка́зе, о́коло го́рода Баку́. Гла́вные райо́ны добы́чи и обрабо́тки мета́ллов нахо́дятся на ю́ге, в райо́не Донба́сса, а та́кже в восто́чном райо́не Ура́ла и Кузба́сса.

Террито́рию С.С.С.Р. населя́ет сто во́семьдесят (180) наро́дов. Они́ представля́ют **собо́ю** смесь ра́зных национа́льно-**стей. Пусть пое́дет** тури́ст из европе́йской ча́сти страны́ в азиа́тскую. Тут он **сам** уви́дит ско́лько ра́зных наро́дов живёт в С.С.С.Р. Ка́ждый наро́д име́ет свой национа́льный язы́к, свою́ национа́льную исто́рию и свою́ национа́льную культу́ру.

III. VOCABULARY

1. *General*

апельси́н	orange (fruit)	не́которые	some
вели́кий,	great, mighty	нефть	oil (crude)
-'ая, -'ое		о́бласть	region
грани́ца	border	почти́	almost
зате́м	after that	пусты́ня	desert
зелёный,	green,	равни́на	plain
-'ая, -'ое	verdant	разнообра́зный,	various,
зо́на	zone	-'ая, -'ое	variegated
ка́рта	map	смесь	mixture
каучуконо́с	rubber tree	террито́рия	territory
культу́ра	culture	ты́сяча	thousand
лимо́н	lemon	хло́пок	cotton
мета́лл	metal	широ́кий,	broad, wide
ми́ля	mile	-'ая, -'ое	
национа́льный,	national		
-'ая, -'ое			

Verbs

Imperfective	Perfective	English
населя́ть (I)	насели́ть (II)	to populate, settle
находи́ться (ходи́ть)	найти́сь (идти́)	to be located, found
начина́ться (I)	нача́ться; начну́сь, начнёшься, начну́тся	to begin
отделя́ть (I)	отдели́ть (II)	to separate
расти́; расту́, растёшь, расту́т	вы́расти (расти́)	to grow, grow up

2. *Points of the Compass*:

восто́к:	восто́чный, -'ая, -'ое	East, eastern
за́пад:	за́падный, -ая, -ое	West, western
се́вер:	се́верный, -ая, -ое	North, northern
юг:	ю́жный, -'ая, -'ое	South, southern

3. *Proper Names*:

А́зия: азиа́тский, -'ая, -'ое	Asia, Asiatic
Сре́дняя А́зия	Central Asia
Евро́па: европе́йский, -'ая, -'ое	Europe, European
Баку́ Baku; Во́лга Volga; Днепр Dnepr; Дон Don	
Донба́сс: доне́цкий у́гольный бассе́йн	The Donetz coalfield
Кузба́сс: кузне́цкий у́гольный бассе́йн	The Kuznetz coalfield

Кавка́з Caucasus; Ура́л Ural (Mountains)

Сове́тская Росси́я С.С.С.Р. Сою́з Сове́тских Социалисти́ческих Респу́блик Union of Soviet Socialist Republics (U.S.S.R.)

IV. GRAMMAR

A. Masculine nouns ending in a or я

These nouns are declined like *feminine*[1] nouns, thus:

Мужчи́на "man" is declined like **же́нщина** "woman":

Sing.: мужчи́на, мужчи́ны, мужчи́не, мужчи́ну, мужчи́ной, мужчи́не

---

[1] For the plural declension of the feminine noun, see Lesson 18.

Plur.: мужчи́ны, мужчи́н, мужчи́нам, мужчи́н, мужчи́нами,
мужчи́нах

Like мужчи́на are declined де́душка "grandfather."[1]

Дя́дя "uncle" is declined like неде́ля (except in the genitive
and accusative plural):

Sing.: дя́дя; дя́ди, дя́де, дя́дю, дя́дей, дя́де
Plur.: дя́ди, дя́дей, дя́дям, дя́дей, дя́дями, дя́дях

Adjectives modifying these nouns, as well as pronouns
used for these nouns, are masculine, agreeing with the natural
gender (masculine) of such nouns and not with their feminine
endings:

Это мой ста́рый дя́дя.	This is my old uncle.
Он живёт с на́ми уже́ четы́ре го́да.	He has been living with us four years already.

B. The reflexive pronoun себя́ "self" and the emphatic сам "self"

1. The *reflexive pronoun* себя́ "-self" is used of all persons,
singular and plural. It has *no nominative*, since it can never
be the subject of a sentence:

Nom.		Acc.	себя́
Gen.	себя́	Instr.	собо́й (о́ю)
Dat.	себе́	Prep.	себе́

От себя́ не уйдёшь!	You cannot escape yourself!
Он э́то себе́ купи́л.	He bought it for himself.
Приди́ в себя́!	Come to your senses! (Come into yourself!)
Я э́то беру́ с собо́й.	I am taking this with me.
Она́ мно́го говори́т о себе́.	She speaks much about herself.

2. The *emphatic definite pronoun* сам "-self" is used
chiefly for emphasis of identity with nouns or personal pronouns and agrees with these in number, gender, and case:

Ма́льчик сам э́то сде́лал.	The boy has done it himself.
Я ви́дел самого́ президе́нта.	I saw the President himself.

It is very often used with the reflexive pronoun себя́:

Пода́рок самому́ себе́	A present to himself
Он сам с собо́й говори́т.	He speaks to himself.

---

[1] Taking proper account of Vowel Mutation Rule B and infix e
and o respectively in genitive plural.

Full declension of the emphatic definite pronoun **сам**:

	Masc.	*Neut.*	*Fem.*	*Pl. All Genders*
Nom.	сам	само́	сама́	са́ми
Gen.	самого́	самого́	само́й	сами́х
Dat.	самому́	самому́	само́й	сами́м
Acc.[1]	самого́	само́	самоё	сами́х
Instr.	сами́м	сами́м	само́й **(ою)**	сами́ми
Prep.	само́м	само́м	само́й	сами́х

C. Verb

1. *Translation of "let me, us, him, them":*

Let me; etc., **Дай** [2] **мне**, etc., with the *infinitive*
              Да́йте [3] (either aspect):

Дай ему́ ко́нчить	Let him finish
Да́йте нам проче́сть	Let us read (it)
Дай нам отдохну́ть	Let us take a rest
Да́йте ей рассказа́ть	Let her tell

2. *Imperative including the speaker, i. e., "let us":*

Let us: **Дава́й** [2]
         Дава́йте [3] with the imperfective infinitive:

Дава́й есть.	Let us eat.
Дава́йте чита́ть.	Let us read.
Дава́йте говори́ть по-ру́сски.	Let us speak Russian.

or: simply the first person plural (usually of the perfective verb):

Поговори́м по-ру́сски.	Let's speak Russian.
Пойдёмте. [3]	Let us go.
Пойдёмте гуля́ть	Let us go for a walk.

---

[1] Note that this pronoun has only an animate form in the accusative masculine singular and plural, which, of course, is like the genitive. It is not used with reference to inanimate objects; with reference to these a form of **са́мый** must be used.

[2] When addressing a single person familiarly.

[3] When addressing a number of persons, or when addressing a single person politely, a **-те** is added.

Often used in combination with **давáй**:

давáй порабóтаем, давáйте поговорúм, etc.

Let him: Пускáй or Пусть with the third person *singular*
           (Either aspect can be used; the personal pronoun
           is sometimes omitted):

           Пускáй
           Пусть   }кýпит эту кнúгу. Let him buy this book.

           Пускáй (пусть) игрáет.   Let him play.

Let them: Пускáй or Пусть with the third person *plural*:

           Пускáй
           Пусть   }кýпят эту кнúгу. Let them buy this book.

           Пускáй (пусть) игрáют.   Let them play.

Пусть, Пускáй usually have an *exhortative* force.

3. *Use of the infinitive in the imperative mood*:

Emphatic command: **Молчáть!** Silence! **Рабóтать!** *Work!*

4. *Infinitive* with the *dative* rendering "have to," "am to":

Что **нам** дéлать?   What are we to do?
Комý идтú?   Who is to go?
Вам идтú!   You are to go!

V. QUESTIONS

1. Какýю плóщадь занимáет С.С.С.Р.? 2. Скóлько миль
отделяет зáпадные гранúцы Совéтского Союза от восточных
и сéверные от южных? 3. Почемý услóвия жúзни в С.С.С.Р.
такúе разнообрáзные? 4. Какúе зóны нахóдятся в сéверных
областях Совéтского Союза? 5. Какúе зóны нахóдятся
в южных областях? 6. В какóй зóне пóчва óчень плодорóдная?
7. Где нахóдятся плантáции сáхарной свёклы и сáхарного
трóстника? 8. Где начинáется зóна пустынь? 9. Где нахóдится
субтропúческая зóна? 10. Какóй клúмат в субтропúческой
зóне? 11. Что тут растёт? 12. В какóй чáсти страны нахóдятся
большúе рéки? 13. Как великú прирóдные богáтства Совéтского Союза? 14. Где нахóдится глáвный райóн добычи
нéфти? 15. Где нахóдятся глáвные райóны добычи и обрабóт-
ки метáллов? 16. Какúе нарóды населяют С.С.С.Р.? 17. Имéют
ли онú свою национáльную культýру? 18. Есть у кáждого из
этих нарóдов свой национáльный язык и своя национáльная
истóрия?

VI. GRAMMAR EXERCISES

Exercises with Grammar A

a. Give the plural declension of the following nouns:
вещь, хозяйка, школа, телеграмма, миля, нефть, мавзолей, приём, слово, рот

b. Repeat above exercise adding forms of этот, тот, который, какой, такой, and appropriate adjectives.

c. From the Reading Exercise write out all *feminine* nouns giving their *case, number,* and *English meaning,* thus:

на карту	Acc. Sing.	"at the map"
западных границ	Gen. Pl.	"of the western borders"

d. In the following sentences change the boldface words into the *plural*:

1. Вот **моя книга,** а тут **твоя газета.** 2. На столе **новая скатерть.** 3. Без **карты** мы не знаем как ехать в **деревню.** 4. В этом старом доме нет ни окна ни **двери.** 5. У **моей подруги** богатый брат. 6. Ваш друг хорошо знает **эту плантацию.** 7. Около **той границы** находится **равнина.** 8. К её **соседке** приехал гость с Кавказа. 9. В **деревне** строят **новую школу.** 10. Кто поехал в **зону пустыни?** 11. На **этой территории** нет **плантации** каучука. 12. Я не встретился с **этой гражданкой** летом. 13. Я не буду спорить **о цене** с **продавщицей.** 14. Мы не знакомы с **культурой** этого народа. 15. Я посмотрю, нет ли **газеты** под **дверью.**

e. Change the boldface words into the *singular*:

1. Работа на **полях** велась **мужчинами.** 2. Дети любят **своих дедушек.** 3. В колхозах **мужчинам** дают тяжёлую работу. 4. Сегодня мы получили письма от **дедушек.** 5. **Эти дома строят ваши дяди.** 6. Для **сильных мужчин** это лёгкая работа. 7. Они говорили о **своих богатых дядях.** 8. Вы не должны говорить с **этими мужчинами.**

Exercises with Grammar B

a. Supply the correct forms of the reflexive pronoun **себя:**

1. У ..... в доме я могу говорить, что хочу. 2. Вчера я пригласил для ..... нового учителя музыки. 3. За границей я купил ..... красивое пальто. 4. Моя сестра пригласила к ..... гостей. 5. Я спешил к ..... в контору. 6. Моя жена

никогда не думала о ..... 7. Мне кажется, он любит только
..... 8. Я еду в деревню и беру с ..... только один чемодан.
9. Он сам смеялся над ..... 10. Она всегда довольна .....

b. Give the correct form of the pronouns in parentheses:

1. Я (сам) уложила эти вещи в чемоданы. 2. Для нас (сам)
это было большой новостью. 3. У него (сам) нет квартиры.
4. Вы (сам) должны это сделать. 5. Завтра мой автомобиль
мне (сам) будет нужен. 6. Дайте мне (сама) прочесть письмо.
7. Я прочёл все романы этого писателя, но его (сам) я никогда
не видел. 8. Мой дедушка получил книгу от (сам) Толстого.
9. Я знаком с его сестрой, а с ним (сам) я не знаком. 10. О нас
(сам) вы и не спрашивайте!

Exercise with Grammar C

Translate the expressions in parentheses:

1. (Let me) кончить писать письмо моей подруге. 2. (Let
me) поговорить с ней. 3. (Let us) сегодня купаться в этом
озере. 4. (Let us drive) завтра в деревню. 5. (Let) я погляжу
на твоего ребёнка. 6. (Let) я приглашу твоего дядю к нам в
гости. 7. (Let me) поблагодарить хозяйку. 8. (Let us go) сейчас
домой. 9. (Let us rest) под этими деревьями. 10. (Let her)
играет на скрипке. 11. (Let him) сидит дома, когда он просту-
жен. 12 (Let them) расскажут тебе о жизни в деревне. 13. (Let
them) выйдут из комнаты. 14. (Learn!) «Ученье свет, а не-
ученье тьма». 15. Товарищи, (work!)! Мы должны кончить
нашу работу до вечера! 16. (Who is to know), какой он человек! 17. (What am I to read) сегодня на уроке? 18. (What are
we to do) теперь? 19. (She is to go) в город за покупками, а
(you are to drive) на работу. 20. (The secretary is to work) в
конторе, а (a worker is to work) на заводе.

VII. TRANSLATION INTO RUSSIAN

A

1. Tonight my brother Sasha came to us and had his photographs of Russia along (with himself). 2. He had been there,
and had himself seen the Russian cities, the broad rivers, the
mighty plains and forests, the high mountains of the Caucasus,
and the Ural. 3. After supper he said: "Now let us look at my
photos of Russia and let me explain each one." 4. "Yes," said
my sister, "let Sasha tell us all about his trip to Russia. I have

seen many parts of that huge country myself, but I always love to hear Sasha tell about it. Now, good friends, listen!" 5. Sasha began (speaking): "Dear friends, do not think that I shall speak about myself. You will not be bored. 6. I shall speak only of Russia, its geography, its fauna and flora, its national culture." 7. Sasha took the first photo: "You can see [for] yourself, what a wide river this is. It is the Volga, 'Matushka Volga' herself. 8. I myself have stood here, at this very spot, and have crossed (driven across) this very river in a small steamer." 9. "Was your sister with you?" asked Peter. "Let her tell about her trip to Russia." 10. "Yes, of course, we were together in Russia," answered my brother quickly, "but that isn't news; you all know that already. 11. It is very late already; we have very little time, and I want to show you all these photos and tell you all about my life in Russia." 12. Yes, I thought, my brother does love to talk about himself. 13. But let him talk, it is sometimes interesting and often very funny. 14. Of course, he does not know how funny his stories often are (бывáют). 15. "Let us look now at this second picture!" I heard ("caught the sound" plus acc.) the voice of my brother again. 16. "Do you see this enormous lake? Let me tell you a remarkable story (истóрию) about it. I myself bathed in it; I almost swam across (переплы́л) it . . . ." 17. Keep on talking, dear Brother; you cannot escape yourself! You will always think and talk only about yourself! 18. But I am a busy man (person) and must now write my Russian report on the Soviet Union.

B

1. Yesterday at a meeting in our club my friend John gave (made) a very interesting report on (about) the geography of Soviet Russia or the U.S.S.R. 2. He had been there last summer and had seen the country from west to east and from north to south. 3. He had taken a map along (with himself) to the meeting. 4. On it he showed us that Soviet Russia occupies one-sixth of the entire habitable land. 5. He told us that from the western to the eastern borders of this great country [it was] seven thousand miles. 6. I asked him how many miles [it was] from the northern to the southern borders of the U.S.S.R. 7. He did not remember. 8. "I do not remember," he said, "but certainly it must be almost five thousand miles." 9. And [then] he quickly said: "Let us look at the map of Soviet Russia. 10. In the North you see a blue zone. 11. Here the flora is very sparse (poor). 12. In the center of the map you see a large green

zone. 13. Here are the great forests and, to the south, the region of the forest-steppes and the mighty Russian plains. 14. Here the soil is very fertile. 15. The Russian peasants can sometimes bring in two harvests a year. 16. The red part of the map indicates (shows) the subtropical zone and the desert. 17. To the north of the desert are very high mountains. 18. In the subtropical zone there are enormous plantations of sugar cane and rubber trees and also beautiful orchards of oranges and lemons." 20. Yes, my friend's report was very interesting! 21. Tomorrow I shall go to the library and shall read some books about Soviet Russia and look at photographs of Russian cities, rivers, and mountains. 22. Perhaps I shall also be able to find pictures of the main regions of the extraction and processing of Russia's oil and metals.

Genitive plural infix **о** *or* **е** *in feminine nouns; declension of*
мать *and* **дочь** — *Adjectives used as nouns* — *Comparison
of adjectives and adverbs:* comparative

I. COMMON EXPRESSIONS AND IDIOMS

На Рождество́	At (for) Christmas
На Па́сху	At (for) Easter
Глава́ семьи́	Head of the family
За́мужем за (instr.)	Married (this form used only of women)
Жена́т на (prep.)	Married (this form used only of men)
Жени́ться на (prep.)	To marry (form used of men)
Выходи́ть, вы́йти за́муж за (acc.)	To marry (form used of women)
Накрыва́ть на стол	To set the table
Во главе́ стола́	At the head of the table
За ва́ше здоро́вье!	To your health! (toast)
Сла́ва Бо́гу!	Thank God! *Lit.*: Glory to God.
Споко́йной но́чи!	Good night! *Lit.*: Of a restful night
«В тесноте́, да не в оби́де»	"Crowded close (together) but not at variance"

II. READING EXERCISE

В ДЕНЬ ПРАЗДНИКА

Чем ста́рше я становлю́сь, тем ча́ще ду́маю о своём де́тстве. В де́тстве, для нас не́ было **бо́лее счастли́вого** вре́мени, чем пра́здники. **На Рождество́** и **на Па́сху** в на́шем до́ме собира́лась вся семья́.

Главо́й на́шей **семьи́** была́ ба́бушка. Я никогда́ не встреча́ла же́нщины **умне́е** и **интере́снее** её. У неё бы́ло пять **дочере́й** и два сы́на. Я была́ её восьмо́й вну́чкой. Все до́чери бы́ли **за́мужем**, сыновья́ бы́ли **жена́ты**. Она́ **вы́глядела моло́же** свои́х лет и всегда́ была́ весела́ и полна́ эне́ргии.

В день пра́здника, мы всегда́ проси́ли разбуди́ть нас **по-ра́ньше**. Мы **поскоре́е** одева́лись и шли в гости́ную. А в **сто-ло́вой**, ба́бушка уже́ **накрыва́ла на стол**. Она́ брала́ ска́терть покраси́вее, посу́ду полу́чше, сере́бряные **ло́жки, ви́лки, ножи́**. Раздвига́ли **поши́ре** стол, — и к обе́ду **за столо́м** собира́лась вся семья́!

«**В тесноте́, да не в оби́де**» — говори́ла ба́бушка. А уж еды́, **сла́ва Бо́гу**, бы́ло доста́точно!

Начина́ли с заку́сок и во́дки. — **За ва́ше здоро́вье,** доро-ги́е де́ти — говори́ла ба́бушка. По́сле заку́ски, дава́ли суп, пироги́, пото́м жарко́е, а пото́м сла́дкое.

Ба́бушка сиде́ла **во главе́ стола́**. Она́ всегда́ по́мнила, кто **из** дете́й лю́бит пиро́г с мя́сом бо́льше, чем пиро́г с капу́стой, кому́ дать кусо́к мя́са **потоньше**, а кому́ **пото́лще**, кому́ дать **поме́ньше** су́па, а кому́ **побо́льше** сла́дкого. Ей не на́до бы́ло спра́шивать: — Ты хо́чешь **чай с лимо́ном** и́ли **с молоко́м?** — Она́ зна́ла, кому́ на́до дать **жи́дкий** чай, а кому́ дать **чай по-кре́пче**, кто лю́бит чай **посла́ще,** а кто пьёт его́ совсе́м без са́хара!

По́сле обе́да все шли в **гости́ную**. Тут ка́ждый де́лал, что хоте́л. Кому́ прия́тно бы́ло игра́ть в ка́рты, тот игра́л в ка́рты, а кто хоте́л **игра́ть в ша́хматы,** — игра́л в ша́хматы. Же́нщинам же всегда́ бы́ло о чём поговори́ть!

В семье́ люби́ли му́зыку. У мое́й **ма́тери** был о́чень хо-ро́ший го́лос. Её всегда́ проси́ли петь и она́ осо́бенно хорошо́ пе́ла ру́сские пе́сни.

Когда́ закрыва́ли в пере́дней дверь за после́дним го́стем, бы́ло уже́ темно́. — **Споко́йной но́чи!** — говори́ла ба́бушка и мы уста́лые, но счастли́вые шли спать.

III. VOCABULARY

ви́лка (о)	fork	осо́бенно	especially
во́дка (о)	vodka	папиро́са	cigarette
вну́чка (е)	granddaughter	пиро́г	pie, cake
де́тство	childhood	посу́да	dishes
доста́точно	enough	рю́мка (о)	wine glass
еда́	food	семья́	family
жарко́е	roast meat	сере́бряный,	silver
жёлтый,	yellow	-ая, -ое	
-′ая, -′ое		сига́ра	cigar
заку́ска (о)	hors d'oeuvre	сла́дкое	dessert
здоро́вье	health	у́мный,	clever
капу́ста	cabbage	-′ая, -′ое	
ло́жка (е)	spoon	ча́стый,	frequent
нож	knife	-′ая, -′ое	
о́вощи (pl.)	vegetables		

Verbs

Imperfective	Perfective	English
буди́ть; бужу́, бу́дишь, бу́дят	разбуди́ть (буди́ть)	to awaken, rouse
вы́глядеть; вы́гляжу, вы́глядишь, вы́глядят	None	to appear, seem
выходи́ть за́муж (ходи́ть)	вы́йти за́муж (идти́)	to marry (fem.)
жени́ться; женю́сь, же́нишься, же́нятся (Imperf. and Perf.)		to marry (masc.)[1]
раздвига́ть (I)	раздви́нуть; раздви́ну раздви́нешь, раздви́нут	to extend, push apart, open
собира́ться (I)	собра́ться; соберу́сь, соберёшься, соберу́тся	to gather, meet
спать; сплю, спишь, спят	поспа́ть (спать)	to sleep

IV. GRAMMAR

A. Peculiarities in the feminine noun declension

1. Feminine nouns the stem of which ends in a double consonant usually insert the vowel "o" or "e" in the *genitive plural*: ло́жка, ло́жек "spoon"; ви́лка, ви́лок "fork." The vowel to be inserted will be indicated in the lesson vocabularies and in the index as follows: ло́жка (e); ви́лка (о). Feminine nouns of this type, the singular of which has been introduced in preceding lessons, are: гражда́нка (о); ку́хня (о); слу́жба (е); пе́сня (е); скри́пка (о); сосе́дка (о); обстано́вка (о); дере́вня (е) Note the -ь in the genitive plural of: ку́хонь, дереве́нь — but пе́сен, etc.

2. *Declension of* мать "*mother*" *and* дочь "*daughter*":

	Singular	Plural
Nom.	мать	ма́тери
Gen.	ма́тери	матере́й
Dat.	ма́тери	матеря́м
Acc.	мать	матере́й
Instr.	ма́терью	матеря́ми
Prep.	ма́тери	матеря́х

---

[1] This form is also used when referring to a married couple.

Like **мать** is declined **дочь** "daughter," except in the instrumental plural, where **дочь** has the form **дочерьми́**.

B. Adjectives used as nouns

Пере́дняя "entrance hall, lobby, vestibule," **столо́вая** "dining room," **гости́ная** "living room, drawing room, parlor," **учёный** "scholar," **рабо́чий** "worker"; are adjectives used as nouns. They are declined like adjectives: **пере́дняя, пере́дней, пере́днюю, пере́дней, пере́дней** etc.

C. Comparison of adjectives and adverbs

In Russian, as in English, there are three degrees of comparison: the positive, the comparative, and the superlative. The comparative and the superlative degrees each have two forms: the *compound* and the *simple*.

1. *Compound comparative*:

a. To form the compound comparative of adjectives,[1] predicate adjectives, or adverbs, place the unchanging form **ме́нее** "less," **бо́лее** "more" before them, thus:

Это **ме́нее (бо́лее) изве́стный** го́род.	This is a less (more) famous city.
Здесь **ме́нее (бо́лее) тепло́,** чем там.	It is less (more) warm here than there.
Он чита́ет **ме́нее (бо́лее) бы́стро,** чем я.	He reads less (more) quickly than I.

b. To form the comparative of nouns and verbs, **ме́ньше** and **бо́льше** are usually used, thus:

У меня́ **ме́ньше (бо́льше) де́нег** (Gen.!), чем у него́.
I have less (more) money than he.

Я **ме́ньше (бо́льше) чита́ю,** чем он.
I read less (more) than he.

With the *compound* form of the comparative the conjunction "than" is *always* translated by **чем**:

Это **бо́лее высо́кий** дом, **чем** наш.	This is a higher house than ours.

---

[1] When the comparative form of the adjective stands before the noun and is declined, i.e., when it is used *attributively*, this *compound* form *must* be used:

Я хочу́ жить в **бо́лее краси́вом** до́ме.	I want to live in a more beautiful house.

2. Simple comparative in -ee (-ей):

To obtain the *simple* form of the *comparative* degree, change the endings of the positive degree of the adjective (-ый, -ой, -ий) or of the adverb (-o) to -ee (or -ей):[1]

Positive	Comparative			English
но́вый	нове́е	or	нове́й	newer
по́здний	поздне́е	or	поздне́й	later
бы́стро	быстре́е	or	быстре́й	more quickly

3. Simple comparative in -e:

Following is a list of such adjectives learned up to now.

Positive	Comparative	English
бли́зкий	бли́же	nearer
бога́тый	бога́че	richer
большо́й	бо́льше	bigger, more
высо́кий	вы́ше	higher
дешёвый	дешёвле	cheaper
дорого́й	доро́же	dearer, more expensive
жа́ркий	жа́рче	hotter
жи́дкий	жи́же	thinner, more diluted
лёгкий	ле́гче	lighter, easier
ма́ленький	ме́ньше	smaller, less
молодо́й	моло́же, мла́дше	younger
плохо́й	ху́же	worse
ра́нний	ра́ньше	earlier
ста́рый	ста́рше	older, elder
сла́дкий	сла́ще	sweeter
ти́хий	ти́ше	quieter
то́лстый	то́лще	thicker
то́нкий	то́ньше	thinner
у́зкий,	у́же	narrower
хоро́ший	лу́чше	better
ча́стый	ча́ще	more frequent(ly)
широ́кий	ши́ре	broader
до́лго	до́льше, до́лее	longer (of time)
ма́ло	ме́ньше, ме́нее	less
мно́го	бо́льше, бо́лее	more

[1] Position of stress: Forms in -ee of not more than three syllables carry the stress on the first e of the ending: нове́е, быстре́е. Those of more than three have the stress usually on the same syllable as in the positive degree: интере́сный, интере́снее; ме́дленный, ме́дленнее.

Simple comparative forms are indeclinable and never change:

Этот дом новее; эта скатерть новее; эти книги новее.

With the *simple* comparative, "than" can be rendered by placing the noun or pronoun into the *Genitive* and omitting **чем,** thus: Он старше **моего брата;** он старше **меня.**

But **чем** must be used in a comparison of *adverbs* or *verbs*: Тут холоднее, **чем** там. Он лучше пишет, **чем** говорит.

And with the pronouns **его, её, их** to avoid ambiguity:

Моя работа лучше **чем** их.   My work is better than theirs.
«Моя работа лучше **их**» would mean "My work is better than they are."

4. Placing the prefix **по** before a *simple comparative* lends it the meaning "somewhat more":

поскорее somewhat more quickly **погорячее** somewhat hotter
получше somewhat better **побольше** somewhat more

5. The *emphatic* comparative is rendered by **гораздо** with the *simple comparative form:*

Он **гораздо** умнее **меня.**   He is much cleverer than I am.

6. "The . . . the" is rendered by **чем . . . , тем:**

Чем больше ты говоришь, **тем** меньше я слушаю.

The more you speak, the less I listen.

"As . . . as" is rendered **так же . . . , как (и):**

Он **так же** любит говорить по-русски, **как (и) я.**
He likes to speak Russian as much as I do.

In the *negative* the **же** and **и** are never used:

Он **не так** силён, **как** я.   He is not as strong as I am.

Note that **также** written in one word means "too, also, likewise":

Я **также** знаю это.   I too know this.

V. QUESTIONS

1. Почему́ вы тепе́рь ча́ще ду́маете о своём де́тстве? 2. Когда́ собира́лась вся семья́ в ва́шем до́ме? 3. Кто был главо́й ва́шей семьи́? 4. Встреча́ли ли вы же́нщину умне́е и интере́снее, чем ба́бушка? 5. Ско́лько у неё бы́ло дочере́й и сынове́й? 6. Бы́ли ли до́чери за́мужем? 7. Бы́ли ли сыновья́ жена́ты? 8. Вы́глядела ли она́ ста́рше свои́х лет? 9. Когда́ вы проси́ли вас разбуди́ть в день пра́здника? 10. Что де́лала ба́бушка в столо́вой? 11. Каку́ю она́ брала́ ска́терть? 12. Каку́ю она́ брала́ посу́ду? 13. Каки́е ви́лки, ло́жки и ножи́ брала́ она́? 14. Почему́ раздвига́ли стол пошире? 15. Что говори́ла ба́бушка? 16. Доста́точно ли бы́ло еды́? 17. С чего́ вы начина́ли обе́д? 18. Что говори́ла ба́бушка, когда́ все пи́ли? 19. Что дава́ли по́сле заку́ски? 20. Где сиде́ла ба́бушка? 21. Что она́ всегда́ по́мнила? 22. Куда́ все шли по́сле обе́да? 23. Что все де́лали в гости́ной? 24. Люби́ли ли в семье́ му́зыку? 25. Был ли у ма́тери хоро́ший го́лос? 26. Что она́ осо́бенно хорошо́ пе́ла? 27. Когда́ закрыва́ли дверь в пере́дней за после́дним го́стем? 28. Что говори́ла ба́бушка, когда́ вы шли спать?

VI. GRAMMAR EXERCISES

Exercise with Grammar A

Give the correct case form of the nouns in parentheses:

1. У мои́х (сосе́дки) за́втра большо́й приём. 2. В столо́вой, на столе́, нет (ло́жки) для су́па. 3. Вы зна́ете э́тих (гражда́нка). 4. Я всегда́ кладу́ ножи́ о́коло (ви́лка). 5. Моя́ мать по́мнит мно́го ру́сских (пе́сня). 6. Сего́дня в на́шем клу́бе бу́дет докла́д для (мать). 7. Я ся́ду тут, о́коло ва́шей (дочь). 8. У э́той молодо́й (мать) замеча́тельные де́ти. 9. К её (дочь) прие́хал муж. 10. У тебя́ нет дру́га лу́чше (мать). 11. Мы лю́бим на́ших (мать). 12. С (мать) нельзя́ спо́рить. 13. Она́ уже́ два ме́сяца ничего́ не зна́ет о свои́х (дочь). 14. Он ча́сто говори́т о свое́й (мать).

Exercise with Grammar B

Give the correct case form of the nouns in parentheses:

1. В их кварти́ре нет (пере́дняя). 2. Из (столо́вая) мы пошли́ в (гости́ная). 3. Я о́чень дово́лен на́шей (гости́ная). 4. Моя́ ко́мната ме́жду (столо́вая) и (гости́ная). 5. Мы купи́ли

но́вую обстано́вку для свое́й (гости́ная). 6. Где вы обе́даете,
в (столо́вая)? 7. В э́тих кварти́рах для (рабо́чие) в (пере́д-
няя) нет о́кон. 8. В де́тстве, я по́мню, я не люби́л на́шей (го-
сти́ная). 9. В до́ме (учёный) была́ больша́я (гости́ная). 10. В
день пра́здника вся семья́ собира́лась в (столо́вая), а пото́м
в (гости́ная). 11. Вы не зна́ете э́того знамени́того (учёный)?
12. У э́того (рабо́чий) больша́я семья́. 13. (Рабо́чий) иногда́
рабо́тают во́семь и́ли де́вять часо́в в день. 14. Знамени́тые
(учёный) бу́дут преподава́ть в на́шем университе́те.

Exercises with Grammar C

a. From the Reading Exercise write out all *comparative* forms
and give their English meaning (18 forms in all).

b. Give the compound comparative form of the adjectives in
parentheses:

1. Он живёт в (краси́вый) до́ме, чем я. 2. Ты чита́ешь
(интере́сная) кни́гу. 3. Она́ (у́мная) же́нщина, чем я ду́мал.
4. Мы всегда́ пьём (сла́дкий) чай. 5. В Моско́вском универси-
те́те (изве́стный) профессора́, чем в на́шем университе́те.
6. Я не по́мню (счастли́вый) дня. 7. До́ктор Петро́в о́чень
ску́чный челове́к; знал ли ты (ску́чный) челове́ка? 8. Я никогда́
не встреча́л (у́мная) и (интере́сная) же́нщины. 9. Их дом стои́т
на (широ́кая) у́лице, чем наш. 10. Есть ли (лёгкая) зада́ча,
чем э́та? 11. Та (бе́лая) бума́га, чем э́та. 12. Ви́дели вы (чёр-
ная) сига́ру, чем э́ту?

c. In the above sentences, whenever the context permits, use
ме́нее to form the comparative.

d. Supply the correct endings of the comparative:

1. Мне прия́тн— е́хать трамва́ем, чем метро́. 2. Я не встре-
ча́л же́нщины интере́сн— мое́й ма́тери. 3. Этот челове́к чита́ет
быст—' меня́. 4. Вам весел—' в гостя́х, чем до́ма? 5. Нет бо́-
лее ску́чн— заня́тия, чем игра́ть в ка́рты. 6. В гора́х во́здух
свеж—', чем здесь в дере́вне. 7. Ве́чером холодн—' чем днём.
8. Кто сильн—': твой брат и́ли ты? 9. Что важн—': учи́ться и́ли
рабо́тать в колхо́зе? 10. Это кре́сло удо́бн— ва́шего дива́на.

e. Give the *simple* comparative forms of the adjectives and
adverbs in parentheses:

1. Тепе́рь я живу́ (бли́зко) к шко́ле. 2. Я курю́ (мно́го) па-
иро́с, чем мои́ това́рищи. 3. Моя́ мать была́ (молода́я) моего́
отца́. 4. Чем (высоко́) мы поднима́лись в го́ры, тем краси́вее был
вид. 5. Сего́дня я хочу́ (ра́но) уе́хать домо́й. 6. Да́йте мне,
пожа́луйста, (ма́ло) мя́са. 7. Ва́ша ска́терть (бе́лая) мое́й.
8. Этот рабо́чий (бога́тый) того́ учи́теля. 9. Эта кни́га (то́н-

кая), чем э́тот журна́л. 10. Крестья́нам не (легко́) жить. 11. Чем (высоко́) идёт э́та доро́га, тем она́ (широ́кая). 12. Чем (ста́рая) она́ стано́вится, тем (мно́го) она́ похо́жа на свою́ мать. 13. Мой брат учи́лся (пло́хо) меня. 14. В его́ саду́ дере́вья (молоды́е) и (то́нкие) чем в на́шем. 15. Он говори́т по-ру́сски (хорошо́), чем я. 16. Ва́ши чемода́ны (ма́ленькие) и в них (легко́) уложи́ть ве́щи. 17. Чем (ча́сто) я быва́ю на конце́ртах, тем (мно́го) я люблю́ ру́сскую му́зыку. 18. Её де́ти (то́лстые), чем ва́ши. 19. Вчера́ я пил ча́й ещё (сла́дкий), чем сего́дня. 20. Она́ была́ просту́жена три дня, но тепе́рь ей (хорошо́).

f. Translate the expressions in parentheses:

1. Иди́те (somewhat faster) домо́й. 2. Раздви́ньте стол (somewhat wider). 3. Я люблю́ чай (somewhat sweeter). 4. Пиши́те мне (a bit more frequently). 5. Ты лу́чше (somewhat less) говори́, а (somewhat more) слу́шай! 6. (The) бо́льше он чита́л, (the) бо́льше он знал. 7. Он знал (as) мно́го (as) она́. 8. Он знал бо́льше (than I). 9. Он говори́л ме́ньше, (than) ду́мал. 10. Он умне́е и сильне́е (than you). 11. Она́ не чита́ла (as) мно́го (as) её оте́ц. 12. Он был счастли́вее (than his brother). 13. Быва́ли вы в теа́тре (as) ча́сто (as) он? 14. В го́роде ле́том жа́рче, (than) в дере́вне. 15. (The) вы́ше в го́ру, (the) ме́дленнее шёл по́езд.

VII. TRANSLATION INTO RUSSIAN

A

1. Our Russian friends always invited us for Easter. 2. It was a large family, larger than ours. 3. The sons and daughters were married and had children. 4. At Christmas and Easter they all gathered in the house of their grandfather. 5. I have never met a more interesting and clever man. 6. He was the head of the family. 7. At dinner and supper he always sat at the head of the table. 8. The dining room was small. 9. There was not enough room at the table for the large family and the guests. 10. But grandfather laughed and said: "Crowded together but not at variance." 11. "God be thanked, there is food enough! Eat, drink and be merry, children! Here's to your health." 12. We started with hors d'oeuvres and (with) fine Russian vodka. 13. Then they gave us soup and pies, the meat course, and the dessert. 14. After dinner we all went into the living room. 15. I always played cards with the older children. 16. One of the older daughters had a beautiful voice and sang Russian songs or arias from Russian operas. 17. Easter at our Russian friends was always a great event in our life. 18. The older I grow the more frequently I think of those happy days.

B

1. Two weeks ago my younger sister Vera married our good friend Semyonof. 2. Semyonof is much older than my sister. 3. He had been married and is the head of a very large family. 4. He has five daughters and three sons. 5. But his first wife died (умерла́) three years ago and all his sons and daughters are now married. 6. Semyonof is very wealthy, much richer than our father; he even has more money than our rich Uncle Vanya. 7. He lived in a larger and more beautiful house than ours. 8. But now he and Vera live in the country; their house is much smaller but more comfortable and cozier than their city house. 9. Everything in the new house is smaller: the entrance hall is narrower, and the living room is not so long and wide; there is no dining room; one eats in the comfortable kitchen. 10. A few days ago Vera wrote us that she likes her life in the country much better than life in the city. 11. She has much more energy, gets up earlier, works more, takes more frequent walks (walks more frequently), eats less and feels much better. 12. "Country life is less noisy and much healthier," she writes. "In the summer it is not so hot and the air here is always much fresher. 13. And the sky seems (appears) bluer, the trees taller and greener; nature seems so much more beautiful here than in our city parks. 14. And life is also cheaper: meat, milk, and vegetables are all cheaper; only dresses, hats, shoes, and such things are a little more expensive. 15. The longer I live here, the better (more) I like it (here). This little old village, our little house, everything grows (becomes) more dear to me with every day. 16. Here I do not need to hurry, for everything is so much nearer: it is nearer from our house to the department store; from the store to the bank and the post office; from the post office to the movie house and the very fine restaurant. 17. And it is also nearer to the church than it was in the city. Yes, life here is much simpler, easier, cheaper, more comfortable! 18. In the evening (of evenings) I am not tired at all and can read and think and write much more than I could in the city; in the mornings — when I want to (get the desire) — I can sleep much longer and get up later, for it is not so noisy here." 19. We are all very happy that Vera is so satisfied with her new life in the country. 20. Our father often says: "Thank God, Vera lives in the country. There she will be (become) happier, healthier, wealthier. 'Ти́ше е́дешь, да́льше бу́дешь!' " — and our father is always right!

ДВАДЦАТЬ ЧЕТВЕРТЫЙ УРОК

TWENTY-FOURTH LESSON

Comparison of adjectives and adverbs: superlative — Pronoun-adjective весь *— Cardinals and ordinals 13 - 40; summary of case requirements after cardinals*

I. COMMON EXPRESSIONS AND IDIOMS

Играть роль	To play a role
Торговый путь	Trade route
Вверх по Волге	Up the Volga; towards its source
Ниже по течению	Lower down the stream, downstream
Выше по течению	Higher up the stream, upstream
Со всех концов...	From all corners (parts)
Благодаря (+dat.)	Thanks to (because of)
Источник электрической энергии	The source of electric power

II. READING EXERCISE

ВОЛГА

Волга — одна из самых красивых рек в мире. Она длиннее всех рек Европы. Она, конечно, самая известная река в России. В истории России она играла важнейшую роль. О Волге чаще всего поют песни.

В самом раннем периоде русской истории Волга была самым главным торговым путём с запада на восток. Уже в восьмом веке на берегах Волги, у Каспийского Моря,[1] встречались народы из разных стран.

Позднее Нижний Новгород,[2] — выше по течению Волги — стал главным центром торговли. Каждый год на Волгу в Нижний Новгород приезжали продавцы со всех концов России и из других стран.

---

[1] Каспийское Море "Caspian Sea."
[2] Нижний Новгород "Nizhnii Novgorod" (*Lit.*: the lower new city, now Górkiǐ in honor of the Soviet writer Maxim Górkiǐ).

223

Здесь мо́жно бы́ло уви́деть меха́ с се́вера, чай и шёлк с восто́ка, шерсть и полотно́ с за́пада, из Евро́пы, ви́на, ковры́ — с ю́га, с Кавка́за.

В Сове́тской Росси́и Во́лга занима́ет ещё бо́лее ва́жное ме́сто в наро́дном хозя́йстве страны́. **За после́дние четы́рнадцать лет** река́ о́чень измени́лась. Ра́ньше Во́лга была́ у́же и ме́нее глубока́ на се́вере и то́лько **ни́же по тече́нию** она́ станови́лась широ́кой реко́й. Тепе́рь же, **благодаря́ замеча́тельнейшей** систе́ме кана́лов и плоти́н, Во́лга ста́ла **глу́бже и ши́ре** всех други́х рек Евро́пы.

Из Каспи́йского Мо́ря, **вверх по Во́лге,** плыву́т парохо́ды и ло́дки до го́рода Москвы́! Ра́ньше Москва́ была́ порто́м трёх море́й (Балти́йского, Бе́лого, Каспи́йского),[1] а тепе́рь, когда́ око́нчили стро́ить кана́л Во́лга-Дон, она́ ста́ла порто́м пяти́ море́й.[2]

Во́лга не ме́нее важна́, как **исто́чник электри́ческой эне́ргии.** Этот вид эне́ргии **деше́вле всех** други́х. На берега́х Во́лги стоя́т огро́мные электроста́нции и гидроста́нции. Сове́тское прави́тельство хо́чет сде́лать Во́лгу «электри́ческим се́рдцем» э́того кра́я.

III. VOCABULARY

бе́рег	shore, bank	**ни́зкий,**	low
больни́ца	hospital	**-́ая, -́ое**	
век	century, age	**пери́од**	period
вино́	wine	**плоти́на**	dam
гидроста́нция	water power station	**полотно́**	linen
		порт	port, harbor
глу́бже	deeper	**прави́тельство**	government
глубо́кий,	deep	**продаве́ц** (†е)	salesman,
-́ая, -́ое			tradesman
кана́л	canal, channel	**се́рдце** (е)	heart
край	border, country, region	**систе́ма**	system
		торго́вля	trade
ло́дка (о)	boat	**шёлк**	silk
мех	fur, pelt	**электри́ческий,**	electric
мо́ре	sea	**-ая, -ое**	
ни́же	lower	**электроста́нция**	power station

---

[1] Балти́йского "of the Baltic Sea"; Бе́лого "of the White Sea," Каспи́йского "of the Caspian Sea."

[2] Чёрного, Азо́вского in addition to the above three. **Чёрного** "of the Black Sea"; **Азо́вского** "of the Azov Sea."

Verbs

Imperfective	Perfective	English
догоня́ть (I)	догна́ть, догоню́, дого́нишь, дого́нят	to catch up with
плыть; плыву́ плывёшь, плыву́т	поплы́ть (плыть)	to set sail, swim, float
стоя́ть; стою́ стои́шь, стоя́т	постоя́ть (стоя́ть)	to stand
стро́ить (II)	постро́ить (II)	to build

IV. GRAMMAR

A. Comparison of adjectives and adverbs (continued)

1. *The compound superlative with* **са́мый**:

To obtain this form of the superlative degree, use the *positive* degree of the adjective together with **са́мый, -′ая, -′ое,** "the most":

Это **са́мый дорого́й** чай.	This is the most expensive tea.
Это **са́мая у́мная** же́нщина.	This is the cleverest woman.
Это **са́мое большо́е** зда́ние.	This is the biggest building.
Мы в **са́мой большо́й** ко́мнате.	We are in the biggest room.
Они́ чита́ют **са́мые интере́сные** кни́ги.	They read the most interesting books.

a. **Са́мый** is declined like an adjective in -ый and must agree in number, gender, and case with the adjective it modifies.

b. This form can be used only *attributively* or *predicatively, never adverbially*:

Attributively	Это **са́мая у́мная же́нщина.**	This is the cleverest woman.
Predicatively	Эта же́нщина **са́мая у́мная.**	This woman is the cleverest (one)

2. *The simple superlative ending in* -ейший *or in* -айший:[1]

To obtain this form, drop the endings (-ый, -о́й, -ий, etc.)

---

[1] The superlative can also be formed with certain adjectives by prefixing the syllables пре- and наи-: пребольшо́й "very big"; наилу́чший "very best"; наиху́дший "the very worst." These forms need be known only for recognition.

of the adjective and add to the stem the ending **-ейший, -ейшая, -ейшее**:

ýмн (ый): умн + ейший = умнейший most clever

If the stem of an adjective ends in a sibilant sound (**ж, ч, ш, щ, ц**) or in a guttural (**г, к, х**), add the ending **-айший** etc., and change the stem consonant (usual changes: зк to ж; к to ч):

близк(ий): ближ + айший = ближайший   nearest
велик(ий): велич + айший = величайший   greatest

a. This superlative form must agree in number, gender, and case with the noun it modifies. Its declension is that of an adjective the stem of which ends in a sibilant sound (e.g. **хороший**):

умнейший студент; умнейшего студента; умнейшему студенту etc.

умнейшая женщина; умнейшей женщины; умнейшей женщине etc..

This simple or "absolute" superlative is used most frequently when no object of comparison is mentioned; it is expressive of a high degree of some quality. It is less common than the superlative in **самый**.

b. The forms **высший** "highest," **лучший** "best," **худший** "worst," **меньший** "smallest," **младший** "youngest," **старший** "eldest," "senior" have a comparative as well as a superlative meaning.

3. The superlative degree may also be expressed by a phrase consisting of a comparative (e. g. **больше**) and **всего** (than anything) or **всех** (than anyone):

Я **больше всего** люблю играть в теннис.	Best of all I like to play tennis.
Я **больше всех** люблю играть в теннис.	I like to play tennis more than any one else (likes to).
Я **лучше всего** играю в шахматы.	I play chess better than any other game.
Я **лучше всех** играю в шахматы.	I play chess better than any one else (plays it).

Generally, **всего** should be used when referring to *actions* and **всех** when referring to *persons* and *objects*. This form of the superlative can only be used *adverbially* or *predicatively, never attributively*:

Он **лучше всех** играет в теннис; он **умнее всех**.

B. Declension of the pronoun-adjective весь, всё, вся "all, whole, entire"

	Masc.	Neut.	Fem.	Pl. All Genders
Nom.	весь	всё	вся	все
Gen.	всего́	всего́	всей	всех
Dat.	всему́	всему́	всей	всем
Acc.	N. or G.	всё	всю	N. or G.
Instr.	всем	всем	всей (ею)	все́ми
Prep.	всём	всём	всей	всех

C. Numerals

	Cardinals	Ordinals		
13	трина́дцать	трина́дцатый,	-ая, -ое	13th
14	четы́рнадцать	четы́рнадцатый,	-ая, -ое	14th
15	пятна́дцать	пятна́дцатый,	-ая, -ое	15th
16	шестна́дцать	шестна́дцатый,	-ая, -ое	16th
17	семна́дцать	семна́дцатый,	-ая, -ое	17th
18	восемна́дцать	восемна́дцатый,	-ая, -ое	18th
19	девятна́дцать	девятна́дцатый,	-ая, -ое	19th
20	два́дцать	двадца́тый,	-́ая, -́ое	20th
21	два́дцать оди́н	два́дцать пе́рвый,	-́ая, -́ое	21th
22	два́дцать два	два́дцать второ́й,	-а́я, -о́е	22th
23	два́дцать три	два́дцать тре́тий,	-́ья, -́ье	23rd
30	три́дцать	тридца́тый,	-́ая, -́ое	30th
40	со́рок	сороково́й,	-а́я, -о́е	40th

1. *Remarks on ordinals*:

a. Ordinals 9th to 20th, and 30th, are formed by dropping the ending -ь of the respective cardinal and adding the endings -ый, -ая, -ое, the position of stress remaining the same as on the cardinal, except with 20.

b. In compound ordinals only the last component part has the ordinal form, the others being cardinals: два́дцать пе́рвый, три́дцать второ́й, etc.[1]

---

[1] For declension of ordinals see Lesson 19.

2. *Summary of case requirements after cardinal numerals:*[1]

a. After one (1) and all its compounds (except 11) both the *noun* and the *adjective* are in the *nominative singular*:

двадцать **один** хороший ученик
21 good students

b. After all compounds of 2, 3, 4 (except 12, 13, 14) the *noun* is in the *genitive singular* and the *adjective* in the *genitive plural*:

тридцать **два (три, четыре)** хороших ученика
32 (33, 34) good students

c. After the numerals 5-20, 25-30, 35-40, etc., both the *noun* and the *adjective* are in the *genitive plural*:

сорок **пять (шесть, семь etc.)** хороших учеников
45 (46, 47, etc.) good students

VOCABULARY BUILDING — TABLE OF ADJECTIVES
Review and Supplement
Antonyms

большой	: маленький	big	: small
широкий	: узкий	broad	: narrow
высокий	: низкий	high	: low
длинный	: короткий	long	: short
толстый	: тонкий	thick	: thin
тяжёлый	: лёгкий	heavy	: light
близкий	: далёкий	near	: far
крепкий	: жидкий	strong	: weak (tea)
горячий жаркий	: холодный	hot	: cold
скучный	: весёлый	boring	: merry
простой	: сложный	simple	: complex
похожий	: различный	like	: different
бедный нищий	: богатый	poor beggarly	: rich
шумный	: тихий	noisy	: quiet

---

[1] These rules hold only when the numerals are in the nominative case or a case like the nominative, i.e., the accusative. For a final summary of rules, see Grammar C, 2 of Lesson 26.

открытый	: закрытый	open	: closed
дорогой	: дешёвый	expensive	: cheap
занятой	: свободный	busy	: free
больной	: здоровый	sick	: healthy
мёртвый	: живой	dead	: (a)live
новый молодой	: старый	new young	: old
младший	: старший	youngest	: oldest
будущий	: прошлый	future	: past
первый	: последний	first	: last
частый	: редкий	frequent	: rare
ранний	: поздний	early	: late
осенний	: весенний	fall	: spring
зимний	: летний	winter	: summer

Colors: белый white; синий blue; чёрный black; красный red; жёлтый yellow; зелёный green

---

Synonyms

(Related but *not* identical in meaning)

хороший — прекрасный		fine — excellent
известный — знаменитый		well-known — famous
дорогой	{ милый любимый	dear — beloved
счастливый радостный }	довольный	happy — joyous — content
большой	{ великий огромный	great — mighty — huge
замечательный — интересный		remarkable — interesting

V. QUESTIONS

1. Какая река одна из самых красивых в мире? 2. Какая река длиннее всех рек Европы? 3. Какая река самая известная в России? 4. Какую роль играла Волга в истории России? 5. Почему была важна Волга в самом раннем периоде русской

истóрии? Где в восьмóм вéке встречáлись нарóды из рáзных
стран? 7. Позднéе какóй гóрод стал глáвным цéнтром тор-
гóвли? 8. Кто приезжáл кáждый год на Вóлгу в Нúжний
Нóвгород? 9. Что мóжно было увúдеть в то врéмя в Нúжнем
Нóвгороде? 10. Какóе мéсто занимáет Вóлга в нарóдном хозяйстве Совéтской Россúи? 11. Благодаря чемý Вóлга стáла
шúре всех другúх рек Еврóпы? 12. Кудá плывýт парохóды и
лóдки из Каспúйского Мóря? 13. Портóм скóльких морéй былá
рáньше Москвá? 14. Портóм какúх морéй рáньше был э́тот
гóрод? 15. Когдá Москвá стáла портóм пятú морéй? 16. Какúх
пятú морéй? 17. Чем ещё важнá рекá Вóлга? 18. Какóй сáмый
дешёвый вид энéргии? 19. Что стóит на берегáх Вóлги? 20. Чем
хóчет Совéтское правúтельство сдéлать Вóлгу?

VI. GRAMMAR EXERCISES

Exercises with Grammar A

a. Give the comparative forms of the adjectives in parentheses
and fill in the space with the *compound superlative* form of the same
adjective:

1. В э́том универсáльном магазúне вы мóжете купúть
рáдио (дешёвый), чем в том универсáльном магазúне, но
.... рáдио я купúл в Москвé. 2. Рекá Москвá тепéрь
(ширóкий), чем рáньше, но .... рекá в европéйской
Россúи, э́то Вóлга. 3. Нáша дáча стоúт на бóлее нúзком мéсте,
чем вáша; дом моегó брáта стоúт ещё (нúзкий), чем наш, но
.... мéсто здесь óколо óзера. 4. Нáши бульвáры (ýзкий)
москóвских, но .... бульвáры я вúдел в Нúжнем
Нóвгороде. 5. Михаúл, конéчно, (ýмный) своегó брáта, но
.... у них в семьé э́то Ивáн. 6. Это лéто (дождлúвый),
чем прóшлое, но .... лéто было три гóда томý назáд.
7. В вáшем гóроде оркéстр (харóший), чем в нáшем, но ....
..... оркéстры в Москвé. 8. Я тут вúдел красúвые ковры,
(красúвые), чем у нас в Сибúри, а вот .... ковры на
Кавкáзе. 9. Онá интерéсная жéнщина, (интерéсная) своéй
мáтери, но, конéчно, ... жéнщина здесь э́то певúца
Бáрсова. 10. Мне (удóбный) сидéть на дивáне, чем на стýле,
но .... мéсто в гостúной э́то то крéсло у окнá.

b. Give the *simple superlative* form of the adjectives in parentheses:

1. В дéтстве он был (мúлый) ребёнком. 2. Вы бýдете
óколо (блúзкая) пóчты чéрез дéсять минýт. 3. Из окнá моéй

комнаты (прекрасный) вид.   4. Он (умный) человек.   5. Вот
(новая) больница. 6. Это (длинная) история. 7. В наш университет пригласили (известный) учёных. 8. Я сижу в го-
стиной в (удобное) кресле. 9. В истории России Волга играла
(важная) роль. 10. Слушать радио для меня (приятное) за-
нятие. 11. Вчера вечером шёл (сильный) дождь. 12. На Волге
(замечательные) гидростанции. 13. Сегодня я (счастливый)
человек. 14. Моя бабушка была моим (близкий) другом.

Exercise with Grammar B

Give the correct case forms of the pronouns in parentheses:

1. Приезд Михаила был новостью для (вся) семьи.
2. Открытие университета было большим событием для
(весь) города. 3. Мы осмотрели (вся) больницу. 4. Я спра-
шивал о цене этой шляпы у (все) продавщиц. 5. Мать дала
яблоки (все) детям. 6. Я выучил (весь) урок. 7. Я прощался
со (все) учителями. 8. В Москве я был во (все) театрах. 9. О
(вся) этой истории (affair) я узнал только вчера вечером.
10. Я познакомился со (вся) его семьёй на даче.

Exercise with Grammar A and B

Translate the expressions in parentheses:

1. Мой брат читает (better than anyone else). 2. У моей
дочери прекрасный голос, (best of all) она поёт русские
песни. 3. Волга (wider than any) рек Европы. 4. Продолжать
образование для тебя сейчас (most important of all). 5. В
семье я был (older than anyone else). 6. Для каждой матери её
дети ей (dearer than anyone else) в мире. 7. Шёлк и полотно
можно купить (cheapest of all) на распродаже. 8. Я помню,
что это вино было (strongest of all). 9. Я знаю русский язык
(least [worst] of all). 10. Это озеро (deeper than any) других
озёр в стране.

Exercise with Grammar C

Write out the numerals in Russian and supply the adjective and
noun endings:

1. На берегу реки (12) нов— здан—. 2. В моём вагоне
(18) удобн— мест—. 3. У нас в больнице (14) русск— док-

тор—'. 4. На заво́де (35) ру́сск— рабо́ч—. 5. К нам прие́хали (19) америка́нск— учён—. 6. В конто́ре (11) ма́леньк— паке́т—. 7. В университе́те (47) плох—' студе́нт—. 8. Вот уже́ (15th) день, как идёт дождь. 9. Исто́рия Росси́и мой (2nd) экза́мен. 10. Я живу́ на (19th) этаж—'.

VII. TRANSLATION INTO RUSSIAN

A

1. On the thirteenth of June a new school was opened (they opened) in our city. 2. It is one of the largest and most beautiful schools in the whole city. 3. It is also the highest; the building has eight floors (эта́ж), and on each floor are 25 large classrooms. 4. My class is the largest; in it there are 41 students—28 boys and 13 girls. 5. My older brother is first in his class; he is one of the very best students in the whole school. 6. I am only 15th, but my teacher told me that I read better than anyone else in the class. 7. I like reading (to read) best of all, better than playing tennis or even chess. 8. There are 35 teachers in the school—18 men teachers and 17 lady teachers. My teacher is the youngest of them all. 9. The school has an excellent library. I do not know how many books there are in it, but I do know that there are 34 different periodicals—14 American, 10 English, 7 French, and 3 Russian. 10. The only library bigger than ours is in the center of the city. It is the biggest library not only in our city but in the whole state (gen.). 11. That library plays a most important role in my life. 12. Four years ago my older brother showed it to me, and now we drive there once or even twice a week, more frequently than all other students in our school. 13. I am very interested in the geography of Russia and like best of all to read books about Russia's most famous rivers, mountains, mighty plains, and about its oldest as well as its most modern (newest) cities. 14. Yesterday I read in a most interesting book that Soviet Russia now occupies one-sixth of the entire habitable landmass. 15. It has the most varied climates, living conditions (conditions of life), and natural resources. 16. I think it is the largest country in the whole world, even larger than the United States. 17. From its western to its eastern borders it is 7,000 miles, and from its southern to its northern borders it is almost 4,000 miles. 18. Within a week I have to give a report in our school about the Volga river and the role it plays in the economic and cultural life of Soviet

Russia. 19. Now I only know that the Volga is the longest and broadest river in European Russia. 20. But in a whole week I can read many books about this most famous river, and shall know much more about it on the day of my report.

B

1. The Volga is the longest river in Europe. 2. It is one of the longest and most famous rivers in the world. 3. The Russian people love this river more than any other river in the world. 4. They sing very beautiful songs about it. 5. One of the most beautiful songs about the Volga is the song "Волга, Волга."[1] 6. In Soviet Russia this very beautiful river occupies a most important place. 7. It was one of the chief trade routes in the country. 8. Along the Volga, thanks to the splendid system of canals, ships can now sail directly from the Caspian Sea to Moscow and even further to the north. 9. The river is also the "electric heart" of Russia, an important source of electrical energy. 10. The Soviet government has built on the Volga huge electric power stations. 11. The Volga river has also played a very great role in Russian history. 12. As early as (already in) the eighth century this river was the most important trade route in the country. 13. On its banks, in the city (of) Nizhnii Novgorod, tradesmen gathered from all corners of Russia, from north and south, east and west. 14. Here it was possible to buy furs, rugs, silk, linen, wool, and wine. 15. Even from the countries of the West tradesmen came to this famous Russian trade center. 16. One can truly say (i.e., it is possible to say) that here on the banks of this river met the peoples from all the countries in the world (i.e., of the whole world).

ADDITIONAL READING MATERIAL

Review of the declension and comparison of adjectives, also of short forms. Some adjectives are taken from following lessons and should be looked up in the Russian-English Vocabulary at the end of the text.

МОЯ ЛУЧШАЯ ПОДРУГА, МАРИЯ ПЕТРОВНА

Сегодня вечером, когда я укладывала свои **старые** книги и бумаги в сундук, я заметила между бумагами **старую, жёлтую** фотографию. Это была фотография Марии Петровны Павловой.

---

[1] It is from the old folk song "Стенька Разин" and runs: Волга, Волга, мать родная, Волга русская река . . . . .

Мно́го лет тому́ наза́д она́ была́ мое́й **са́мой бли́зкой** подру́гой. Это бы́ло, как говоря́т, «в **до́брое, ста́рое** вре́мя». Мы бы́ли тогда́ **мо́лоды, веселы́, дово́льны**, са́ми собо́й и свое́й жи́знью и жда́ли, что в **бу́дущем** всё бу́дет ещё **лу́чше**, ещё **прия́тнее** .....

Мари́я Петро́вна была́ о́чень **краси́ва, умна́**, держа́лась **про́сто** и **свобо́дно**. Она́ мно́го занима́лась спо́ртом. **Бо́льше** всего́ она́ люби́ла игра́ть в те́ннис. **Прия́тно** бы́ло смотре́ть на её **лёгкие, бы́стрые** движе́ния. **Живо́е, откры́тое** лицо́, **весёлые, чёрные** глаза́, **прекра́сный** цвет лица́, — всё в ней нра́вилось лю́дям.

О Мари́и Петро́вне говори́ли, что она́ одева́ется **лу́чше** всех же́нщин в го́роде. И, коне́чно, они́ бы́ли **пра́вы**! Когда́ Мари́я Петро́вна одева́ла **си́нее** пла́тье, то у неё бы́ли, коне́чно, и **си́няя** шля́па и **си́ние** ту́фли, а когда́ пла́тье бы́ло **кра́сным** и́ли **чёрным** и́ли **бе́лым**, у неё бы́ло и **кра́сное** пальто́, и **бе́лое**, и **чёрное**, и шля́пы и ту́фли тако́го же цве́та!

Мари́я Петро́вна была́ **за́мужем** за **изве́стным**, моско́в-ским юри́стом. Это был **умне́йший, миле́йший** и **добре́йший** челове́к!

Па́вловы жи́ли в **большо́м, ста́ром** до́ме, в **са́мом большо́м** и **са́мом краси́вом** до́ме в **лу́чшей** ча́сти го́рода. Это был **необыкнове́нный** по ви́ду (in appearance) дом с **высо́кими, у́зкими** о́кнами, **огро́мными** ко́мнатами. Обстано́вка в э́тих ко́мнатах была́ **проста́, удо́бна** и **краси́ва: ни́зкие, дли́нные** дива́ны, **глубо́кие** кре́сла, на стена́х мно́го **стари́нных** карти́н.

Мари́я Петро́вна и её муж люби́ли о́бщество и не́ было **бо́лее интере́сных, бо́лее весёлых** приёмов, чем приёмы в до́ме Па́вловых. На **больши́х** приёмах у них собира́лись **са́мые ра́зные** лю́ди; го́сти приезжа́ли к ним со всех концо́в Росси́и, из **ра́зных** стран ми́ра. Тут мо́жно бы́ло встре́титься и поговори́ть со **ста́рыми** друзья́ми, и познако́миться с **знамени́тым** учёным из Англии, с **ва́жным** специали́стом в о́бласти медици́-ны из Фра́нции; тут мо́жно бы́ло услы́шать **са́мые после́дние полити́ческие** но́вости, поспо́рить о **серьёзных, филосо́фских** вопро́сах, посмея́ться над расска́зами **до́брого, то́лстого** до́ктора Че́хова о его́ **больны́х** и **здоро́вых** пацие́нтах. Тут та́кже **ча́ще** всего́ мо́жно бы́ло встре́тить **изве́стнейших** поэ́тов, послу́шать пе́ние **лу́чших** певцо́в и певи́ц.

— Мне всё равно́, — говори́ла Мари́я Па́вловна, — кто кого́ **умне́е**, кто **бога́че**, а кто **бедне́е**. То́лько **ску́чных** люде́й я к себе́ никогда́ не приглаша́ю. —

А каки́е **замеча́тельные** обе́ды устра́ивала она́! Како́е

подава́ли к обе́ду разнообра́зие **холо́дных и горя́чих** заку́сок! И коне́чно, то́лько **са́мые лу́чшие, са́мые дороги́е** ви́на!

Да, всё э́то бы́ло в **далёком** про́шлом. Что ста́ло с Мари́ей Петро́вной? Где она́ тепе́рь? Жива́ ли? В **после́дний** раз я ви́дела её на **моско́вском** вокза́ле, когда́ мы уезжа́ли из Росси́и.

*Double imperfective verbs: indeterminate, determinate —
Reciprocal pronoun друг друга — Expressions of
age — Cardinals and ordinals 50-100*

I. COMMON EXPRESSIONS AND IDIOMS

Поступи́ть на вое́нную слу́жбу	To join the army, enlist
Был при́нят как ра́вный	Was received as an equal
Ездить за грани́цу	To go (travel) abroad
За грани́цей	Abroad
Из за грани́цы	From abroad
По прие́зде	Upon arrival
Вести́ бесе́ды с and instr.	To converse with, carry on conversations
Всё бо́льше и бо́льше	More and more
Чи́сто литерату́рная де́ятельность прекраща́ется.	Purely literary activity comes to an end.
Руби́ть дрова́	To chop, prepare firewood

II. READING EXERCISE

ЛЕВ НИКОЛАЕВИЧ ТОЛСТОЙ

Имя Льва́ Никола́евича Толсто́го изве́стно всему́ ми́ру. Ру́сские лю́ди его́ рома́нов бли́зки и до́роги всему́ человѐчеству. Толсто́й знамени́т и как велича́йший писа́тель и как фило́соф.

Толсто́й роди́лся в «Ясной Поля́не» — стари́нном име́нии о́коло го́рода Ту́лы[1]. «Ясная Поля́на» так же изве́стна ми́ру, как и и́мя самого́ Толсто́го. Сюда́ **приходи́ли** все, кого́ занима́ли вопро́сы рели́гии, мора́ли и наро́дного образова́ния и кто иска́л отве́та на э́ти вопро́сы у Толсто́го. Тепе́рь «Ясная Поля́на» — музе́й, куда́ попре́жнему приезжа́ют лю́ди со всех концо́в Росси́и, из всех стран ми́ра.

Мать Толсто́го умерла́, когда́ **ма́льчику бы́ло то́лько два го́да,** а оте́ц — когда́ **ему́ бы́ло во́семь лет.** Де́ти учи́лись до́ма,

---

[1] Ту́ла, a city due south of Moscow.

а когда́ Толсто́му бы́ло шестна́дцать лет, он поступи́л в Каза́нский[1] университе́т.

Толсто́й не ко́нчил университе́та, и поступи́л на вое́нную слу́жбу. Он пое́хал на Кавка́з и тут начала́сь его́ литерату́рная де́ятельность.

Когда́ Толсто́му бы́ло два́дцать семь лет, он прие́хал в Петербу́рг[2] и был при́нят как ра́вный таки́ми изве́стными ру́сскими писа́телями как Турге́нев[3] и Некра́сов.[4]

Толсто́й два ра́за е́здил за грани́цу. По прие́зде в Росси́ю он заня́лся хозя́йством у себя́ в име́нии. Толсто́й понима́л, как тяжело́ бы́ло в то вре́мя положе́ние крестья́н. Он ввёл но́вые ме́тоды полевы́х рабо́т, откры́л шко́лу для дете́й, вёл дли́нные бесе́ды с крестья́нами из сосе́дних дереве́нь. Когда́ Толсто́му бы́ло три́дцать четы́ре го́да, он жени́лся.

Во второ́й полови́не свое́й жи́зни Толсто́й всё бо́льше начина́ет интересова́ться вопро́сами рели́гии и мора́ли. Его́ чи́сто литерату́рная де́ятельность почти́ прекраща́ется. Толсто́й отдаёт всё бо́льше и бо́льше вре́мени и эне́ргии рабо́те вме́сте с крестья́нами. Он выходи́л на полевы́е рабо́ты, сам вози́л се́но, носи́л во́ду, руби́л дрова́ ...

В конце́ свое́й жи́зни он ушёл из «Я́сной Поля́ны» и у́мер в до́ме нача́льника ста́нции Аста́пово седьмо́го ноября́ 1910 (ты́сяча девятьсо́т деся́того) го́да.

III. VOCABULARY

изба́	hut	почти́	almost
име́ние	estate	рели́гия	religion
ло́шадь	horse	рома́н	novel
ма́льчик	boy	се́но	hay
ме́тод	method	ста́нция	station
мир	world, peace	стари́нный,	ancient, old
мора́ль	morals, ethics	-'ая, -'ое	
мужи́к	peasant	тяжёлый,	heavy,
наро́дный,	folk, national	-'ая, -'ое	burdensome
-'ая, -'ое		фило́соф	philosopher
нача́льник	chief, head	хозя́йство	household,
образова́ние	education		economy
попре́жнему	as before, formerly	челове́чество	humanity

---

[1] Каза́нский, -'ая, -'ое "of Kazan," a city on the left bank of the upper Volga.

[2] Петербу́рг, Петрогра́д St. Petersburg, now Leningrad.

[3] Ива́н Серге́евич Турге́нев (1818 - 1883) one of the greatest Russian novelists.

[4] Никола́й Некра́сов (1821 - 1878) a well-known lyric poet.

Verbs

Imperfective	Perfective	English
вводи́ть (води́ть)	ввести́ (вести́)	to introduce
вноси́ть (носи́ть)	внести́ (нести́) внёс, внесла́, внесли́	to bring in, carry in
вывози́ть (вози́ть)	вы́везти (везти́)	to export
интересова́ться; интересу́юсь, интересу́ешься, интересу́ются	поинтересова́ться (интересова́ться)	to interest oneself in
иска́ть; ищу́, и́щешь, и́щут	поиска́ть (иска́ть)	to search for, look for
конча́ть (I)	ко́нчить (II)	to finish, end
отдава́ть (дава́ть)	отда́ть (дать)	to give away
понима́ть (I)	поня́ть, пойму́, поймёшь, пойму́т	to understand
попада́ть (I)	попа́сть; попаду́ попадёшь, попаду́т	to get to, catch
приходи́ть, (ходи́ть)	прийти́ (идти́)	to arrive
рожда́ться (I)	роди́ться; рожу́сь, роди́шься, родя́тся	to be born
уходи́ть (ходи́ть)	уйти́ (идти́)	to leave, go away
умира́ть (I)	умере́ть; умру́, умрёшь, умру́т у́мер, умерла́, у́мерли	to die died

IV. GRAMMAR

A. Indeterminate and determinate aspect verbs

1. Certain Russian verbs signifying locomotion have two forms of the *imperfective* aspect: *indeterminate* and *determinate*. The *determinate* aspect verb denotes unity, integrality, indivisibility of an action, whereas the *indeter-*

minate verb does not imply any such quality of the action; the *determinate* verb denotes an action carried out at one time and in one direction[1]; the *indeterminate* verb does not imply any such quality of the action. Two of these verbs we already know: the indeterminate verbs ходить and ездить with their respective determinate forms идти and ехать. Other important verbs of this type are:

Indeterminate	Determinate	English
бе́гать (I)	бежа́ть; бегу́, бежи́шь, бегу́т	to run
води́ть; вожу́, во́дишь, во́дят	вести́; веду́, ведёшь, веду́т вёл, вела́, вели́	to lead lead
вози́ть; вожу́, во́зишь, во́зят	везти́; везу́, везёшь, везу́т вёз, везла́, везли́	to transport conveyed
лета́ть (I)	лете́ть; лечу́, лети́шь, летя́т	to fly
носи́ть; ношу́, но́сишь, но́сят	нести́; несу́, несёшь, несу́т нёс, несла́, несли́	to carry carried
пла́вать (I)	плыть; плыву́, плывёшь, плыву́т	to swim

2. *Use of this type of verb*

a. When expressing the *general* action indicated by the verb. use the *indeterminate* form:

Ребёнок хо́дит.	The child walks.
Ма́льчик хо́дит в шко́лу.	The boy goes to (attends) school.
Ма́льчик бе́гает.	The boy runs.

b. When expressing an action carried out *in a specific direction and at one specific time* (i. e. non-repetitive, nonhabitual action), use the *determinate* form:

Сего́дня он лети́т в Ленингра́д.	Today he is flying to Leningrad.
Я несу́ э́ту кни́гу в библиоте́ку.	I am carrying (bringing) this book to the library.

---

[1] Cp. Ushakov, Толковый Словарь, vol. I, p. 99, col. 1 «в оди́н приём и в одно́ направле́ние.»

c. If, however, the action, *though in one specific direction* is *repeated* or *habitual*, use the *indeterminate* form:

Мы всегда́ е́здим в Сталин-гра́д парохо́дом.	We always go (travel) to Stalingrad by steamer.
В воскресе́нье мы всегда́ хо́дим в це́рковь.	Sundays we always go to church.

d. Note that some idiomatic expressions have only the *determinate* form:

Здесь ча́сто идёт дождь.	It frequently rains here.
Там никогда́ не идёт снег.	It never snows there.

3a. It is important to note that the perfective aspect to *both* these forms is formed by prefixing **по-** to the *determinate* form:

идти́ + по ⟶ пойти́ (perfective of ходи́ть and идти́)

(Compare Lesson 16, Part B, Sect. C.)

b. When the prefix **по-** is added to the *indeterminate* form of "going" verbs (ходи́ть, пла́вать, води́ть, etc.) the sense of brevity, informality, lack of strain or intensity is imparted to the action:

походи́ть	to walk a little; take a stroll
поплавать	to swim a little; take a dip

(Compare Lesson 16, Part A, Sect. D.)

4. When these forms are compounded with any other prefix, the *same* prefix is added to both forms: the indeterminate form *remains imperfective,* whereas the determinate form becomes *perfective.* The distinction between indeterminate and determinate does not exist in these new pairs:

ходи́ть + при ⟶ приходи́ть (imperfective) to come, arrive
идти́ + при ⟶ притти́ (perfective) to come, arrive

(Compare Lesson 16, Part B, Sect. C.)
For further examples see Appendix pp. 352 and 353.

5. The verb **носи́ть** has no *determinate* form when used in the meaning of "to wear":

Зимо́й я но́шу тёплое пальто́.	In winter I wear a warm coat.

To "wear" can also be rendered as follows:

На ней но́вая шля́па.	*Lit.:* On her is a new hat.
На нём бы́ло ста́рое пальто́.	*Lit.:* On him was an old coat.

B. The reciprocal pronoun: друг дру́га "one another"

Gen. and Acc.	друг дру́га	of one another, one another
Dat.	{ друг дру́гу { друг к дру́гу	} to one another
Instr.	друг с дру́гом	with one another
Prep.	друг о дру́ге	about one another

C. Expressions of age

In expressing age use the *dative* case:

Мне два́дцать оди́н год.	I am twenty one. *Lit.*: To me is twenty-one year.
Ско́лько **ей** лет?	How old is she? *Lit.*: How many to her of summers?
Ей два́дцать два (три, четы́ре) го́да.	She is 22 (23, 24) years old.
Ему́ бы́ло два́дцать пять (шесть, семь) лет.	He was 25 (26, 27) years old.

Note that год is used with оди́н (1) and its compounds (except 11); го́да with 2, 3, 4 and their compounds (except 12, 13, 14); лет with 5-20, 25-30, etc., and with ско́лько "how many."

D. Numerals 50-100

Cardinals		Ordinals		
50	пятьдеся́т	пятидеся́тый,	-'ая, -'ое	50th
60	шестьдеся́т	шестидеся́тый,	-'ая, -'ое	60th
70	се́мьдесят	семидеся́тый,	-'ая, -'ое	70th
80	во́семьдесят	восьмидеся́тый,	-'ая, -'ое	80th
90	девяно́сто	девяно́стый,	-'ая, -'ое	90th
100	сто	со́тый,	-'ая, -'ое	100th

Note the position of the ь at the end of the first component part of the *cardinal* numbers 50-80 (inclusive). Note also the -и ending on the first component part of the *ordinals* 50-80 inclusive.

V. QUESTIONS

1. Изве́стно ли и́мя Льва́ Никола́евича Толсто́го всему́ ми́ру? 2. Кому́ бли́зки и до́роги ру́сские лю́ди его́ рома́нов? 3. Где роди́лся Толсто́й? 4. Изве́стна ли «Ясная Поля́на» все-

му́ ми́ру? 5. Что тепе́рь в «Ясной Поля́не»? 6. Отку́да приезжа́ют лю́ди в «Ясную Поля́ну»? 7. Когда́ умерла́ мать Толсто́го? 8. Когда́ у́мер его́ оте́ц? 9. Когда́ Толсто́й поступи́л в Каза́нский университе́т? 10. Почему́ Толсто́й не ко́нчил университе́та? 11. Где начала́сь литерату́рная де́ятельность Толсто́го? 12. Когда́ прие́хал Толсто́й в Петербу́рг? 13. Как он был при́нят знамени́тыми ру́сскими писа́телями? 14. Ездил ли Толсто́й за грани́цу? 15. Чем заня́лся Толсто́й по прие́зде в Росси́ю? 16. Что он сде́лал для крестья́н? 17. Когда́ Толсто́й жени́лся? 18. Чем начина́ет интересова́ться Толсто́й во второ́й полови́не свое́й жи́зни? 19. Чему́ отдаёт Толсто́й всё бо́льше вре́мени и эне́ргии? 20. Каку́ю рабо́ту он де́лал? 21. Когда́ ушёл Толсто́й из «Ясной Поля́ны»? 22. Где у́мер Толсто́й?

VI. GRAMMAR EXERCISES

Exercises with Grammar A

a. Give the correct forms of the verbs in parentheses and indicate their type (i. e. whether they are *indeterminate* or *determinate*), for example:

Я сего́дня (е́хать) в го́род: е́ду   *Determinate*

1. В дере́вне мы ча́сто (ходи́ть) купа́ться на о́зеро. 2. Мой това́рищ (е́хать) на вокза́л со свои́ми чемода́нами и сундука́ми. 3. На пра́здники он всегда́ (лета́ть) в Ленингра́д. 4. Ма́льчик (бе́гать) ка́ждый день в сосе́дний колхо́з. 5. Я сам (нести́) э́тот тяжёлый чемода́н. 6. Носи́льщик то́же (нести́) два чемода́на. 7. Он всегда́ сам (носи́ть) свои́ чемода́ны. 8. Мы ча́сто (пла́вать) в э́том о́зере. 9. Мужи́к (вести́) вчера́ свою́ ло́шадь в по́ле. 10. Мать (води́ть) свои́х дете́й в парк. 11. Крестья́не (вози́ть) се́но с по́ля. 12. На да́чу мы всегда́ (е́здить) на автомоби́ле.

b. Underline the verb which correctly completes the sentence, for example:

Сего́дня у́тром он идёт/хо́дит в шко́лу в во́семь часо́в.

1. Мой сын на́чал пла́вать/плыть, когда́ ему́ бы́ло три го́да. 2. Зимо́й ча́сто ходи́л/шёл снег. 3. За́втра мне ну́жно е́хать/е́здить в го́род за поку́пками. 4. Лете́ть/лета́ть большо́е удово́льствие. 5. Сего́дня у́тром на́ша дочь идёт/хо́дит пе́рвый раз в шко́лу. 6. Когда́ мы их встре́тили они́ ходи́ли/шли в кино́. 7. Она́ но́сит/несёт э́то кра́сное пла́тье ка́ждый день. 8. Я ношу́/несу́ из библиоте́ки о́чень интере́сную кни́гу. 9. Он во́зит/везёт всю семью́ за-грани́цу. 10. Я бу́ду е́хать/

éздить сюда́ ка́ждое ле́то. 11. На Рождество́ к нам всегда́ приду́т/прихо́дят го́сти. 12. Я вожу́/везу́ с собо́й то́лько одно́ пальто́. 13. Профе́ссор за́втра придёт/прихо́дит в университе́т ро́вно в два часа́. 14. Он всегда́ прие́дет/приезжа́ет ра́но у́тром. 15. В бу́дущем ме́сяце к нам приезжа́ет/прие́дет знамени́тый писа́тель. 16. Учи́тель ввёл/вводи́л меня́ в ко́мнату и показа́л мне ру́сские кни́ги.

c. From the Reading Exercise write out all "indeterminate" and "determinate" verbs as well as their derivatives, indicating the type and English meaning of the basic infinitive, for example:

приходи́ли, derived from   **ходи́ть**   Indeterminate "go, walk"
ввёл,   derived from   **вести́**   Determinate "lead"

Exercise with Grammar B

Supply the correct forms of the reciprocal pronoun друг дру́га:

1. Они́ прекра́сно понима́ли .... 2. Они́ всё гото́вы сде́лать ..... для ..... 3. Мы собира́лись в го́сти ..... к ..... 4. На вокза́ле мы до́лго иска́ли .... 5. Ма́льчики очеви́дно понра́вились .... 6. Эти знамени́тые фило́софы всегда́ спо́рят ..... с ..... 7. После́дние два ме́сяца мы ничего́ не зна́ем ..... о ..... 8. «Де́ти, люби́те .... ,» так учи́ла нас мать в де́тстве. 9. Мы ча́сто быва́ли ..... у ..... 10. Они́ не́ были знако́мы, но мно́го слы́шали ..... о ..... от до́ктора Че́хова.

Exercises with Grammar C and D

a. Read and/or write in Russian the following numerals:

3, 8, 13, 21, 37, 46, 52, 60, 69, 71, 84, 93, 59, 19, 90, 100, 17, 70, 33, 53, 66, 44, 51, 14, 94, 40, 15, 50, 85, 99, 27, 11, 12, 18, 80, 10, 29, 34, 20, 98.

b. Change the above cardinal numerals into their respective ordinals.

c. Translate the expressions in parentheses:

1. На рождество́ (my father will be 70 years old). 2. Ско́лько, вы ду́маете, ему́ лет, (55 or 60 [year])? 3. Я прие́хал в «Ясную Поля́ну», когда́ (I was 31 years old). 4. Зна́ете вы (how old he is)? 5. (He was 45 years old), когда́ он жени́лся. 6. Она́ не сказа́ла, что (she is 25 years old). 7. Че́рез ме́сяц (I will be 45). 8. Моя́ ба́бушка умерла́, когда́ (she was 92 years old). 9. Толсто́й поступи́л в университе́т, когда́ (he was 16 years old). 10. В бу́дущем году́ (my daughter will be 23 years old).

VII. TRANSLATION INTO RUSSIAN

A

1. Léo Nikoláyevich Tolstói was born at "Yásnaya Polyána." 2. "Yásnaya Polyána" is a very old estate near the city of Toóla. 3. It is now a famous museum. 4. To it (hither) come people from all the corners of Russia to see the home of one of [out of] the greatest Russian writers. 5. Tolstói has written many very famous books. 6. His most famous novels are "War and Peace" («Война и Мир») and "Anna Karénina." 7. Tolstóïs childhood was not a very happy one. 8. When he was only two years old, his mother died, and when he was eight, his father. 9. Tolstói entered the University of Kazan when he was sixteen. 10. But he soon joined the army and never finished the university. 11. When Tolstói was twenty-seven, he took a trip (drove) to St. Pétersburg, where he was received as an equal by Turgyényev and Nyekrásov. 12. Twice Tolstói went abroad. 13. At home on his estate, he introduced new methods of working the fields. 14. He opened a school and himself taught the children of his and neighboring villages. 15. He knew his peasants well and liked to carry on long conversations with them. 16. He went with them into the fields and himself carted off hay, chopped and carried wood. 17. Finally he left his estate and died in the house of the station-master of Astapovo station.

B

Every Easter my friends and I meet (each other) in the largest and most famous restaurant of our city, the "Zhar Ptitsa" (Firebird). 2. Some (некоторые) of my friends do not live in our city and have to come (arrive by vehicle) 50, 100, or even more miles, and some even fly in (arrive by plane). 3. Last year I, too, had to fly in and almost came too late to our meeting at the restaurant. 4. The restaurant "Zhar Ptitsa" is not only very famous but also very old; it is 85 years old. 5. Everybody knows it and everybody tells one another about its wonderful hors d'oeuvres, roast meats and wines. 6. I was thirteen when my father first took me to that restaurant. 7. Now I always go there when I want to eat especially well. 8. Of course, it is very expensive to eat there. 9. On Sundays a dinner costs 50 rubles and on holidays it may even cost 60 or 70 rubles. 10. On holidays, at Easter, the huge rooms of the restaurant are especially splendid. 11. Red, yellow, blue, and white flowers are on the tables; silver spoons, forks, and knives, and a whole forest of wine glasses are at each place; even the tablecloths seem whiter. 12. The ladies wear their most beautiful gowns (dresses) and everyone is especially happy and talks gayly with one another. 13. The proprietor knows us well; he meets us at the door. "Welcome (in)!" he says and leads us to our table. 14. Our table is huge, but there are 30 of us today and we do not have too much room. 15. The proprietor sees it, smiles (улыбáется), and says: " Crowded close, but congenial (not at variance)!" 16. And he is so right! Today we are (make) merry together and love one another like brothers. 17. We begin our dinner with the wonderful hors d'oeuvres and many glasses (рю́мок) of vodka, and with each glass we say to one another: "To your health, dear friends!" 18. After the hors d'oeuvres one brings [us] soup, meat pies, roast meats, and, finally, the dessert. 19. After the dinner we smoke splendid cigars or Russian cigarettes and some of us tell funny stories about one another or we speak about interesting events in our lives. 20. And there is so much to tell and time flies so fast! It is two o'clock in the morning when we finally say goodbye, wish one another a "Happy journey!" and promise each other to write soon and often.

VOCABULARY BUILDING

Verbs of *motion* with their characteristic prefixes. Remember that the distinction between *indeterminate* and *determinate* verbs is lost through prefixion. See Grammar A, 3 and 4 of the preceding lesson.

Imperfective	Perfective	English
	B = movement in; into:	
входи́ть	войти́	to go, come in
въезжа́ть	въе́хать	to ride, drive in
влета́ть	влете́ть	to fly in
	ВЫ = movement out of:	
выходи́ть	вы́йти	to go, come out
выезжа́ть	вы́ехать	to ride, drive out
вылета́ть	вы́лететь	to fly out

ДО = movement up to:

доходи́ть	дойти́	to go, come up to, reach
доезжа́ть	дое́хать	to ride, drive up to, reach
долета́ть	долете́ть	to fly up to, reach

ОБ; ОБО = movement around, encircling:

обходи́ть	обойти́	to go around, avoid, circle
объезжа́ть	объе́хать	to ride, drive around, avoid
облета́ть	облете́ть	to fly around, avoid

ОТ = movement away from:

отходи́ть	отойти́	to go, step away from
отъезжа́ть	отъе́хать	to drive off, ride away, leave
отлета́ть	отлете́ть	to fly away (depart by plane)

ПЕРЕ = movement over, across:

переходи́ть	перейти́	to go, come over, across
переезжа́ть	перее́хать	to drive, ride over, across
перелета́ть	перелете́ть	to fly over, across

ПРИ = movement to, toward (arrival):

приезжа́ть	прие́хать	to come, arrive (by vehicle)
прилета́ть	прилете́ть	to come, arrive (by plane)
приходи́ть	притти́	to come, arrive

ПРО = movement through, past:

проходи́ть	пройти́	to go through, pass
проезжа́ть	прое́хать	to ride, drive through
пролета́ть	пролете́ть	to fly through

РАЗ = movement apart (scatter):

разходи́ть	разойти́	to separate, come apart, undone
разъезжа́ть	разъе́хать	to drive in all direction, often
разлета́ть	разлете́ть	to fly apart, explode

У = movement away from (departure, removal):

уходи́ться	уйти́сь	to go, come away, leave
уезжа́ться	уе́хаться	to drive, ride away, depart
улета́ться	улете́ться	to fly away (depart by plane)

Prefixing is, of course, not limited to verbs of *motion*, as can be observed in the following *additional reading unit.*

ADDITIONAL READING MATERIAL

With emphasis on verb-PREFIXES. The change in the basic meaning of the verb produced by such prefixion is indicated by means of the parenthesized literal translations. Notice the use of prepositions in addition to the prefix whenever the literal, rather than the derived meaning of an action is conveyed. Notice also that the prefix and the preposition used are often identical (дописать . . . до) but even when different in form they emphasize and supplement the meaning of the prefix (выйти . . . из).

ПИСЬМО БОРИСУ

Сегóдя вéчером я наконéц **за**кóнчил (finished completely) письмó Борúсу. Письмó **вы**шло (came out) длúнным. Я **ис**писáл (wrote out, i. e. used up writing) шесть листóв бумáги.

Как быстро **про**летéло (flew through, away) врéмя! Борúс и я учúлись вмéсте в университéте. Мы срáзу-же **со**шлúсь (came together) харáктерами и стáли друзьями. Когдá мы **о**кóнчили (finished completely) университéт, все нáши товáрищи **разъ**éхались (drove apart) **по** рáзным городáм; я сам **пере**éхал (drove over) **из** Чикáго **в** Нью-Йóрк, а Борúс **у**éхал (drove away) **за** гранúцу.

Нéкоторое врéмя мы с ним **пере**пúсывались (wrote back and forth), а потóм, сам не знáю как это **произо**шлó (went through/out: happened), перепúска нáша кóнчилась. Это конéчно мóжно было **пред**сказáть (tell before; predict): молодёжь всегдá быстро **с**хóдится (comes together), но тáкже быстро и **рас**хóдится (goes apart).

Прошлó (went through: passed) мнóго лет. Но вот, на прóшлой недéле я **про**смáтривал (looked through) журнáл «Америкáнский Инженéр» и увúдел там фотогрáфию Борúса. Мне **за**хотéлось (began to want: got the urge) **на**писáть (completion stressed) емý и **на**пóмнить (call to/on [на] his memory) весёлые дни нáшей мóлодости. Я писáл это письмó почтú цéлую недéлю; нéсколько раз егó **пере**пúсывал (wrote over), дóлго не мог **до**писáть (write to/up to) **до** концá и тóлько сегóдня, наконéц, я **при**писáл (wrote in addition) ещё нéсколько слов, **под**писáл (wrote under: signed) и сейчáс готóв был пойтú на пóчту **от**прáвить (direct away: send off) письмó.

Пóчта не óчень далекó от моегó дóма. Когдá **вы**йдешь (go out) **из** дóма, нáдо срáзу же **пере**йтú (go across) **чéрез** мост, **про**йтú (go through) нéсколько ýлиц, повернýть напрáво, **до**йтú (go up to) **до** небольшóй плóщади, **об**ойтú (go around, circle it) её, **вы́йти** (go out) **на** бульва́р, **пройти́** (go through) **по** бульва́ру **до** но́вого городско́го го́спиталя, **зайти́** (go behind) **за** у́гол э́того зда́ния и че́рез не́сколько мину́т вы уже́ **подходи́ли** (walk under!/up to) **к** зда́нию по́чты!

Коне́чно тепе́рь ма́ло кто лю́бит ходи́ть пешко́м. Для меня́ э́то большо́е удово́льствие, а все смею́тся надо мно́й, что я челове́к 18-ого ве́ка и не **доро́с** (grow [up] to) ещё **до** 20-ого ве́ка! — Сме́йтесь, сме́йтесь, — отвеча́ю я им всегда́. — «Хорошо́ смеётся тот, кто смеётся после́дний!» Посмо́трим кто из нас **дожи́вёт** (lives up to) **до** 21-ого ве́ка, вы и́ли я! —

ДВАДЦАТЬ ШЕСТОЙ УРОК

TWENTY-SIXTH LESSON

Declension and use of óба, óбе "both" — Cardinals and ordinals, 100-1 million; declension of cardinals; approximation; addition, subtraction, multiplication, division; collective numerals — Prepositions: review and supplement

I. COMMON EXPRESSIONS AND IDIOMS

На я́коре	At anchor
Взду́мали пла́вать на перегонки́	Took it into their heads to swim a race
Не выдава́й!	Don't give up!
Понату́жься!	Pull yourself together; try hard!
Бле́дный как полотно́	As white as a sheet (*Lit.*: pale as linen cloth)
Сорва́ться с ме́ста	To dash off (*Lit.*: to tear oneself from the spot)
Понесли́сь, что бы́ло си́лы	Raced off at top speed
Оди́н из них огляну́лся.	One of them looked back.
Как бу́дто	As if
Ско́лько нас ни́ было	As many as there were of us, i. e. all of us
За́мерли от стра́ха.	We were stunned with fear.
Разда́лся вы́стрел.	A shot resounded, was heard.
Что сде́лалось с...	What happened to...

II. READING EXERCISE

АКУЛА

Adapted from Tolstói's short story "The Shark"

Наш кора́бль стоя́л **на я́коре у бе́рега** Африки. День был прекра́сный; **с мо́ря** дул све́жий ве́тер, но **к ве́черу** пого́да измени́лась, ста́ло ду́шно.

Пе́ред зака́том со́лнца капита́н вы́шел **на па́лубу**, крикнул: «Купа́ться!», и в одну́ мину́ту матро́сы попры́гали в во́ду, спусти́ли в во́ду па́рус и в па́русе устро́или купа́льню.

На корабле́ с на́ми бы́ли два ма́льчика. Ма́льчики пе́рвые попры́гали в во́ду, но им те́сно бы́ло **в па́русе,** и они́ **взду́мали пла́вать на перегонки́ в откры́том мо́ре.**

Оди́н ма́льчик снача́ла перегна́л това́рища, но пото́м **стал** отстава́ть. Оте́ц ма́льчика, ста́рый артиллери́ст, стоя́л **на па́лубе** и любова́лся **на своего́ сы́на.** Когда́ сын стал отстава́ть, оте́ц кри́кнул ему́: **«Не выдава́й! Понату́жься!»**

Вдруг с па́лубы кри́кнули: «Аку́ла!» — и все мы уви́дели **в воде́** спи́ну морско́го чудо́вища[1].

Аку́ла плыла́ пря́мо **на ма́льчиков**[2].

«Наза́д! Наза́д! Аку́ла!» — закрича́л артиллери́ст. Но ребя́та не слы́шали его́, плы́ли да́льше, смея́лись и крича́ли ещё веселе́е и гро́мче пре́жнего.

Артиллери́ст, **бле́дный как полотно́,** смотре́л **на дете́й.**

Матро́сы спусти́ли ло́дку, бро́сились **в неё и понесли́сь, что бы́ло си́лы, к ма́льчикам;** но они́ бы́ли ещё далеко́ **от них,** когда́ аку́ла была́ не да́льше **двадцати́ шаго́в.**

Ма́льчики снача́ла не слы́шали того́, что им крича́ли, и не ви́дели аку́лы; но пото́м **оди́н из них огляну́лся,** и мы все услы́шали пронзи́тельный визг, и ма́льчики поплы́ли **в ра́зные сто́роны.**

Визг э́тот **как бу́дто** разбуди́л артиллери́ста. Он **сорва́лся с ме́ста** и побежа́л **к пу́шкам.**

Мы все, **ско́лько нас ни́ было на корабле́, за́мерли от стра́ха** и жда́ли, что бу́дет.

Разда́лся вы́стрел и мы уви́дели, что артиллери́ст упа́л **по́дле пу́шки** и закры́л лицо́ рука́ми. **Что сде́лалось с аку́лой и с ма́льчиками,** мы не ви́дели, потому́ что **на мину́ту** дым застла́л нам глаза́.[3] Но когда́ дым разошёлся **над водо́й, со всех сторо́н** разда́лся гро́мкий, ра́достный крик. Ста́рый артиллери́ст откры́л лицо́, подня́лся и посмотре́л **на́ море.**

По волна́м колыха́лось жёлтое брю́хо[4] мёртвой аку́лы. **В не́сколько мину́т** ло́дка подплыла́[5] **к ма́льчикам** и привезла́ их **на кора́бль.**

---

[1] Морско́го чудо́вища genitive singular of морско́е чудо́вище "sea monster."

[2] Пря́мо на ма́льчиков. "Straight toward the boys."

[3] Дым застла́л нам глаза́. "The smoke obstructed our vision."

[4] "The yellow belly (of the dead shark) was floating (bobbing) (on the waves)": колыха́лось "was floating, bobbing"; брю́хо "belly."

[5] Подплыла́. "Swam up to, reached."

III. VOCABULARY

акула	shark	назад	back
артиллерист	artillery man	палуба	deck
ветер (†е)	wind	парус	sail
волна	wave	пронзительный,	piercing
громкий,	loud	-ая, -ое	
-'ая, -'ое		пушка (е)	gun, cannon
громче	louder	радостный,	happy, joyous
душно (adv.)	stifling	-ая, -ое	
душный	stifling	сутки (о) (pl.)	24 hours,
-'ая, -'ое			night and day
закат (солнца)	sunset	сторона	side
капитан	captain	тесно	confining, close,
корабль (m.)	ship		crowded
купальня (е)	swimming pool	шаг	step, pace
матрос	sailor		

Verbs

Imperfective	Perfective	English
бросаться (I)	броситься; брошусь, броснишься, бросятся	to dash, rush, throw oneself
дуть; дую, дуешь, дуют	подуть (дуть)	to blow
кричать; кричу, кричишь, кричат	закричать (кричать) *or* крикнуть (I)	I. to shout P. to cry out
отставать; отстаю, отстаёшь, отстают	отстать; отстану, отстанешь, отстанут	to fall (lag) behind
падать (I)	упасть; упаду, упадёшь, упадут упал, упала, упали	to fall (down)
подходить (ходить)	подойти (идти)	to approach, come up
привозить (возить)	привезти (везти)	to bring (by vehicle), import

Imperfective	Perfective	English
прекраща́ться (I)	прекрати́ться; прекращу́сь, прекрати́шься, прекратя́тся	to stop, end
пры́гать (I)	попры́гать (I) пры́гнуть (I)	to jump, dive
расходи́ться (ходи́ть)	разойти́сь (идти́)	to part, go apart, scatter
спуска́ть	спусти́ть; спущу́, спу́стишь, спу́стят	to lower, let down
устра́ивать (I)	устро́ить (II)	to make, construct

IV. GRAMMAR

A. Full declension and use of о́ба, о́бе "both"

	Masc. and Neut.	Fem.
Nom.	о́ба	о́бе
Gen.	обо́их	обе́их
Dat.	обо́им	обе́им
Acc.	N. or G.	N. or G.
Instr.	обо́ими	обе́ими
Prep.	обо́их	обе́их

О́ба is used with *masculine* and *neuter* nouns; о́бе with *feminine* nouns.

О́ба and о́бе are followed by the *genitive singular* of the *noun* and by the *nominative* (or genitive) *plural* of the *adjective:*

Оба но́вые (or но́вых) стола́   Both new tables
Обе молоды́е (молоды́х) же́нщины   Both young women

In oblique cases (i.e. cases other than the nominative) both the noun and adjective agree in case with о́ба and о́бе: Обо́их но́вых столо́в; обе́их молоды́х же́нщин; etc.

B. Numerals

1. *Declension of cardinal numerals*:[1]

a. Declension of два, две; три; четыре:

Nom.	два, две	три	четы́ре
Gen.	двух	трёх	четырёх
Dat.	двум	трём	четырём
Acc.	N. or G.	N. or G.	N. or G.
Instr.	двумя́	тремя́	четырьмя́
Prep.	двух	трёх	четырёх

b. Declension of the numerals 5 - 19, 20 and 30:

Nom.	пять	во́семь
Gen.	пяти́	восьми́
Dat.	пяти́	восьми́
Acc.	пять	восемь
Instr.	пятью́	восьмью́
Prep.	пяти́	восьми́

Like пять (5) are declined 6 - 19, 20 and 30. However, in the declension of numerals 11 - 19 inclusive, the stress remains on the same syllable as in the nominative, while with the other numbers (6 - 10, 20, 30) the stress moves to the endings. Note that пять is declined exactly like дверь.

c. In all compound numerals (21, 22, 33, 34, etc.) each of the numerals is declined:

Nom.	два́дцать три	три́дцать шесть
Gen.	двадцати́ трёх	тридцати́ шести́
Dat.	двадцати́ трём	тридцати́ шести́
Acc.	два́дцать три	три́дцать шесть
Instr.	двадцатью́ тремя́	тридцатью́ шестью́
Prep.	двадцати́ трёх	тридцати́ шести́

d. Declension of the numerals 50, 60, 70, 80:

Nom.	пятьдеся́т	
Gen.	пяти́десяти	60, 70, 80 are declined
Dat.	пяти́десяти	
Acc.	пятьдеся́т	exactly like 50
Instr.	пятью́десятью	
Prep.	пяти́десяти[2]	

---

[1] For a complete listing of cardinal and ordinal numerals see Appendix p. 327.

[2] Note that both component parts of the number (пять and де́сять) are declined like пять, with the accent shifting to the inflectional endings of the first component.

e. Declension of 40, 90, 100:

Nom.	сóрок	девянóсто	сто
Gen.	сорокá	девянóста	ста
Dat.	сорокá	девянóста	ста
Acc.	сóрок	девянóсто	сто
Instr.	сорокá	девянóста	ста
Prep.	сорокá	девянóста	ста

f. Declension of multiples of a hundred (200, 300, etc.):[1]

двéсти, двухсóт, двумстáм, двéсти, двумястáми, двухстáх

пятьсóт, пятисóт, пятистáм, пятьсóт, пятьюстáми, пятистáх

g. Тысяча (1000) and миллиóн (1,000,000) are declined like regular nouns, тысяча like кóмната,[2] and миллиóн like стол.

2. *Rule of case requirement after the cardinal numerals when declined:*[3]

When a cardinal numeral appears in any but the nominative case (or the accusative when that case is like the nominative), then the following *adjectives* and *nouns* appear in the same case as the numeral, but *always* in the *plural*.

Из одиннадцати интерéсных книг, я купил однý.
Out of eleven interesting books, I bought one.

Я дал эти книги моим двум бéдным друзьям.
I gave these books to my two poor friends.

3. *Addition, subtraction, multiplication, division:*[4]

$5+6=11$	Пять плюс шесть равняется (равнó) одиннадцати (dative)!
$10-8=2$	Дéсять минус вóсемь равняется (равнó) двум.
$7 \times 3=21$	Семь помнóженное на три равняется двадцати одномý.
$10 \div 2=5$	Дéсять разделённое на два равняется пяти.

---

[1] In the declension of multiples of a hundred, the nominative and accusative are alike; in the other cases the two component parts are declined according to their respective declensions, сто being declined in the *plural*.

[2] Taking proper account of vowel-mutation rules.

[3] For a summary of these rules, see Appendix pp. 328-329.

[4] *Approximation is expressed:*
a. By placing the number after the noun:
  Емý лет двáдцать.   He is about 20 years old.
b. By the preposition óколо (+ Gen.):
  Óколо вóсьми часóв.   It is about 8 o'clock.

4. *Collective numerals*:[1]

| 2 (*Lit.*: twosome) | двóе | 4 | чéтверо | 6 | шéстеро |
| 3 (*Lit.*: threesome) | трóе | 5 | пя́теро | 100 | сóтня |

C. Prepositions (review and supplement)

1. По with the *dative* expresses:

Motion "on" "along"	Он шёл по у́лице.	He went along the street.
Time of recurrent action	Он рабóтал по вечерáм.	He worked evenings.
Distribution	Он дал кáждому по кни́ге.	He gave each one a book.

2. Пóдле with the *genitive* expresses "near, alongside":

| Артиллери́ст упáл пóдле пу́шки. | The gunner fell alongside the gun. |

3. При with the *prepositional* expresses "in the presence of, at": Он при мне э́то сдéлал.　　He did it in my presence.

4. Из with the *genitive* expresses origin:

| Лóжка из серебрá, из дéрева | A spoon (made) of silver, of wood |
| Он из крестья́н. | He has peasant ancestry. |

5. К (ко) with the *dative* renders "toward" in time expressions: К утру́ "toward morning," к вéчеру "toward evening."

6. От with the *genitive* expresses:

Place:	Мы далекó от Москвы́.	We are far from Moscow.
Time:	От ию́ня до ию́ля	From June to July.
Cause:	Он страдáл от головнóй бóли.	He suffered from headache.

---

[1] These collective numerals are used mainly in reference to animate nouns and nouns that have only a plural form (часы́ "clock," су́тки "24 hours"):

Двóе детéй	Two children	Трóе часóв	Three clocks
Нас бы́ло чéтверо.		There were four of us.
Их бы́ло сóтня.		There were a hundred of them.

Note that these numbers call for the *genitive plural* of the noun or pronoun.

V. QUESTIONS

1. Где стоял наш корабль? 2. Какой был день? 3. Изменилась ли погода к вечеру? 4. Что крикнул капитан, когда он вышел на палубу? 5. Что спустили матросы в воду? 6. Что они устроили в парусе? 7. Кто был с нами на корабле? 8. Почему мальчикам не понравилось плавать в купальне? 9. Что они вздумали делать? 10. Кто был отец одного из мальчиков? 11. Что крикнул ему отец, когда мальчик стал отставать? 12. Что крикнули с палубы? 13. Что мы все увидели в воде? 14. Что закричал мальчикам старый артиллерист? 15. Слышали ли его ребята? 16. Что они делали? 17. Что сделали матросы? 18. Кто был ближе к мальчикам, акула или матросы? 19. Как далеко была акула от мальчиков? 20. Видели ли мальчики акулу? 21. Кто оглянулся? 22. Что сделали мальчики? 23. Разбудил этот визг артиллериста? 24. Куда он побежал? 25. Что мы увидели, когда раздался выстрел? 26. Почему мы не видели, что сделалось с акулой, ... с мальчиками? 27. Когда раздался со всех сторон громкий, радостный крик? 28. Почему раздался радостный крик? 29. Быстро ли подплыла лодка к мальчикам? 30. Куда она их привезла?

VI. GRAMMAR EXERCISES

Exercise with Grammar A

Supply correct forms of the pronouns **оба, обе:**

1. Я знаю ..... языка: английский и русский. 2. Громкий крик разбудил их ..... 3. Капитан крикнул им ....., «Не отставайте!» 4. Мать была довольна ..... дочерьми. 5. Я буду ужинать завтра с ..... братьями. 6. В ..... квартирах нет хорошей обстановки. 7. ..... новых журнала у меня. 8. Мне нравятся ..... жёлтые скатерти. 9. Мы знаем об ..... старинных музеях в вашем городе. 10. К ..... нашим соседкам приехали гости.

Exercises with Grammar B

a. Read and/or write the following numerals:

1,356; 1,401; 2,578; 3,784; 4,963; 5,555; 6,765; 10,000; 125,000; 500,000; 1,200,345; 3,094,912; 5,750,420; 8,900,002.

b. Supply the correct case forms of the numerals in parentheses:

Мы устроили (2) купальни на нашем озере. 2. Ему ещё нет (4) лет. 3. Я буду дома к (8) часам. 4. На Красной площади я встретил (2) англичан. 5 Я увижу вас завтра утром между (7) и (8) часами. 6. Перед (15) усталыми матросами стоял капитан. 7. Профессор занимается с (20) студентами.

8. В э́той дере́вне о́коло (23) изб. 9. Тут на заво́де от (200)
до (300) рабо́чих. 10. Из (100) крестья́н то́лько (60) име́ли
свои́х лошаде́й. 11. Моя́ ко́мната в гости́нице на (19) этаже́.
12. В рестора́не, где я всегда́ обе́даю, быва́ет (200) челове́к
в день. 13. В на́шем университе́те есть ме́сто для (1,000)
студе́нтов. 14. В библиоте́ке бо́льше (1,000,000) ста́рых книг.

c. Supply the correct collective numerals:

1. У него́ (3) дете́й. 2. Я пригласи́л (4) това́рищей.
3. Она́ купи́ла (100) я́блок. 4. Нас бы́ло (5) в ко́мнате. 5. У
меня́ (2) но́вых часо́в и все они́ отстаю́т.

d. Read and/or write the following in Russian:

1. $92 + 33 = 125$ 3. $168 - 50 = 118$ 5. $150 \div 2 = 75$
2. $144 + 1{,}220 = 1{,}364$ 4. $10{,}000 - 600 = 9{,}400$ 6. $5 \times 5 = 25$

Exercises with Grammar C

a. From the Reading Exercise write out all prepositional phrases,
giving their case and English meaning (41 forms in all).

b. Supply the prepositions из, от, по́дле, с, у according to the
meaning of the sentence, and supply endings wherever necessary:

1. Наш дире́ктор привёз прекра́сный ковёр ..... Кавка́з—.
2. Утром дул све́жий ве́тер ..... восто́к—. 3. Ребёнок закри-
ча́л и бро́сился бежа́ть ..... милиционе́р—. 4. Вчера́ мы
привезли́ све́жие цветы́ ..... дере́вн—. 5. Она́ сняла́ бе́лую
ска́терть ..... стол—'. 6. На про́шлой неде́ле мы получи́ли
письмо́ ..... дя́д—. 7. Я встре́чу вас за́втра ..... на́шего
дру́г—. 8. Артиллеpи́ст упа́л ..... пу́шки. 9. Он закрича́л .....
бо́ли. 10. Мы все за́мерли ..... стра́ха.

c. Translate the prepositions or phrases in parentheses:

1. Дождь начался́ то́лько (toward) ве́черу. 2. (Two hours
before) его́ отъе́зда он уложи́л ве́щи и пое́хал (to) вокза́л.
3. Наш дом стоя́л (on) берегу́ реки́. 4. Он просто́й челове́к,
(from among) крестья́н. 5. Капита́н ходи́л (along) па́лубе.
6. Мы быва́ем в библиоте́ке (on) понеде́льникам. 7. Мы
хо́дим туда́ (for) кни́гами. 8. (In his presence) он всегда́ сни-
ма́ет шля́пу. 9. Возьми́те кни́гу (from) стола́! 10. Это да́же
(for) нас но́вость. 11. (Besides) меня́ на корабле́ был ещё
оди́н ма́льчик мои́х лет. 12. (Within) год вы хорошо́ бу́дете
говори́ть по-ру́сски. 13. Я сиде́л (near) э́того окна́. 14. (Behind)
на́шей шко́лой краси́вое де́рево, а (under) де́ревом стол и
удо́бные сту́лья.

VII.   TRANSLATION INTO RUSSIAN

A

Adapted from Tolstóĭ's short story "The Shark"

1. It was a stifling evening. 2. The sailors on our ship had lowered a sail into the water and had constructed a. swimming pool. 3. We jumped into the water and swam in this pool. 4. But two boys took it into their heads to swim in the open sea. 5. For both it was confining in the sail. 6. Suddenly they shouted from the deck, "A shark! Turn back! Come back!" 7. But the boys did not hear the shouting. 8. The shark swam straight for the boys. 9. The father of one of the boys, an old artillery officer, was watching them. 10. He was stunned with fear and white as a sheet. 11. The shark was no further than fifty paces from the boys. 12. It was twenty-five paces from them when they finally saw it. 12. We heard a piercing shriek. 14. The shriek seemed to awaken the artillery officer. 15. He dashed to the cannon. 16. A shot resounded. 17. When the smoke over the water had scattered, we saw the dead shark on the waves. 18. From all sides resounded loud, happy shouts. 19. In a few minutes a boat had brought the boys to the ship.

B

1. The name of the author of the little story about the shark is known in America just as well as it is in Russia; in both countries everyone reads his famous novels, especially *Anna Karénina* and *War and Peace*. 2. Léo Nikoláevich Tolstóĭ was born in Russia at the ancient estate of Yásnaya Polyána near the famous city [of] Toóla. 3. His family was wealthy, but Tolstóĭ's life was not an easy one. 4. His father and mother both died when the boy was still very young—his mother in his second, his father in his eighth, year. 5. At 16 (in his 16th year) Tolstóĭ enrolled in the Kazán University and then enlisted in the army. 6 Soon he began to think about the social and economic problems in the Russia of his time. 7. He saw the difficult situation of the peasants so clearly that it could seem that he himself was of peasant stock (had peasant ancestry). 8. He loved his peasants, often met with them under a big tree in his garden, and there carried on long conversations with them. 9. In his presence the peasants were not afraid to tell all about their difficult life. 10. Tolstóĭ introduced new methods of tilling the soil (of field-work) and himself went with the peasants into the forests and fields.

11. He helped his peasants bring in (cart in) the [grain] harvest and the hay, and chop and carry in the wood. 12. He opened a school not only for the children of his own peasants but also for the children from neighboring villages. 13. He taught them himself, told them such little stories as the one (that) about the shark. 14. Sometimes he asked (put: задавáл) such easy questions as: "How far is it from Yásnaya Polyána to the city [of] Toóla?" or even such a simple one as: "Is this table of gold, silver or wood?" 15. But sometimes he also asked more difficult questions: "How much is four plus seven?" or "How much is thirteen minus five?" or even "How much is fifteen multiplied by eight?" and "eighteen divided by six?" 16. The cleverest of the boys were very happy when they could answer: "Fifteen multiplied by eight equals 120" and "eighteen divided by six equals three". 17. But Tolstóĭ did not only teach the boys in his little school. 18. From the four corners (ends) of the world, from east and west, from north and south, people came to talk with Tolstóĭ about problems of religion, ethics, and education. 19. For Tolstóĭ was not only one of the greatest writers of all times, but also a great philosopher and a deeply religious (религиóзный) man.

ДВАДЦАТЬ СЕДЬМОЙ УРОК

TWENTY-SEVENTH LESSON

Suffixes -то, -нибудь; *prefix* ни — *Subjunctive*: *unreal condition; tense sequence* — *Date expressions*

I. COMMON EXPRESSIONS AND IDIOMS

Повисли над городом	Hovered (*Lit.*: hung) over the city
На самом деле	Really, as a matter of fact
Именно...	Just, the very
Всё таки	Nevertheless, yet
Всё обстоит благополучно	All is well
Стоит только выполнить	It's merely a matter of carrying out, fulfilling
Успех несомненно обеспечен	Success is unquestionably assured.
Чтобы понять	In order to understand
Тыловые части	Rear units
Бремя это непосильно.	That (is) an excessive burden, assignment.

II. READING EXERCISE

СТАЛИНГРАДСКОЕ СРАЖЕНИЕ

Adapted from K. Símonov's *Days and Nights*

В душный августовский день, бомбардировщики воздушной эскадры Рихтгофена[1] с утра **повисли над городом.** **Никто** не знал, сколько их было **на самом деле,** но за день наблюдатели насчитали над городом две тысячи самолётов.

Город горел. Он горел ночь, весь следующий день и всю следующую ночь. В первый день пожара бой шли ещё около шестидесяти километров от города, но **именно** с этого пожара началось большое Сталинградское сражение.

На третий день, пожар в Сталиграде начал стихать, но город был так огромен, что **где-нибудь** всё равно всегда **что-то** горело.

---

[1] Richthofen's flying squadron. Richthofen, a flying ace (**German**) of the first World War.

На деся́тые су́тки, по́сле нача́ла пожа́ра не́мцы подошли́ так бли́зко, что их снаря́ды и ми́ны ста́ли всё ча́ще разрыва́ться не то́лько на окра́инах, но и в це́нтре го́рода.

На два́дцать пе́рвые су́тки канона́да начала́сь в семь утра́ и не прекраща́лась до зака́та.

Если кто́-нибудь попа́л бы в штаб а́рмии в э́ти дни, **то ему́ бы показа́лось**, что **всё обстои́т благополу́чно. Если** он **посмотре́л бы** на шта́бную ка́рту го́рода, **то** он **уви́дел бы** на ней большо́е коли́чество диви́зий и брига́д. Он **мог бы** услы́шать приказа́ния, кото́рые отдава́ли **по телефо́ну** команди́ры э́тих диви́зий и брига́д. Ему́ **могло́ бы** показа́ться, что **сто́ит то́лько вы́полнить** э́ти приказа́ния и **успе́х несомне́нно обеспе́чен.**

Но **что́бы** действи́тельно **поня́ть**, что происходи́ло, ну́жно **бы́ло бы добра́ться** до са́мых диви́зий.

В после́дние дни в шта́бах а́рмии и **тыловы́х частя́х** взя́ли всех, кто не был там действи́тельно необходи́м.

Телефони́сты, повара́, хи́мики ста́ли пехо́той. Когда́ нача́льник шта́ба а́рмии смотре́л на шта́бную ка́рту, он коне́чно знал, что не́которые его́ диви́зии уже́ не диви́зии. Но он попре́жнему тре́бовал, что́бы на их пле́чи па́дала и́менно та вое́нная зада́ча, кото́рая должна́ па́дать на пле́чи диви́зии.

Все нача́льники от са́мых больши́х до са́мых ма́лых[1] зна́ли, что **бре́мя э́то непоси́льно**, и всё-таки они́ кла́ли э́то непоси́льное бре́мя на пле́чи свои́х подчинённых. **Друго́го вы́хода не́ было**, а воева́ть попре́жнему бы́ло необходи́мо.

III. VOCABULARY

а́вгустовский, -ая, -ое	August (adj.)	киломе́тр	kilometer
а́рмия	army	коли́чество	quantity, number
бой	battle	кома́нди́р	commander
бомбарди́ро́вщик	{ gunner { bombing plane	ми́на	mine, mortar shell
брига́да	brigade	наблюда́тель (m.)	observer
вое́нный, -'ая, -'ое	military	не́мец (†е)	German
вы́ход	way out, exit	необходи́мый, -'ая, -'ое; -о	necessary, indispensable
действи́тельно	really	окра́ина	outskirts
диви́зия	division	пехо́та	infantry
канона́да	cannonading	по́вар	cook

---

[1] **Ма́лых** genitive plural of **ма́лый**: **ма́ленький** "small." **Here "of low rank."**

подчинённый,	subordinate	следующий,	following
-'ая, -'ое		-ая, -ее	
пожа́р	conflagration, fire	снаря́д	shell
		сраже́ние	battle
попре́жнему	as before	хи́мик	chemist
приказа́ние	order, command	штаб	staff, head-
		шта́бный,	quarters
самолёт	airplane	-'ая, -'ое (adj.)	

Verbs

Imperfective	Perfective	English
воева́ть; вою́ю, вою́ешь, вою́ют	повоева́ть (воева́ть)	to fight, wage war
выполня́ть (I)	вы́полнить; вы́полню, вы́полнишь; вы́полнят	to fulfill, carry out
горе́ть; горю́ гори́шь, горя́т	сгоре́ть (горе́ть)	I. to burn; P. burn up
добира́ться (I)	добра́ться; доберу́сь, добере́шься, доберу́тся	to reach, get to
насчи́тывать (I)	насчита́ть (I)	to count
происходи́ть (ходи́ть)	произойти́ (уйти́)	to happen, take place
разрыва́ться (I)	разорва́ться; разорву́сь, разорве́шься, разорву́тся	to burst, tear, explode
стиха́ть (I)	сти́хнуть; сти́хну, сти́хнешь, сти́хнут	to abate, quiet down, subside
тре́бовать; тре́бую, тре́буешь, тре́буют	потре́бовать (тре́бовать)	to demand

IV. GRAMMAR

A. Pronouns

1. The *indefinite* pronoun is obtained by attaching the
endings -то or -нибудь to кто and что (and to their declensional forms):[1]

---

[1] There are other methods, but their discussion would exceed a
basic course such as this.

| кто́-то | someone | кто́-нибудь | anyone |
| что́-то | something | что́-нибудь | anything |

| кого́-то | of someone | кого́-нибудь | of anyone |
| чего́-то | of something | чего́-нибудь | of anything, etc. |

Of the two endings, -то conveys a greater degree of *certainty* and *definitiveness* and is therefore best rendered by *some*one, *some*thing. -нибудь, conveying *complete indefiniteness* and *generality* is usually rendered by *any*one, *any*thing. Notice however that in Russian нибудь is often used where in English we use "someone" or "something." It is used most frequently in the future and question form:

Кто́-нибудь бу́дет там.	Someone will be there.
Был кто́-нибудь там?	Was anyone (someone) there?
Да, кто́-то был, но не зна́ю кто.	Yes, someone was there, but I do not know (exactly) who.
Занима́лся он че́м-нибудь?	Was he busy with anything (something)?
Он че́м-то был за́нят.	He was busy (occupied) with something.

These suffixes can also be attached to certain pronoun-adjectives and adverbs:

како́й-то	some kind of	како́й-нибудь	any kind of
где́-то	somewhere, some place	где́-нибудь	anywhere, any place
куда́-то	to somewhere, some place	куда́-нибудь	to anywhere, any place
когда́-то	once upon a time, some time	когда́-нибудь	any time at all, any time

2. *Negative* pronouns are formed by prefixing ни-:

Никто́ меня не зна́ет.	Nobody knows me.
Ничто́ не помогло́.	Nothing did any good. (*Lit.*: Nothing helped.)
Я никого́ не зна́ю.	I don't know anyone.
Он никому́ ничего́ не дал.	He did not give anyone anything.
Она́ ни с кем не знако́ма.	She knows no one.
Он ни о ком не говори́т.	He speaks of no one.

Note the double negative: никто́ ..... не; ничто́ ..... не; никого́ ..... не, etc.

Ни- can also be prefixed to certain pronoun-adjectives and adverbs:

Он не читáет **никакúх газéт**	He reads no newspapers whatever
Никогдá я не пойдý к ним	I shall never go to them
Я **нигдé** нé был сегóдня	I have not been anywhere today

B. The subjunctive[1]

1. *Formation of the subjunctive*:

The subjunctive is formed by combining the *past* tense of the verb (of either aspect) with the particle **бы** (or its contracted form **б**):

Я **читáл бы.**	I should read.
Онá **бы писáла.**	She would write, etc.

2. *Use of the subjunctive in unreal condition*:

There are in Russian, as in English, two types of conditional sentences, those expressing a *real* condition and those expressing an *unreal* or *contrary to fact* condition. Both types consist of a "conditional" or "if" clause and a "result" clause.

a. The *real* condition expresses a situation (or "condition") which is *actual* or at least possible in the present, past, or future. In this type of conditional sentence the verb will always be in the *indicative*, no matter what the tense. The conjunction "if" is generally rendered by **éсли**:[2]

Present **Éсли** дождь **идёт, то** он дóма.
If it is raining, he is at home.

Past Егó нé было там, **éсли** вы его не **вúдели.**
He was not there if you did not see him.

Future Мы бýдем óчень рáды, **éсли** вы **придёте.**
We shall be very happy if you come.

---

[1] In Russian the subjunctive mood is identical in form with the conditional.

[2] The conjunctions **раз** and **когдá** are sometimes used. There are still other ways of introducing a conditional clause (imperative, infinitive) but their discussion would exceed the limits of a basic course such as this.

b. The *unreal* condition implies that a result would take place *if* a certain condition could or would be fulfilled, but that the condition could not be or was not fulfilled. Such a sentence may also express the wish that something would occur in the future. This type of sentence is *always* rendered by the use of the *subjunctive* in both clauses, that is, by the use of the *past* verb with бы (б), which is generally introduced directly after the verb in the result clause and after "если" in the conditional clause:

Он был бы до́ма, е́сли бы шёл дождь.

{ He would be at home if it were raining.
{ He would have been at home if it had rained.[1]

Мы бы́ли бы о́чень ра́ды, е́слиб вы пришли́.

{ We would be very happy if you would come.
{ We would have been very happy if you had come.[1]

The sequence of clauses can be reversed. In this case the conjunction то may be used to introduce the result clause:

Если бы шёл дождь, **то** он был бы до́ма.
Е́слиб вы пришли́, мы бы́ли бы о́чень ра́ды.

Note: It is very important to distinguish between the true conditional "would" and the "would" used in an indirect statement after a principal (or introductory) verb in the past tense:

(a) He *would read* if he could. (b) She said that she *would read*.

In sentence (a) we have a true conditional "would":

Он чита́л бы, е́сли бы мог.

In sentence (b) "would" stands for "shall" of the corresponding direct statement (She said: "I shall read."), in accordance with the rules of *tense sequence* which apply in English. In Russian, however, there is *no tense sequence* and the "would" of the English sentence is therefore rendered by the *future* tense:

Она́ сказа́ла, что (она́) бу́дет чита́ть.

C. **Date expressions (review and supplement)**

1. **Ты́сяча девятьсо́т со-   1947 (*Lit.:* the 1947th year)
   рок седьмо́й год**

---

[1] Notice that in Russian the present and past unreal conditions can be differentiated only within a larger context.

2. To express "in the year" use в with the prepositional:

В тысяча девятьсот сорок седьмом году	In (the year) 1947
В прошлом году	In the past year; last year
В будущем году	In the coming year; next year

3. Day, month, and year are expressed as follows:

Двадцать пятое мая тысяча девятьсот тридцать пятого года	The 25th of May, 1935
Двадцать пятого июня тысяча девятьсот двадцать девятого года	On the 25th of June, 1929

4. Dates are written as follows:

20-ое февраля 1947 г.	February 20, 1947
5-ого мая 1947 г.	On the 5th of May, 1947
Во вторник, 7-ого июня, 1947 г.	On Tuesday, June 7, 1947

Note that **гг.** stands for **годы** "years" and must be read in the proper case, depending on context:

1947 (-ого) и 1949 (-ого) гг. i. e. годов	Of the years 1947 and 1949
В 1947 (-ом) и 1949 (-ом) гг. i. e. годах	In the years 1947 and 1949, etc.

V. QUESTIONS

1. Кто повис над городом в душный августовский день? 2. Сколько самолётов насчитали наблюдатели за день? 3. Сколько времени горел город? 4. С чего началось большое Сталинградское сражение? 5. Когда начал стихать пожар в Сталинграде? 6. Почему пожар не прекращался? 7. Когда подошли немцы совсем близко к городу? 8. Где всё чаще стали разрываться их снаряды и мины? 9. В котором часу утра началась канонада на двадцать первые сутки?

10. Когда она прекратилась? 11. Если бы кто-нибудь попал бы в эти дни в штаб армии, каким ему бы показалось положение русских частей в Сталинграде? 12. Что он увидел бы, если бы он посмотрел на штабную карту? 13. Что мог бы он услышать? 14. Где мог бы он узнать, что действительно происходило? 15. Кого взяли из штабов армии и тыловых частей? 16. Что знал начальник штаба армии, когда он смотрел на штабную карту. 17. Чего он попрежнему требовал? 18. Что знали все начальники от самых больших до самых маленьких?

VI. GRAMMAR EXERCISES
Exercises with Grammar A
In Exercises a and b translate the pronouns[1] in parentheses:

a. 1. Тут (someone) требует командира к телефону. 2. Для (someone) сегодня привезли огромный сундук. 3. Я вижу (someone) на берегу реки. 4. Мне больше не нужен этот журнал, я его отдам (anyone). 5. На концерте я, конечно, (anyone) встречу. 6. Он всегда (something) занят. 7. Это мне в хозяйстве для (anything) будет нужно. 8. Ты бы занялся (anything). 9. Он для (something) поехал в город. 10. Расскажи мне, бабушка, о (anything)! 11. (Some kind of) матрос бросился в воду. 12. Мне кажется, (somewhere) пожар. 13. Летом мы, конечно, (anywhere) поедем. 14. Не знаете ли вы (anywhere) (any kind of) квартиры? 15. (Ever) я доберусь до моей дивизии? 16. Помню, (sometime) я был поваром на этом корабле. 17. Начальник штаба армии (somewhere) ушёл. 18. Мы слышали, как (somewhere) упал снаряд. 19. Прекратится ли (ever) эта канонада? 20. Купите мне фунт (any kind of) мяса.

b. 1. (Nobody) не знал, чей это новый дом на окраине города. 2. Вы, пожалуйста, этого (nobody) не говорите. 3. Я так устала, что не могу (about nothing) сейчас говорить. 4. Я тут (with nobody) не знаком. 5. Кажется, наш командир (nothing) больше не требовал. 6. Наш повар не интересовался (nothing), кроме еды. 7. Мой приятель, известный химик, (never) (nowhere) не бывает. 8. Этой весной мы действительно (nowhere) не поедем. 9. Наш телефонист (never) ещё не был в Сталинграде. 10. (Any sort of) приказания добраться до немцев я от него не слышал.

---

[1] The pronouns are chosen in keeping with the *Russian*, not the English text, thus underscoring the difference in usage of "some" and "any" in the two languages.

Exercises with Grammar B

a. In the following sentences supply the conjunction éсли; give the English translation.

1. ..... мы бу́дем хорошо́ занима́ться, то мы ско́ро бу́дем говори́ть по-ру́сски. 2. Ребёнок закричи́т, ... он упадёт. 3. ..... бу́дет си́льный ве́тер, мы оде́нем пальто́. 4. Я прочту́ кни́гу, ... он её принесёт. 5. ..... э́тот ма́льчик зна́ет англи́йский язы́к, то он бу́дет чита́ть Ди́ккенса по-англи́йски. 6. ..... необходи́мо воева́ть, то мы бу́дем воева́ть. 7. ..... капита́н потре́бует спусти́ть ту ло́дку, то мы её спу́стим. 8. Успе́х обеспе́чен, ... у нача́льника доста́точно диви́зий. 9. ..... мы все бу́дем хорошо́ рабо́тать, то наш колхо́з бу́дет лу́чшим в стране́. 10. Мы пойдём в парк, ... не бу́дет так хо́лодно.

b. In the above sentences reverse the sequence of clauses, making all the other necessary changes.

c. Change the *real condition* sentences given above into *contrary to fact conditions* and then translate into English, for example:

Real condition:	**Ребёнок закричи́т, éсли он упадёт.**
Contrary to fact:	**Ребёнок закрича́л бы, éслиб он упа́л.**
English translation:	The child would have cried if it had fallen.

d. Translate all phrases in parentheses:

1. (If you wish to rest), приезжа́й к нам в дере́вню! 2. Он сказа́л, что он (would go) на конце́рт. 3. Éсли бы я не́ был просту́жен, я (would have gone) на конце́рт. 4. (He would go) на конце́рт, éсли бы не́ был просту́жен. 5. Éсли я не бу́ду просту́жен, я (shall go) на конце́рт. 6. Éсли бы ма́льчики не закрича́ли, ста́рый артиллери́ст (would not have seen) аку́лы. 7. (If) наблюда́тель не огляну́лся, то он не встре́тил бы своего́ команди́ра. 8. Éслиб вы не боя́лись канона́ды, то вы (would have reached) до окра́ины го́рода. 9. (If) подчинённые выполня́ли приказа́ния свои́х нача́льников, не́мцев давно́ (would not have been) в го́роде. 10. (If) ты меня́ не разбуди́л, я (would not have gotten) на собра́ние. 11. Он сказа́л, что он (would not be late) на э́тот по́езд. 12. (If) я не опозда́ю на э́тот по́езд, то я (shall be) за́втра в Москве́. 13. (If) я не опозда́л на э́тот по́езд, то я (would have been) ужé в Москве́.

14. Если бабушка не накрыла на стол в столовой, то дети (must eat) на кухне. 15. (If) бабушка не накрыла бы на стол в столовой, то дети (would have eaten) на кухне. 16. (It would have been) очень приятно познакомиться с вашим дядей, (if we had not been) так заняты.

Exercise with Grammar C

Read in Russian, translating the English phrases in parentheses:

1. Теперь 1947; через два года будет 1949; два года тому назад был 1945. 2. Париж, 28-ое февраля 1932. 3. Берлин, 5-ое июля 1944 г. 4. Москва, 15-ое декабря 1918 г. 5. Сталинградское сражение было в 1942 и 1943 гг.; оно началось (in September 1942) и кончилось (February 2, 1943). 6. Мы были в Лондоне (in 1933). 7. Он был в России (from the 5th of March, 1920 to April 10, 1935). 8. В Москве (in 1939) было (4,137,000) жителей (inhabitants), а в Ленинграде (1,191,000). 9. Александр Сергеевич Пушкин родился (in the year 1799) и умер (in the year 1837). 10. Лев Николаевич Толстой родился (August 28, 1828) и умер (November 7, 1910).

VII. TRANSLATION INTO RUSSIAN

A

Adapted from K. Simonov's *Days and Nights*

1. When the Germans were still sixty kilometers from Stalingrad, the city began to burn. 2. Airplanes were over the city day and night. 3. One day the observers counted 2,000 planes. 4. The huge city burned for a day and two nights. 5. On the third day the conflagration began to quiet down. 6. Nevertheless, somewhere there was always a fire, because the city was so huge. 7. Ten days after the start of the conflagration, German bombs and mines began to burst in the center of the city. 8. On the morning of the 21st day of the battle of Stalingrad, cannonading began at seven in the morning and did not end until eight in the evening. 9. Battles were raging (going) on the outskirts of the huge city. 10. And yet, if someone had come to army headquarters, he would have thought that all was well. 11. He would have seen on the map a great number of divisions and brigades. 12. He would have heard how the commanders were giving orders to these divisions and brigades. 13. Success would have seemed to him unquestionably assured. 14. Yet in order to understand what was really happening, he would have had to get to the divisions themselves. 15. Here he would have seen that those divisions no longer were divisions.

16. No one knew how many soldiers were in these divisions.
17. Nevertheless, it was necessary to fight as before. 18. Telephone operators, cooks, and chemists had to become infantrymen. 19. There was no other way out.

B

1. Yesterday, on the 23rd of January, 1957, I gave a report on Simonof's novel *Days and Nights*. 2. Before I began (перед тем как + infinitive) my report, I asked the students: "Has anyone of you read this novel of Simonof?" 3. Someone did know the name of the author, but no one had read the book. 4. I had read about this novel for the first time in the August issue (number) of the magazine *New World*. 5. It seems to me that it was in the first or second week of September, 1956. 6. At once I wanted to read the book, but I could not find it anywhere, neither at home nor in our school nor in the library of our little town. 7. Finally, I wrote to my brother, and he really did have it and immediately sent it to me. 8. He had been to (in) Russia twice, in the summer months of the years 1953 and 1954. 9. He no longer remembered where or why he had bought it, probably in some Russian city, perhaps even in Stalingrad itself. 10. If he had not bought the book then, I would probably never have read it and, of course, could not have given my report. 11. When I had finished the report, someone asked me: "When was the battle of Stalingrad?" 12. Really, had I forgotten to tell them the date of this important event of the war? 13. "Dear friends," I said, "please forgive me, if I forgot to tell you these important dates. 14. If I remember correctly, the battle began on the third of September, 1942, and ended on the second of February, 1943." 15. Another student asked: "Have you ever met and spoken to (with) a Stalingrad hero or anyone from the city of Stalingrad?" 16. "No, never!" I answered, "But if I had been in Russia, I surely would have met a Stalingrad soldier or a citizen of Stalingrad and would have heard from him something about that famous battle." 17. And, of course, someone wanted to know what would have happened if the Russian divisions could not have carried out the orders and could not have carried the excessive burden. 18. "Dear friend," I answered, "nobody can tell you that, for no one knows that!"

ДВАДЦАТЬ ВОСЬМОЙ УРОК

TWENTY-EIGHTH LESSON

Subjunctive: purpose, wish, obligation, generalization —
Adverbial participle — Conjunctions

I. COMMON EXPRESSIONS AND IDIOMS

Во что бы то ни стало	At all cost, by all means
Работать не покладая рук	To work constantly. *Lit.*: without laying down one's hands
Как бы тяжело ни работал ...	No matter how hard (he) worked ...
Юмористический журнал	Humorous magazine, a periodical of wit and entertainment
Главным образом	Mainly, chiefly
Вместе с тем	At the same time, in addition to, along with
Иметь большое влияние на + (Acc.)	To have a great influence on

II. READING EXERCISE

О ЧЕХОВЕ (1860-1904)

А. П. Чехов родился 17-го января 1860 года в Таганроге, небольшом городе на юге России. Отец Чехова был из крестьян, но он хотел лучшей жизни для самого себя и для своих детей. Не **имея** ни средств, ни образования, он ещё мальчиком начал работать в конторе одного из городских купцов.

Решивши во что-бы то ни стало добиться независимости, отец Чехова **работал не покладая рук. Для того, чтобы** добиться своей цели он открыл своё небольшое, торговое дело в Таганроге в 1857 году.

Однако, как бы тяжело ни работал отец Чехова, он не жалел денег на **то, чтобы** сделать своих детей образованными людьми. Дети не только ходили в школу, но также занимались и языками и музыкой.

Окончив школу в Таганроге, сыновья Чехова продолжали своё образование в Москве. Старший сын, Александр, окончил

271

математический факультéт Москóвского университéта, млáдший, Михаúл, учúлся на юридúческом факультéте, а Антон поступúл на медицúнский факультéт.

Учáсь в университéте Чéхов занимáлся не тóлько медицúной, но и литератýрой. Ещё **бýдучи** студéнтом Чéхов нáчал писáть расскáзы для **юмористúческих журнáлов.** Это бýли мáленькие совсéм корóткие расскáзы, прекрáсные по фóрме и óчень смешнýе. Чéхов пéрвым ввёл такýю фóрму корóткого расскáза в рýсскую литератýру: «Я умéю корóтко говорúть о длúнных вещáх», писáл сам Чéхов о своём твóрчестве. И **действúтельно,** в нéскольких словáх Чéхов умéет передáть не тóлько харáктер, но и всю жизнь своúх герóев.

Во вторóй половúне своéй жúзни Чéхов писáл, **глáвным óбразом,** для теáтра. Пьéсы Чéхова дáли рýсскому теáтру совсéм нóвое направлéние. «Пусть на сцéне всё бýдет так же слóжно и **вмéсте с тем** так же прóсто, как в жúзни», говорúл Чéхов.

Однáко, так же как и в «мáленьких» расскáзах Чéхова в егó пьéсах, **несмотрá на** их простотý, огрóмное богáтство идéй и мýслей, глубóкое филосóфское содержáние.

Чéхов **имéл большóе влияние** не тóлько на рýсскую, но и на мировýю литератýру, а его пьéсы тепéрь мóжно вúдеть в теáтрах всех стран мúра, на всех языкáх.

III. VOCABULARY

богáтство	wealth, riches	смешнóй,	funny, comical,
герóй	hero	-áя, -óе	amusing
корóткий,	short, brief	содержáние	contents
-'ая, -'ое		срéдство	means
кóротко	short,	сцéна	stage, scene
(adv.)	brief	твóрчество	creation, works,
купéц	merchant		creative power
направлéние	direction	торгóвый,	trade (adj.)
незавúсимость	independence	-'ая, -'ое	
простотá	simplicity	филосóвский,	philosophical
пьéса	drama, play	-'ая, -'ое	
расскáз	story, tale,	фóрма	form, shape,
	narrative		genre
слóжно	complicated	харáктер	character
		цель	aim, goal

Verbs

Imperfective	Perfective	English
добива́ться (I)	доби́ться; добью́сь, добьёшься, добью́тся	to strive for (successfully), gain, achieve
зараба́тывать (I)	зарабо́тать (I)	to earn
передава́ть (дава́ть)	переда́ть (дать)	to transmit, pass on

IV. GRAMMAR

A. Use of the subjunctive (continued)

1. To express *purpose*:

Он говори́т ме́дленно, **что́бы** вы **могли́** его́ поня́ть.
He speaks slowly so that you may understand him.

Я пойду́ в библиоте́ку, **что́бы взять кни́гу.**
I shall go to the library to take (out) a book.

Note: When the subject of the dependent clause is the same as that of the introductory clause, the verb is in the *infinitive*.

The conjunction **что́бы** "in order to, to, so that, that" is also used in the compound form **для того́, что́бы** (*Lit*.: for that, that . . .).

Для того́, что́бы стать изве́стным учёным, на́до мно́го рабо́тать.

To become a famous scientist, one must work much.

2. To express a *wish* (especially one that cannot or would not be fulfilled):

Еслиб то́лько не́ **бы́ло** бо́льше войны́!
If only there would be no more war! (*Lit*.: If only it would not be any more war [gen.].)

Хорошо́ **бы́ло** бы пое́сть!
It would be nice to have a little bite to eat!

Ты **бы сел** да **написа́л** бы ему́!
Why don't you sit down and write to him! (*Lit*.: [I wish that] you would sit down and write to him.)

Я не хочу́, **что́бы** вы так мно́го **рабо́тали.**
I don't want you to work so much. (*Lit.*: I do not want that you work so much.)

3. To express *obligation* (with the implication that the obligation is, at the moment at least, not being fulfilled):

Мне **сле́довало бы** бо́льше рабо́тать.   )   I should be working
Я **до́лжен был бы** бо́льше рабо́тать.   )   more.

4. To express *generalization*:

Кто **бы** меня́ **ни спроси́л**, я не скажу́ ни сло́ва.
No matter who asks me, I shall not say a word.

Что **бы** он **ни сказа́л**, всё бы́ло пра́вильно.
Whatever he said, everything was correct.

Куда́ **бы ни посмотре́ть**, везде́ вода́.
No matter where you look, there is water everywhere.

Во **что́бы** то **ни ста́ло!**   By all means!

In this type of construction the **бы** is used with a pronoun or adverb and is used together with the particle **ни.**

B. The adverbial participle

The adverbial participle is frequently met with in conversational and, especially, in literary Russian. It is a part of speech formed from the verb and used as an adverb to indicate in what manner (or under what circumstances) an action is performed. Thus, in the sentences "I speak *standing*" or "I write *sitting*", the adverbial participles "standing" and "sitting" indicate the manner in which the actions of "speaking" and "writing" are performed. The adverbial participle has two tense forms: *present* and *past*. The *present* is used when the action expressed by the verb and by the participle are simultaneous (as in the examples above); the *past* is used when the action expressed by the participle precedes the one expressed by the verb (e. g.: Having written the letter, he mailed it).

1. The *present tense* adverbial participle[1] is formed by taking the *third* person *plural present* tense form of the verb, dropping -ют (-ут) of the first-conjugation verb and -ят (-ат) of the second-conjugation verb, and adding я (or a after sibilant sounds):

---

[1] There are many verbs that do not have a present tense adverbial participle, for instance писа́ть and most monosyllabic verbs: петь, пить, ждать, etc.

чита(ют)   : читá + я = читáя   reading
имé(ют)   : имé   + я = имéя   having
жив(ýт)   : жив   + я́ = живя́   living
крич(áт)   : крич + á = кричá   shouting
говор(я́т) : говор + я = говоря́ speaking

Reflexive verbs *always* add the ending -ясь: одевáясь.

2. The *past tense* adverbial participle is formed by taking the *past tense* of the verb, dropping the ending -л, and adding в or вши to the resulting form:

$$\text{спроси́(л):} \quad \begin{array}{l} \text{спроси́ + в} = \text{спроси́в} \\ \text{+ вши} = \text{спроси́вши} \end{array} \Big\} \text{ having asked}$$

Reflexive verbs *always* add the ending -вшись: одевáвшись.

In forming the past adverbial participle, the *perfective* aspect of the verb is usually used. Verbs with irregular past tense formation usually add the ending -ши (instead of в or вши).[1]

3. The participial forms of быть "to be" are:

Present: **бýдучи**   ''being, while being''
Past: **бы́вши**   ''having been''

C. Conjunctions and particles

The English translations of the following conjunctions and particles are approximate and will vary with different contexts.

Emphatic:

же	but	Он пойдёт, я **же** останусь.	He will go, but I shall remain.
		Вы **же** не хотéли тудá пойти!	But (I thought) you did not want to go there.
же	then	Почемý **же** ты остаёшься?	Why then are you staying?
же, ж——		Я ж тебé говори́л!	I told you so!
дáже	even	**Дáже** он не знал.	Even he did not know.
действи́тельно truly, really, indeed, in fact		Он **действи́тельно** глуп.	He is truly, really stupid.

---

[1] For instance, принёс: принёсши   "having brought"
                   привы́к: привы́кши   "having grown accustomed"
                   пришёл: пришéдши   "having come"

Concessive:

хотя́ (even) though	Хотя́ он и глуп, но мил.	Though stupid, he is nice.
несмотря́ на in spite of, notwith- standing	Несмотря́ на их простоту́	In spite of their simplicity

Adversative:

одна́ко however, yet	Одна́ко, он не хоте́л.	However, he did not want.
напро́тив on the contrary	Напро́тив, бы́ло о́чень легко́.	On the contrary, it was (even) very easy.

Distributive:

и ... и both ... and	И день и ночь	Both day and night
и́ли ... и́ли either ... or	И́ли я и́ли он	Either I or he
ни ... ни neither ... nor	ни он ни я	Neither he nor I

Conclusive:

ита́к and so **поэ́тому** because **(потому́)** of that, therefore	Ита́к он ушёл. Поэ́тому (потому́) я не пошёл.	And so he left. Because of that (that's why) I did not go.

V. QUESTIONS

1. Когда́ и где роди́лся А. П. Че́хов? 2. Из како́й семьи́
был Че́хов? 3. Име́л ли оте́ц сре́дства и образова́ние? 4. Чего́
хоте́л доби́ться оте́ц Че́хова? 5. Как он доби́лся свое́й це́ли?
6. На что оте́ц Че́хова не жале́л де́нег? 7. Чем занима́лись де́ти?
8. Око́нчив шко́лу, на како́й факульте́т поступи́л ста́рший сын,
Алекса́ндр? 9. Где и чему́ учи́лся мла́дший сын? 10. На како́й
факульте́т поступи́л сам Анто́н Че́хов? 11. Когда́ начала́сь
литерату́рная де́ятельность Че́хова? 12. Каки́е расска́зы писа́л
Че́хов бу́дучи ещё студе́нтом? 13. Что говори́л сам Чехо́в о
своём тво́рчестве? 14. Что Че́хов писа́л во второ́й полови́не
свое́й жи́зни? 15. Что да́ли ру́сскому теа́тру его́ пье́сы?
16. Име́л ли Че́хов влия́ние то́лько на ру́сский теа́тр? 17. Чем
знамени́ты и «ма́ленькие» расска́зы Че́хова и его́ пье́сы?
18. Каки́е расска́зы Че́хова вы уже́ чита́ли? 19. Знако́мы ли
вы с пье́сами Че́хова? 20. Каку́ю пье́су Че́хова вы ви́дели?

VI. GRAMMAR EXERCISES

Exercises with Grammar A

a. Combine the following sentences so as to express purpose, for example:

Он говори́т ме́дленно; мы мо́жем его́ поня́ть.
Он говори́т ме́дленно, что́бы мы могли́ его́ поня́ть.

1. На́до мно́го учи́ться; быть образо́ванным челове́ком. 2. Ну́жно люби́ть му́зыку; хорошо́ игра́ть на скри́пке. 3. Мы спусти́ли па́рус в мо́ре; матро́сы мо́гут устро́ить купа́льню. 4. Я купи́л ей но́вое пла́тье; она́ может приня́ть э́то приглаше́ние. 5. Он занима́ется ру́сским языко́м; он чита́ет ру́сские кни́ги. 6. Она́ пое́хала в го́род; она́ встре́тит его́. 7. Она́ ча́сто быва́ла за грани́цей; она́ изуча́ла языки́. 8. Мне на́до бо́льше занима́ться; я получу́ дипло́м в конце́ ию́ня. 9. Мы купи́ли э́ту краси́вую да́чу; на́ши де́ти мо́гут жить ле́том в дере́вне. 10. Я позвоню́ тебе́ за́втра; я расскажу́ тебе́ после́дние но́вости.

b. Change the following sentences so as to express a wish, as follows:

«Он рабо́тает». to «Если бы он то́лько рабо́тал»!

1. Я уме́ю говори́ть по-ру́сски. 2. Он е́дет на уро́к. 3. Сестра́ написа́ла письмо́ отцу́. 4. Вы меня́ бу́дете учи́ть францу́зскому языку́. 5. Он ко́нчил свой дли́нный докла́д.

Exercise with Grammar B

Change the boldface phrases into adverbial participles, considering the tense and making all other necessary changes.

Examples:

Они́ бежа́ли **и перегоня́ли** друг дру́га.
Они́ бежа́ли **перегоня́я** друг дру́га.

Когда́ он попра́вился, он пое́хал на Кавка́з.
Попра́вившись, он пое́хал на Кавка́з.

1. **Я не по́мнил,** где живёт капита́н, и не мог ему́ написа́ть. 2. **Когда́ он жил** в Сталингра́де, он познако́мился с семьёю изве́стного учёного. 3. Я встре́тил моего́ това́рища, **когда́ я гуля́л** в Ле́тнем саду́. 4. **Когда́ нача́льник о́тдал** все необходи́мые приказа́ния, он уе́хал из шта́ба а́рмии туда́, где

шли бой. 5. **Когда́ я был** на вое́нной слу́жбе, я попа́л на Кавка́з. 6. Я слу́шал её игру́ на скри́пке **и ду́мал,** когда́ же наконе́ц она́ ко́нчит игра́ть. 7. **Он сказа́л:** «Прости́те за беспоко́йство», и закры́л дверь. 8. **Когда́ он жени́лся,** он стал интересова́ться хозя́йством. 9. **Когда́ я получи́л** ва́ше письмо́, я вам сейча́с же отве́тил. 10. **Когда́ они́ рассказа́ли** нам э́ту но́вость, они́ ушли́. 11. **Он кри́кнул:** «Това́рищи, не выдава́йте!», и упа́л. 12. **Когда́ Толсто́й устро́ил** шко́лу для дете́й, он стал сам преподава́ть в ней. 13. **Вчера́ я поступи́л** в универси́те́т и, написа́л об э́том отцу́. 14. **Когда́ сиди́шь** в па́рке нельзя́ не любова́ться э́тими кра́сными и жёлтыми цвета́ми. 15. **Когда́ я собира́лся** к вам в го́сти, я забы́л позвони́ть до́ктору Че́хову.

Exercise with Grammar A and C

Translate the expressions in parentheses:

1. (I should) воспи́тывать мои́х дете́й лу́чше. 2. (In order to) купи́ть мя́со, они́ до́лго стоя́ли в о́череди. 3. Я всё бу́ду есть, (no matter what they give me for dinner). 4. (One should) лу́чше знать родну́ю литерату́ру. 5. (Wherever I go), везде́ я встреча́ю прия́телей. 6. (Whomever I asked), никто́ не знал, где профе́ссор. 7. Он (emphatic part.) шути́л! 8. (Even) мой профе́ссор не знал отве́та на э́тот вопро́с. 9. Погуля́й в саду́ (and) приходи́ домо́й! 10. (Really,) он хорошо́ зна́ет свой предме́т. 11. (Even though) он всегда́ интересова́лся ру́сской литерату́рой, он не знал ру́сского языка́. 12. Ты хорошо́ танцу́ешь, (however) ху́же его́. 13. Я не то́лько не отдохну́л, (on the contrary) я ещё бо́льше уста́л. 14. Мы е́дем в го́род сего́дня (despite) дождь. 15. На собра́нии в клу́бе бы́ло о́чень мно́го наро́ду, (yet) мне бы́ло там ску́чно. 16. (Neither) мой брат (nor) мой дя́дя не попа́ли на конце́рт. 17. Он не зна́ет грамма́тики, (and because of that) ему́ тру́дно говори́ть по-францу́зски. 18. Ста́ло так тепло́, (as if) сейча́с ле́то. 19. (And so) мы за́втра уезжа́ем! 20. Мне на́до (either) отдохну́ть здесь у вас (or) пое́хать в дере́вню.

VII. TRANSLATION INTO RUSSIAN

A

1. Yesterday I read a play by (of) a Russian writer, Anton Chekhov. 2. I liked very much the simplicity of its language. 3. In spite of this simplicity there was a great wealth of ideas

in this little play. 4. Reading it, I wanted to know more about the life of this Russian genius. 5. Living right next to the library, I went there (thither) and there met my old Russian friend Ivan. 6. He gave me a little Russian book, "О Чéхове." 7. I read Russian with great difficulty; however, the contents of this book were so interesting that I read it from beginning to end without taking a rest. 8. The author tells us that Chekhov's father, himself not having had an education, worked constantly, day and night, in order to make possible (gain) a good education for his children. 9. In the year 1857, he opened a small business in the city [of] Taganrog. 10. If only the work had not been so hard! 11. If only there had been more money! 12. But in spite of the limited (small) means, Chekhov's three sons could go to the university. 13. Anton Chekov enrolled in the medical faculty of Moscow University. 14. While still (being) a student (there), Chekhov already began to write stories for the humor (humorous) magazine. 15. However, in the second part of his brief life, he wrote chiefly for the theater. 16. Whatever Chekhov wrote, everything had that Chekhovean simplicity and, at the same time, that wealth of ideas. 17. It seems to me that he once said to his friends: Let the people in your stories and plays be as simple and, at the same time, as complex as they are in life [itself]. 18. And so Chekhov's creative power gave to Russian literature a very new direction. 19. Now his short stories are read in every tongue, in every country of the East and the West. 20. His plays can be seen in the theaters of every cultural center of America, of Europe—yes, of the whole world!

B

1. Being a poor man, our father always wanted us to (that we) become rich and famous. 2. How many times did he say to us, to my two brothers and to me: "Dear sons, you know that I have worked constantly. 3. However, no matter how hard I work, I still remain a poor man. 4. In our days, in order to become rich and to achieve independence, you must study a great deal while you are still young. 5. I know that you have to work all day in the factory. 6. But, in spite of that, by all means find the time to study languages! 7. Knowing languages you can read the great works (трудьí) of famous writers of all nationalities (countries)." 8. But no matter how often father would tell us this, my brother Alek would always laugh at him and say: 9. "Yes, yes, dear father, of course we all know that we should read and write and

study a great deal. 10. And, indeed, I would be glad to read much more than I can now, if only I had more time and energy [for that]. 11. It would be so nice to go to the library every day or to sit at home and read interesting books. 12. However, dear father, you know that we must work in the factory and have neither the time nor the energy to study philosophy or medicine. 13. Having been on [my] feet all day, in the evening I can think only of rest." 14. And so my brother Alek never did go to the library, never did read, and never studied. 15. However, he did find (have) the energy to go to the movies and had the time to lie on the couch and to look at television all evening. 16. He is now 53 years old and is still working in the very same factory where he worked 30 years ago. 17. My other brother, Anton, did not laugh at our father. 18. On the contrary, he finished school and [while] still working at the factory, he did study languages and soon was able to read not only English authors but French and German as well. 19. When he had earned some (a little) money, he continued his education, enrolled at a university, and [while] studying in law school, began to write his first novel. 20. This was ten years ago; now everybody reads his excellent short stories and novels; he earns a great deal of money, is rich and famous.

ДВАДЦАТЬ ДЕВЯТЫЙ УРОК
TWENTY-NINTH LESSON

Relative pronouns — Present and past active participle

I. COMMON EXPRESSIONS AND IDIOMS

Вести своё начало от ...	To trace one's origin from ...
Занимать большое положение при дворе	To occupy (hold) an important position at the court
По поручению ...	Commissioned by ... *Lit.*: on commission
Следующим образом	In the following manner
Разделиться по положению на ...	To divide (distribute) according to position (location) into ...
Во многом отличаться от , ...	To differ (be different) in many respects from ...
Деловые бумаги	Official (business) papers
В дальнейшем	Subsequently; with the passage of time; in the course of time
Процесс объединения	The process of unification
Например	For example

О РУССКОМ ЯЗЫКЕ

Современный русский алфавит **ведёт своё начало** от старославянской азбуки девятого века, **которую** разработали греческие учёные Константин и Мефодий.

Братья Константин и Мефодий были из богатой военной семьи. **Родившись** и **выросши** в городе Солуне, они с детства знали славянский язык, **на котором** говорило население этой области.

Оба брата получили прекрасное образование и были высоко культурными людьми. Кроме греческого и славянского они хорошо знали ещё несколько других языков. Оба **занимали большое положение при дворе** византийского императора.

В 863 году славянское княжество Моравия попросило византийского императора прислать учителей, **которые** могли бы научить население христианской вере на их родном языке. **По поручению** императора, Константин и Мефодий занялись созданием славянской азбуки и переводом греческих книг.

Эту азбуку они разработали **следующим образом:** взявши греческий алфавит для всех тех звуков, **которые** были похожи на греческие и **создав** новые буквы для звуков не **имеющихся** в греческом языке.

Ученики́ Константи́на и Мефо́дия, **продолжа́вшие** их де́ло, доби́лись того́, что старославя́нский язы́к стал о́бщим литерату́рным языко́м ра́зных славя́нских племён. Эти племена́, **кото́рые** жи́ли на террито́рии центра́льной и восто́чной Евро́пы в пе́рвые века́ на́шей э́ры, со вре́менем **раздели́лись по своему́ географи́ческому положе́нию** на отде́льные гру́ппы: ю́жную, восто́чную и за́падную.

Восто́чные славя́не, уже́ с седьмо́го ве́ка **называ́вшиеся** «Ру́сью» и **жи́вшие** по гла́вным во́дным путя́м, по Днепру́, по Во́лге, с са́мого ра́ннего вре́мени находи́лись в постоя́нных торго́вых и культу́рных сноше́ниях с Византи́ей.

Культу́рное влия́ние Византи́и ещё бо́лее уси́лилось, когда́ восто́чные славя́не при́няли от гре́ков христиа́нство в 989-ом году́. Вме́сте с христиа́нством пришла́ к восто́чным славя́нам и пи́сьменность. Старославя́нский язы́к был бли́зок восто́чно-славя́нскому, но, коне́чно, **во мно́гом отлича́лся от** разгово́рного наро́дного языка́.

Ру́сские перево́дчики, **переводи́вшие** гре́ческие кни́ги на старославя́нский язы́к, вводи́ли ча́сто в свои́ перево́ды слова́ ру́сского наро́дного языка́, а когда́ писа́лись **деловы́е бума́ги**, то то́же слова́ разгово́рного языка́ заменя́ли слова́ старославя́нские. **В дальне́йшем** э́тот проце́сс объедине́ния старославя́нского литерату́рного и ру́сского наро́дного языко́в всё бо́лее уси́ливается и ведёт к созда́нию языка́, **на кото́ром** тепе́рь говори́т всё ру́сское населе́ние С.С.С.Р.

III. VOCABULARY

а́збука	alphabet	**пле́мя** (decl. like и́мя)	tribe
алфави́т	alphabet		
бу́ква	letter (of the alphabet)	**постоя́нный, -'ая, -'ое**	continuous, constant
ве́ра	faith, belief, religion	**разгово́рный, -'ая, -'ое**	colloquial, conversational
звук	sound	**сноше́ние**	relation, dealings
импера́тор	emperor	**совреме́нный**	contemporary
кня́жество	principality	**-'ая, -'ое**	
о́бщий, -'ая, -'ее	common, general	**созда́ние**	creation
отде́льный, -'ая, -'ое	separate	**центра́льный, -'ая, -'ое**	central
перево́д	translation	**эпо́ха**	epoch
перево́дчик	translator	**э́ра**	era
пи́сьменность	written language, literature		

Verbs

Imperfective	Perfective	English
заменя́ть (I)	замени́ть (II)	to substitute, replace
разраба́тывать (I)	разрабо́тать (I)	to work out, develop
уси́ливаться (I)	уси́литься (II)	to increase, grow stronger, more intense, pronounced

Proper Names:

византи́йский,* -'ая, -'ое	Byzantine	славяни́н; pl. славя́не	Slav
Византи́я	Byzantium	славя́нский, -'ая, -'ое	Slavic
восточнославя́нский, -'ая, -'ое	East Slavic	старославя́нский, -'ая, -'ое	Old Slavonic
Грек	Greek		
гре́ческий, -'ая, -'ое	Greek (adj.)	Солу́н	Thessalonica
Константи́н	Constantine (St. Cyril)	христиа́нский, -'ая, -'ое	Christian
Мефо́дий*	St. Methodius	христиа́нство	Christianity
Мора́вия	Moravia		

IV. GRAMMAR

A. The relative pronoun

1. The relative pronoun кото́рый "who, which" is used to introduce a relative clause:

> The engineer *who works at our plant*
> Инжене́р, кото́рый рабо́тает на на́шем заво́де.

(Since relative clauses are dependent clauses they must be set off by a comma in Russian.)

---

* Typical sound changes in Russian. We have seen the change from "h" to "g": Hegel to Ге́гель; hospital to го́спиталь (m.), and now we see the change from "b" to "v": byzantine to византи́йский; Benjamin to Вениами́н, and from "th" to "f": Methodius to Мефо́дий; Thomas to Фо́ма.

2. The relative pronoun *may not be omitted* in Russian. In English one can say: "The book I read is interesting."

In Russian one *must say*:

The book *which* I read is very interesting.
Кни́га, **кото́рую** я чита́ю, о́чень интере́сна.

3. The relative pronoun **кото́рый** is declined exactly like the pronoun-adjective **кото́рый**, that is, like any adjective in **-ый**.

4. The relative pronoun must agree in *gender* and *number* with its *antecedent*, that is, with the noun to which it refers. Its *case*, however, is determined by its *use* in the *clause*:

Инжене́р, кото́р**ый**	(masc., nom., sing.)	рабо́тает здесь.
Инжене́р, кото́р**ому**	(masc., dat., sing.)	я дал кни́гу.
Инжене́р, с кото́р**ым**	(masc., instr., sing.)	мы говори́ли
Инжене́р, о кото́р**ом**	(masc., prep., sing.)	мы говори́ли
Секрета́рша, кото́р**ая**	(fem., nom., sing.)	написа́ла письмо́.
Же́нщина, о кото́р**ой**	(fem., prep., sing.)	я ду́мал.
Окно́, кото́р**ое**	(neut., nom., sing.)	он закры́л.
Инжене́ры, кото́р**ые**	(masc., nom., pl.)	рабо́тали здесь.

5. Special attention must be paid to word order when the relative pronoun is in the *genitive* case. It then follows the part of speech it modifies within the clause:

Инжене́р, докла́д **кото́рого** был о́чень интере́сен
Lit.: The engineer, the report *whose* was very interesting

Note that in English this is the characteristic word order used with "which": "The table, the color *of which* was brown."

6. Instead of the relative pronoun **кото́рый**, the pronouns **кто, что** must be used to introduce a relative clause when the antecedent is a *pronoun*:

Тот, кто мно́го чита́ет, мно́го зна́ет.
He who reads much knows much.

Всё, что он рассказа́л, мы уже́ зна́ли.
All that he told we knew already.

Note that **кто** is used with *animate* antecedents, **что** with *inanimate*.

Rules 2 and 4 above apply equally to **кто** and **что**.

Кто and **что** when used as relative pronouns have the same declension as the *interrogative* pronouns кто and что (no plural!).

B. The participles

Participial forms are very common in Russian. In newspapers, periodicals, and other literary context *participles* are often used to replace the *relative pronoun*.

Instead of: Инженéр, **котóрый** рабóтает здесь
                The engineer *who works* here

we find: Инженéр, **рабóтающий** здесь
                The engineer *working* here

Moreover, *participles* are used as attributive adjectives:

Игрáющий мáльчик   The playing boy
Читáющая дéвочка   The reading girl

Finally, participles are used with the noun understood, **or** even as nouns, often in somewhat modified form:

читáющий	the reading one; **читáющие the reading** ones (readers)
рабóчий	the worker (*Lit.*: the working one)
сумасшéдший	the madman (*Lit.*: who has gone out of his mind)
прохóжий	the passer-by (*Lit.*: the going-through one)
нúщий	the beggar (*Lit.*: не **имéющий** one not having anything)
слéдующий	the following one

It is therefore important to have a good recognitional knowledge of the Russian participles. There are four types of participles in Russian: the *active* participle, *present* and *past*, and the *passive* participle, *present* and *past*.

1. The *present active participle* is characterized by the ending -щий:

Читáющий студéнт	The reading student	(attributive use)
Студéнт, читáющий книгу	The student [who is] reading a book	(in place of the relative pronoun)
Читáющий	The reading one, one who is reading	(used as a noun)

The participle, being a verbal adjective, must agree in *number, gender,* and *case* with the noun it modifies (or stands for):

читáющий мáльчик; читáющая дéвочка; читáющие дéти

The declension of a participle is that of an adjective the stem of which ends in a sibilant, e. g. хорóший, горя́чий, etc. (see Lesson 13):

читáющий мáльчик; читáющего мáльчика; читáющему мáльчику etc.

The basic method of *forming* the *active present* participle[1] is to take the third person plural, present tense of the verb[2] (читáют), drop the т, and add the participle ending щий:

рабóтающий; читáющий; говоря́щий

2. The *past active participle* is characterized by the ending -вший, or, with irregular past tense forms, -ший:

Читáвший мáльчик	The boy who has read; who has been reading
Ушéдший друг	The friend who has gone away

All that has been said with reference to the *active present* participle with respect to its use, agreement, and type of declension applies also to the *active past* participle. It should be noted, moreover, that the *past* participle may be rendered by the *present* tense in English:

Учёный, разрабóтавший нóвый алфавúт.

The scholar who had worked out (*Lit.*: having worked out) the new alphabet.

Егó ученúк, продолжáвший егó дéло

His student, continuing (*Lit.*: having continued) his work.

The basic method of *forming* the *active past* participle is to take the past tense form of the verb (был), drop the л, and add the regular *active past* participle ending вший: бы́вший "former, past." Some important irregular active past participles:

---

[1] Irregularities and exceptions are not given systematic treatment in this basic text.

[2] Only *imperfective* verbs can have a *present active* participle, since the *perfective* verbs do not have a *present* tense.

жи́вший	one who has lived
принёсший	one who has brought
прише́дший	one who has come
проше́дший or про́шлый	one who has passed, bygone, past

Table of 20 Frequent *Active* Participles

Infinitive		*Present Part.*	*Past Part.*
быть	be	None	бы́вший
говори́ть	speak	говоря́щий	говори́вший
дава́ть	give	даю́щий	да́вший
де́лать	do	де́лающий	де́лавший
ду́мать	think	ду́мающий	ду́мавший,
е́хать, ездить	drive	е́дущий е́здящий	е́хавший е́здивший
ждать	wait	жду́щий	жда́вший
жить	live	живу́щий	жи́вший
звони́ть	ring	звоня́щий	звони́вший
знать	know	зна́ющий	зна́вший
идти́, ходи́ть	go, walk	иду́щий ходя́щий	ше́дший ходи́вший
име́ть	have	име́ющий	име́вший
конча́ть	finish	конча́ющий	конча́вший
люби́ть	love	любя́щий	люби́вший
начина́ть	begin	начина́ющий	начина́вший
пить	drink	пью́щий	пи́вший
смея́ться	laugh	смею́щийся	смея́вшийся
спать	sleep	спя́щий	спа́вший
стоя́ть	stand	стоя́щий	стоя́вший
умира́ть	die	умира́ющий	умира́вший

V. QUESTIONS

1. Отку́да ведёт своё нача́ло ру́сский алфави́т? 2. Кто разрабо́тал старославя́нскую а́збуку? 3. Где родили́сь и вы́росли бра́тья, Константи́н и Мефо́дий? 4. Како́е получи́ли они́ образова́ние? 5. О чём проси́ло славя́нское кня́жество византи́йского импера́тора? 6. Чем заняли́сь Константи́н и Мефо́дий по поруче́нию импера́тора? 7. Как они́ разрабо́тали славя́нскую а́збуку? 8. Чего́ доби́лись ученики́ Константи́на и Мефо́дия, продолжа́вшие их рабо́ту? 9. Где жи́ли славя́нские племена́ в нача́ле на́шей э́ры? 10. На каки́е гру́ппы

разделились славянские племена? 11. Где жили восточные славяне? 12. С какой страной находились они в постоянных торговых и культурных сношениях? 13. Когда ещё больше усилилось влияние Византии? 14. Как пришла к восточным славянам письменность? 15. Кто учил восточных славян áзбуке и письму? 16. Что делали русские переводчики, переводившие греческие книги на старославянский язык? 17. Как происходило развитие национального русского языка? 18. Какие слова часто заменяли старославянские в деловых бумагах? 19. Какой процесс усиливается в следующих годах? 20. К чему ведёт наконец этот процесс?

VI. GRAMMAR EXERCISES

Exercises with Grammar A

a. Supply the correct forms of the *relative* pronoun **который**:

1. Язык, на ..... они говорили, я хорошо знал. 2. Университет, в ..... я получил свой диплом, закрыли в прошлом году. 3. Где живёт певица, ... я вчера встретил на собрании? 4. Книга, ... он прочёл, очень интересна. 5. Учёный, работа ..... нас интересовала, уехал. 6. Переводчик, ... я дал этот журнал, прочитал его в пол часá. 7. Здáние, около ..... мы стояли, было самым старым в городе. 8. Быстротá, с ..... летели бомбардировщики, не позволяла наблюдателям сосчитать сколько их было. 9. Милиционер, о ..... мы только что говорили, шёл к нашему дому. 10. Дороги, по ..... нам нужно было ехать, были совсем плохие.

b. Put the above sentences in the *plural*, making *all* necessary changes.

c. Supply the correct forms of the *relative* pronouns **кто** or **что**:

1. Все, ... мы встречали на улице, шли в клуб на собрание. 2. Тот, ... я ждала, не пришёл. 3. С ..... бы я ни говорил, никто не хотел идти со мной в кино. 4. Всё, ... я его учил, он уже забыл. 5. О ..... бы он ни говорил, всё нам было интересно. 6. То, о ..... рабочие говорили, было хорошо известно директору. 7. Я мало о ..... мог его спросить. 8. Всем, ... видел эту картину, она нравилась. 9. ..... бы мы ни спросили, никто не знал ответа. 10. Мы всегда понимали всё, ... он нам объяснял.

Exercises with Grammar B

a. From the Reading Exercise write out all *participles* and *adverbial participles* (review), grouping them according to their tense and giving their English meaning.

b. Use the *active* participles, *present* and *past,* of the list on page 287 in short but complete Russian sentences.

c. Change the *relative* clauses into *participial* phrases, using *present* tense participles. Remember that the participle must agree in case, number and gender with the noun it modifies, thus:

Не говори́те со студе́нтом, кото́рый рабо́тает над уро́ком:

Не говори́те со студе́нтом, рабо́тающим над уро́ком.

1. Рабо́чий, **кото́рый рабо́тает** на э́той фа́брике, живёт в це́нтре го́рода. 2. Де́вочка, **кото́рая гуля́ет** в саду́, моя́ сестра́. 3. Нам ну́жен инжене́р, **кото́рый понима́ет и говори́т** по-англи́йски. 4. Самолёт, **кото́рый гори́т,** упадёт в мо́ре. 5. Я́блоко, **кото́рое лежи́т** на столе́, из са́да мое́й ба́бушки. 6. Мы попроси́ли учи́теля, **кото́рый расска́зывает** нам о византи́йском госуда́рстве, объясни́ть нам когда́ и как начали́сь торго́вые сноше́ния Византи́и с славя́нскими племена́ми в центра́льной Евро́пе. 7. Для челове́ка, **кото́рый изуча́ет** эконо́мику, э́тот журна́л бу́дет о́чень интере́сен. 8. Я не зна́ю гости́ницы, **кото́рая име́ла бы** бо́лее удо́бные ко́мнаты. 9. К по́вару, **кото́рый живёт** ря́дом с на́ми, прие́хал его́ брат. 10. Я ча́сто ви́жу студе́нта, **кото́рый занима́ется** в э́том университе́те.

d. Put the above sentences in the *plural,* making all necessary changes.

e. Carry out the same changes as in (c) in the following sentences, using, however, the *past* tense participles:

1. В э́том го́роде да́же мой друг, **кото́рый знал** не́сколько языко́в, не мог получи́ть слу́жбы. 2. Граждани́на Семёнова, **кото́рый говори́л** вчера́ речь в клу́бе, я хорошо́ зна́ю. 3. Я не по́мнил фами́лии же́нщины, **кото́рая сиде́ла** за столо́м. 4. К тури́сту, **кото́рый осма́тривал** музе́й, подошёл профе́ссор Петро́в. 5. Я познако́мился с учёным, **кото́рый разрабо́тал** но́вую а́збуку. 6. Капита́н смотре́л на ло́дку, **кото́рая подплыла́** к кораблю́. 7. В кни́ге э́того писа́теля, **кото́рый написа́л** мно́го изве́стных рома́нов, я нашёл фотогра́фию моего́ отца́. 8. Вы

ничего́ не зна́ете о ма́льчике, **кото́рый бежа́л** и́з дома?
9. Нам необходи́мо пригласи́ть учёного, **кото́рый знал** положе́-
ние и был при дворе́ после́днего импера́тора. 10. Мой друг,
кото́рый сде́лал так мно́го для на́шего го́рода. тепе́рь живёт в
Чика́го.

f. Put the above sentences in the *plural*, making all necessary
changes.

VII.   TRANSLATION INTO RUSSIAN

A

1. Having read many books on Russian history and
life in the U.S.S.R., I wanted (got the desire) to know more
about the history of the Russian language. 2. And so I bought
a little book, *About the Russian Language,* in which I found
all I wanted to know. 3 Reading this book I found out that
the written language came to the Eastern Slavs along with
Christianity. 4. The Moravian principality was the first to ask
(asked as the first) the Byzantine Emperor to send someone
who could teach the new faith to the (native) population in
their own vernacular (native tongue); this was in the year
863. 5. At that time two brothers from a wealthy and important
family, Constantine and Methodius, were holding (occupied)
a very high position at the Byzantine court. 6. They had been
born and had grown up in Thessalonica, a city in which the
[native] population spoke the Slavic language. 7. Thus (in this
manner) both brothers knew the Slavic language from their
childhood [days]. 8. At the same time, they had received an
excellent education and, being highly educated people, they
not only spoke Greek but read the most difficult texts (books)
with great ease (completely freely). 9. Commissioned by the
Byzantine Emperor these two scholars began to translate the
Greek religious books into the Old Slavonic tongue. 10. But in
order to write these translations down, they had to develop
(work out) a new alphabet. 11. They worked out the Cyrillic
alphabet (Кири́ллица). 12. The name takes its origin
from Saint Cyril (Свято́го Кири́ла), who is, of course, the
Greek scholar Constantine himself. 13. Having created (worked
out) the alphabet and having written the old Slavonic
books, both brothers went to the Slavs and brought them this
new written language along with the new faith. 14. Of course,
this new written language in these new books was in many
respects different from the colloquial speech of the East Slavic
people. 15. But in the course of time, the students of Con-

stantine and Methodius, translating other Greek texts or drawing up (writing) official papers, introduced many words of the Russian native language into the Old Slavonic language of the books and documents. 16. Thus began the process of the unification of the Old Slavonic and the popular tongues. 17. This process finally led to the creation of the contemporary Russian which every educated Russian now speaks, reads, and writes.

B

1. My friend Nikolaĭ, who is making a serious study of Russian history, knows also a great deal about that country's geography and literature. 2. Last week he gave us an interesting report on the Russian language; next week he will speak about the role of the Volga river in the economic and social history of Russia. 3. Speaking of the Old Slavonic language, Nikolaĭ wanted us to remember two very important names, the names of two Greek scholars, Constantine and Methodius. 4. He told us how these two scholars had created the new alphabet from which the present Russian alphabet traces its origin. 5. Having worked out the "Cyrillica," they could then write down their translations of the Greek religious books in the Old Slavonic language and teach the Slavs the Christian religion in their own tongue. 6. Nikolaĭ's reports are never dull and all the students, especially those interested in the history of Russian culture, are awaiting his next one with great impatience. 7. Of all the students, only I know what Nikolaĭ is going to (will) speak about next Thursday. 8. Last Sunday, walking with me in the park and, evidently, having completely forgotten about me, Nikolaĭ was thinking out loud about his next report. 9. "Of course," he was saying, "of course, everybody sings those 'Volga' songs and thinks that he knows all about that most beautiful, that longest and deepest river in all [of] Europe! 10. But who knows what an important role that river has played in the history of Russia? 11. Who knows, for example, that beginning with (from) the eighth century tradesmen living in all parts of Russia and even in foreign (other) countries gathered on the banks of that river, that ancient trade route of Russia? 12. Meeting once a year at Nizhniĭ Novgorod, these merchants brought furs from the North, tea and silk from the East, wool and linen from the West, wines and rugs from the South, the Caucasus and the shores of the Caspian Sea." 13. "Sasha," Nikolaĭ suddenly

asked me, "do you know, that even large steamers can now move (swim) from the Caspian Sea to Moscow, thanks to a remarkable system of canals? 14. In my report which I shall give next Thursday, I shall tell you all about these canals. 15. I shall also speak about the huge power stations that stand on the banks of the Volga and about which you surely know nothing at all. 16. Or have you, perhaps, heard about the plans (пла́ны) which the Soviet government is working out to make the Volga river the 'electrical heart' of the whole country?" 17. I had to admit to my friend that I knew nothing at all about this. 18. But, saying goodbye to him that Sunday, I did know what he would tell us in his talk next Thursday.

ТРИДЦАТЫЙ УРОК

THIRTIETH LESSON

Present and past passive participles — Passive voice

I. COMMON EXPRESSIONS AND IDIOMS

При Петре́ Вели́ком	In the reign of Peter the Great
Осно́вана Петро́м Вели́ким	Founded, established, by Peter the Great
По приме́ру...	Following the example of ...
По пла́ну...	According to the plan of ...
Наряду́ с...	Side by side, of equal importance with ...
Среди́ чле́нов...	Among the members of ...
Госуда́рственное устро́йство	Organization of the state, the body politic
Проведённая Петром рефо́рма	The reform carried out by Peter the Great
Представля́ть собо́й	To be. *Lit.*: to represent through oneself
Чи́сто нау́чная и педагоги́ческая де́ятельность	Purely scientific and pedagogical activity

II. READING EXERCISE

ОСНОВАНИЕ АКАДЕМИИ НАУК В РОССИИ

Акаде́мия Нау́к[1] в Росси́и **была́ осно́вана Петро́м Вели́ким**[2] в январе́ 1724 го́да. Эпо́ха Петра́ Вели́кого изве́стна в ру́сской исто́рии как эпо́ха больши́х и ва́жных рефо́рм в экономи́ческой, полити́ческой и культу́рной жи́зни страны́.

Пётр Вели́кий хорошо́ зна́вший Евро́пу и понима́вший, что Росси́я во мно́гом отста́ла от свои́х европе́йских сосе́дей,

---

[1] Акаде́мия Нау́к — Academy of Sciences.
[2] Пётр Вели́кий — Peter the Great (1672-1725).

хотéл измени́ть свою́ страну́ **по приме́ру** за́падно-европе́йских госуда́рств.

Ру́сский исто́рик Ключе́вский[1] пи́шет, что одни́м из са́мых си́льных впечатле́ний, **вы́несенных** Петро́м из Евро́пы бы́ло чу́вство удивле́ния: как там мно́го у́чатся и как бы́стро и хорошо́ рабо́тают, а рабо́тают так бы́стро и хорошо́, потому́ что так мно́го у́чатся. Поэ́тому поня́тно, что **наряду́ с** экономи́ческими и полити́ческими рефо́рмами, распростране́ние образова́ния и подня́тие культу́рного у́ровня населе́ния ста́ло одно́й из гла́вных зада́ч Петра́ Вели́кого.

При Петре́ Вели́ком приглаша́ются в Росси́ю иностра́нные учёные и те́хники. Ру́сская молодёжь та́кже **посыла́ется** за грани́цу учи́ться. **По́сланные** в Англию, во Фра́нцию, в Ита́лию,[2] в Голла́ндию[3] молоды́е лю́ди изуча́ли там и матема́тику, и кораблестрое́ние, и филосо́фию, и архитекту́ру и госуда́рственное устро́йство ра́зных стран.

В 1703 году́ в Санкт Петербу́рге,[4] но́вой столи́це, **постро́енной** Петро́м на реке́ Не́ве,[5] выхо́дит пе́рвая ру́сская газе́та, **печа́таются** учебники по ра́зным предме́там, из кото́рых мно́гие **бы́ли разрабо́таны** сами́м Петро́м. На ру́сский язы́к **перево́дятся** иностра́нные кни́ги, **открыва́ется** не́сколько техни́ческих школ. **Проведённая Петро́м рефо́рма** ру́сской а́збуки де́лает письмо́ бо́лее просты́м и поня́тным.

В 1717 году́ Пётр Вели́кий **был и́збран** чле́ном Пари́жской Акаде́мии Нау́к. Мысль о созда́нии Акаде́мии Нау́к в Росси́и давно́ занима́ла Петра́. По мы́сли Петра́, ру́сская Акаде́мия Нау́к должна́ была́ **представля́ть собо́й** собра́ние лу́чших учёных, кото́рые занима́лись бы **и чи́сто нау́чной и педагоги́ческой де́ятельностью.** Их ученики́ в дальне́йшем, са́ми станови́лись бы учителя́ми техни́ческих школ и распространя́ли бы образова́ние в наро́де.

Акаде́мия Нау́к **была́ осно́вана по пла́ну** Петра́ Вели́кого в 1724 году́, но начала́ свою́ де́ятельность то́лько че́рез год, уже́ по́сле сме́рти Петра́. Пе́рвые чле́ны Акаде́мии бы́ли иностра́нцы, **приглашённые** Петро́м из ра́зных европе́йских стран. Одна́ко, че́рез не́сколько лет **среди́ чле́нов** Акаде́мии бы́ло уже́ пятна́дцать ру́сских учёных. Среди́ них был вели-

---

[1] **Васи́лий Оси́пович Ключе́вский** — Vasilii Osipovich Kluchevski (1841-1911).
[2] **Ита́лия** — Italy.
[3] **Голла́ндия** — Holland; Netherlands.
[4] **Санкт Петербу́рг** — St. Petersburg, now **Ленингра́д** — Leningrad.
[5] **Нева́** — the river Neva.

ча́йший ру́сский учёный, Михаи́л Ломоно́сов,[1] кото́рым **бы́ло сде́лано** мно́го ва́жных откры́тий в о́бласти хи́мии и фи́зики. Им же **была́ напи́сана** пе́рвая ру́сская грамма́тика в 1755 году́. При Акаде́мии находи́лась и своя́ библиоте́ка и музе́й, а в 1728 году́ **печа́тается** журна́л Акаде́мии, получи́вший большо́е распростране́ние за грани́цей.

Акаде́мия Нау́к сра́зу же **была́ при́знана** нау́чным ми́ром и Евро́пы и Аме́рики. В 1779 году́ оди́н из её чле́нов **был и́збран** в чле́ны Америка́нского Филосо́фского О́бщества в Филаде́льфии, а пе́рвым америка́нским учёным, ста́вшим чле́ном Акаде́мии Нау́к в Росси́и был Вениами́н Фра́нклин.[2]

III. VOCABULARY

архитекту́ра	architecture	мысль	thought
впечатле́ние	impression	подня́тие	raising, lifting
госуда́рство	state, body politic empire	полити́ческий, -ая, -ое	political
грамма́тика	grammar	распростране́ние	dissemination
де́ятельность	activity	смерть	death
иностра́нец (†е)	foreigner	столи́ца	capital
иностра́нный, -'ая, -'ое	foreign	удивле́ние	surprise, astonishment
исто́рик	historian	у́ровень (m.) (†е)	level
кораблестрое́ние	shipbuilding	уче́бник	textbook

Verbs

Imperfective	Perfective	English
избира́ть (I)	избра́ть (брать)	to select, elect
изменя́ть (I)	измени́ть, изменю́ измени́шь, изме́нят	to change alter
печа́тать (I)	напеча́тать (I)	to print
признава́ть; признаю́, признаёшь, признаю́т,	призна́ть (знать)	to acknowledge, recognize, admit
посыла́ть (I)	посла́ть; пошлю́ пошлёшь, пошлю́т	to send
распространя́ть (I)	распространи́ть (II)	to spread, disseminate

---

[1] **Михаи́л Ломоно́сов** — Mikhail V. Lomonosov (1711-1765).
[2] **Вениами́н Фра́нклин** — Benjamin Franklin (1706-1790).

IV. GRAMMAR

A. The participles (cont.)

1. The *passive* participle *present* tense is characterized by the ending **-мый**:

Люби́мый ма́льчик	Dear (beloved, loved) boy.	(attr. use)
Ма́льчик, люби́мый все́ми	The boy [who is] loved by all	(in place of the relative pronoun)
Люби́мый	The loved one, one who is loved	(used as a noun)

The participle (being a verbal adjective) must agree in number, gender, and case with the noun it modifies (or stands for) :

> люби́м**ый** ма́льчик; люби́м**ая** де́вочка; люби́м**ые** де́ти; etc.

The declension of the participle is that of an adjective in **-ый** (но́вый etc. see Lesson 13) :

> люби́м**ый** ма́льчик; люби́м**ого** ма́льчика; люби́м**ому** ма́льчику; etc.

The *present passive* participle has also *short* forms ending in: **-м** (masculine singular); **-ма** (feminine singular); **-мо** (neuter singular); **-мы** (plural all genders).

These forms are used *predicatively;* they are *indeclinable* and show only number and gender, *not* case: люби́м; люби́ма; люби́мо; люби́мы "loved, one (ones) who are loved."

(Compare with the short adjective forms, Lesson 15; see Section B of this lesson for the principal use of these short participial forms.)

The basic *method* of *forming* the *present passive* participle[1] is to take the first person plural, present tense of the verb[2] **(лю́бим)** and add the endings **-ый, -ая, -ое** etc.: **люби́мый, etc.**

---

[1] Irregularities and exceptions are not given systematic treatment in this basic text.

[2] Only *imperfective* verbs can have a *present passive* participle, since *perfective* verbs do not have a *present* tense.

Note that the position of the *stress* is like that in the *infinitive*: любить, любимый.

2. The *past passive* participle is characterized by two types of endings: **-тый** and **-нный (ный)**:

Взятый	The taken one The one which has been taken
Написанный	The written one One which has been written

Взятый город	The taken (occupied) city
Написанное письмо	The written letter
Город, взятый нашими солдатами	The city [which] was taken by our soldiers
Письмо написанное по английски	A letter [which] was written in English

All that has been said with reference to the *present passive* participle, i.e., its use, agreement, and type of declension, applies also to the *past passive* participle.

The *past passive* participle has also *short* (indeclinable) forms which are used *predicatively*:

мыт (masc. sing.); мыта (fem. sing.); мыто (neut. sing.); мыты (plural all genders); написан (masc. sing.); написана (fem. sing.); написано (neut. sing.); написаны (plural all genders).

Note that the short form of the **-нный** ending has only *one* **н**.

The basic method of forming the *past passive* participle is to take the infinitive form of the verb, drop **ть**, and add the past participial endings

-тый, -тая, -тое: мытый; -нный, -нная, -нное: написанный.

When a verb ends in **-ить**, the **и** is changed into **е** or **ё** (when stressed) before **-нный** : строить, строенный; решить, решённый.

There are many irregularities in the formation of the *past passive participle* that cannot be summarized in any simple, functional set of rules (e.g., use of -тый or -нный, consonant mutation, position of stress). These irregularities do not receive systematic treatment in this basic course. Following are some of the more important *past passive participles* of verbs given in the text:

Infinitive	*Past Passive Participle*	*English Meaning*
бро́сить	бро́шенный, -ая, -ое	thrown away, discarded
взять	взя́тый, -'ая, -'ое	taken, occupied
дать	да́нный, -'ая, -'ое	given
изучи́ть	изу́ченный, -ая, -ое	learned, mastered
купи́ть	ку́пленный, -ая, -ое	bought
пригласи́ть	приглашённый, -'ая, -'ое	invited
приня́ть	при́нятый, -ая, -ое	accepted, customary
реши́ть	решённый, -'ая, -'ое	solved, settled
собра́ть	со́бранный, -ая, -ое	gathered, collected
сократи́ть	сокращённый, -'ая, -'ое	shortened, abbreviated

3. Use of *passive participles*. In choosing between the present and the past forms, observe that:

a. The *present* participle is used when the action expressed by the *participle* and by the *verb* are *simultaneous*:

Журна́лы, чита́емые на́ми, печа́таются в Нью Ио́рке.

The periodicals, which we *are* reading, *are* (being) printed in New York.

b. The *past* participle is used when the action expressed by the *participle precedes* the action expressed by the *verb*:

Кни́ги, прочи́танные на́ми, тепе́рь никто́ не чита́ет.

The books, which we *have* read, nobody *reads now*.

B. The passive voice

The *passive voice* in Russian is expressed:

1. By using the short forms of the passive participles, present or past, together with the proper tense of the verb быть. (In the present tense the auxiliary verb быть is, of course, not expressed.):

Present:

Этот ма́льчик **все́ми** люби́м.	This boy [is] loved by all.
Эта кни́га **на́ми** напи́сана.	This book [is] written by us.

Past:

Этот ма́льчик **был все́ми** люби́м.	This boy was loved by all.
Эта кни́га **была́ на́ми** напи́сана.	This book was written by us.

Future:

Этот ма́льчик **бу́дет все́ми** люби́м.	This boy will be loved by all.
Эта кни́га **бу́дет на́ми** напи́сана.	This book will be written by us.

Note that the *agent* "by all," "by us" is rendered by the *instrumental* case *without* a *preposition.*[1]

2. In general, this construction is avoided in Russian and the passive is expressed more frequently

a. By means of the reflexive verb:

Present:

Тепе́рь дома́ стро́я**тся** бы́стро.	Now houses are built quickly.

Past:

Дома́ стро́или**сь** ме́дленно.	Houses were built slowly.

Future:

Ско́ро дома́ бу́дут стро́и**ться** в оди́н день!	Soon houses will be built in one day!

This construction is generally used when customary action or a general state of affairs without mention of a specific agent is being expressed.

---

[1] Which of the two passive participles to use, the *present* or the *past,* cannot be determined by any simple set of rules. Some verbs, to be sure, form both. The majority, however, lacks one or the other of the two. Thus, писа́ть, for instance, is used only in the *past* participial form (passive), while люби́ть has only the *present* passive participial form. For this (and other) reasons it is advisable for the beginner to concentrate on acquiring a *recognitional* knowledge of the *passive voice* and to rely on the *active voice* for active use.

b. The English passive is also frequently rendered in Russian by means of the *third person plural* of the *active* voice, subject not expressed.

Present: Высо́кие дома́ (Dir. Obj.!) тепе́рь стро́ят бы́стро.
Past: Высо́кие дома́ стро́или ме́дленно.
Future: Высо́кие дома́ бу́дут стро́ить в оди́н день.

3. The English passive impersonal expressions such as: "it is being said; it is known, etc." are best rendered in Russian by using the third person plural of the active voice:

Говоря́т, что не бу́дет бо́льше войны́.	It is said there'll be no more war.
В Росси́и ма́ло **игра́ют в** те́ннис.	One does not play much tennis in Russia.

VOCABULARY BUILDING — TYPICAL RUSSIAN WORD-FAMILIES[1]

начина́ть to begin	**нача́ло** beginning	**снача́ла** at, from the beginning	**нача́льник** chief (first one, leader)
конча́ть to end	**коне́ц** the end	**коне́чно** of course	
продава́ть to sell	**продаве́ц** seller (msc.)	**продавщи́ца** sales lady	**распрода́жа** bargain-sale
жить to live	**жизнь** life	**жи́тель** (m.) inhabitant, dweller	**живо́й** alive, living one
боле́ть to ache, be ill, sick	**боле́знь** illness, sickness	**больно́й** the sick, ill one	**больни́ца** hospital
писа́ть to write	**письмо́** letter	**писа́тель** (m.) writer	**перепи́ска** correspondence
петь to sing	**певе́ц** singer (masc.)	**пе́сня** song	**пе́ние** the singing
е́здить to drive	**по́езд** train	**отъе́зд** departure	**прие́зд** arrival

---

[1] The student should try to add to these groups and to form new word-families.

жени́ться to marry	жена́ wife	же́нщина woman	жени́х bridegroom
рабо́тать to work	рабо́та work	рабо́чий worker	(Notice the English "robot.")
жа́рить to fry, roast	жарко́е the roast	жар fever	пожа́р conflagration, fire
учи́ть to teach	учи́тель (m.) teacher	уче́бник school text	уче́ние study, learning
наро́д people, nation	наро́дный national, popular	родно́й native, kindred	ро́дина native country
объясня́ть explain	я́сно clear (Adv.)	я́сный clear	объясне́ние explanation
мал small, young (short, popular form)	ма́ленький small, little	ма́льчик boy	малю́тка (m.) baby, tiny one

V. QUESTIONS

1. Кем и когда́ была́ осно́вана Акаде́мия Нау́к в Росси́и?
2. Каки́е ва́жные рефо́рмы бы́ли проведены́ Петро́м Вели́ким?
3. Как стара́лся Пётр Вели́кий измени́ть Росси́ю? 4. Како́е
впечатле́ние бы́ло одни́м из са́мых си́льных впечатле́ний, вы́-
несенных Петро́м из пое́здки за грани́цу? 5. Кака́я зада́ча
ста́ла одно́й из гла́вных зада́ч Петра́? 6. Кого́ приглаша́л Пётр
в Росси́ю? 7. Кого́ посыла́л Пётр Вели́кий за грани́цу? 8. Чему́
учи́лась ру́сская молодёжь за грани́цей? 9. Когда́ выхо́дит
пе́рвая ру́сская газе́та? 10. Каки́е кни́ги печа́таются и перево́-
дятся? 11. Каки́е шко́лы открыва́ются? 12. Когда́ был и́збран
Пётр Вели́кий чле́ном Пари́жской Акаде́мии Нау́к? 13. Како́й,
по мы́сли Петра́, должна́ была́ быть ру́сская Акаде́мия Нау́к?
14. Когда́ Акаде́мия Нау́к начала́ свою́ де́ятельность? 15. Кто
бы́ли пе́рвые чле́ны Акаде́мии Нау́к? 16. Како́й велича́йший
ру́сский учёный был чле́ном Акаде́мии в пе́рвый пери́од её
де́ятельности? 17. Чем он изве́стен в ру́сской и мирово́й
нау́ке? 18. Была́ ли Акаде́мия Нау́к при́знана нау́чным ми́ром
Евро́пы и Аме́рики? 19. Когда́ и́збрали одного́ из её чле́нов
чле́ном америка́нского Филосо́фского О́бщества? 20. Како́й
америка́нский учёный был и́збран чле́ном ру́сской Акаде́мии
Нау́к?

VI. GRAMMAR EXERCISES

Exercises with Grammar A

a. From the Reading Exercise write out *passive participles* and *adverbial participles* (review), grouping them according to *tense* and giving their English meaning.

b. Form regular *present passive participles* from the following verbs and translate them:

1. любить; 2. узнавать; 3. занимать; 4. принимать; 5. запоминать; 6. открывать; 7. получать; 8. снимать; 9. осматривать; 10. изучать.

c. Form the regular *past passive participles* from the following verbs, using the ending given in parentheses, then translate them, for example: **мыть (-тый), мы́тый, -'ая, -'ое,** "washed."

1. послать (-нный); 2. избрать (нный); 3. закрыть (-'тый); 4. одеть (-'тый); 5. открыть (-'тый); 6. постро́и*ть (-нный); 7. изуча*ть (-нный); 8. раздвинуть (-тый); 9. сделать (-нный); 10. устро́и*ть (-нный).

d. Use the *past passive participles* formed by you in the above exercise as *adjectives* in simple but complete Russian sentences, thus: **По́сланные деловы́е бума́ги лежа́ли на столе́.**

e. Give the *infinitive* and *English meaning* of the following *past passive participles*, as follows: **соверше́нный: соверши́ть,** "complete, perfect."

1. расска́занный; 2. напеча́танный; 3. взя́тый; 4. чи́танный; 5. да́нный; 6. ку́пленный; 7. пока́занный; 8. разрабо́танный; 9. переведённый; 10. напи́санный.

f. Decline in the *singular* and *plural*:

1. многоуважа́емый; 2. бу́дущая неде́ля; 3. проше́дший ме́сяц; 4. люби́мое ме́сто; 5. напи́санное письмо́; 6. переведённая кни́га; 7. приглашённый гость; 8. ко́нченный докла́д; 9. раздви́нутый стол; 10. мы́тая па́луба.

g. Use the *past passive participles* given in the table on page 298 as adjectives in simple, complete Russian sentences.

---

* These vowels change to "e." Notice also that where the stress is not indicated over the dash it is to be placed preceding it, thus: избра́ть, и́збранный.

Exercises with Grammar B

a. Change the *long* participial forms in parentheses to the corresponding short forms and *translate* the sentences:

1. Учéбник бýдет (разрабóтанный) по примéру инострáнных учéбников. 2. Приказáние (óтданное) командѝром по телефóну. 3. Студéнт был (пóсланный) за гранѝцу учѝться. 4. Это госудáрство (прѝзнанное) Соединёнными Штáтами Амéрики[1] нарядý с другѝми госудáрствами. 5. Прекрáсная купáльня былá (устрóенная) на берегý рекѝ. 6. Универсáльный магазѝн (закрытый) по прáздникам. 7. Эта жéнщина былá (ѝзбранная) члéном Акадéмии Наýк. 8. Доклáд о жѝзни крестья́н в Россѝи девятнáдцатого вéка бýдет (прочѝтанный) извéстным учёным.

b. Form *passive* sentences by giving the proper form of the parenthesized *passive participles* and by placing the parenthesized nouns and pronouns into the *instrumental* case, then give a *literal* translation of the resulting sentences, thus:

Кнѝгу (напѝсанный; он), все читáют.

Кнѝгу, напѝсанную[2] им, все читáют.

The book, *written by him*, everyone is reading.

1. Журнáл (кýпленный; мы), всем нрáвится. 2. Дом (пострóенный; мой отéц), был на окрáйне гóрода. 3. Мéжду кóмнатой (снимáемый; он) и моéй, нахóдится кýхня. 4. Фáбрика, (осмóтренный; турѝсты) былá огрóмна. 5. Я óчень интересовáлся предмéтом (преподавáемый; учѝтель). 6. Ребёнку (прѝсланный; бáбушка) из дерéвни, трýдно жить в столѝце. 7. Профéссор, глубокó (уважáемый; мы), вдруг ýмер. 8. Кнѝга, (взя́тый; студéнт) из библиотéки, былá óчень интерéсна. 9. Об э́том учéбнике (разрабóтанный; онѝ) мы мнóго слы́шали. 10. Со шкóлой, (пострóенный; мой брат), у меня́ óчень мнóго рабóты. 11. Госудáрственное устрóйство Россѝи, (изменённый; Пётр), бы́ло результáтом большóй рабóты. 12. Около столá, (раздвѝнутый; дéдушка) в столóвой, собралáсь семья́.

---

[1] United States of America; abbreviated in Russian: **С.Ш.А.**

[2] Note the agreement of **напѝсанную** with **кнѝгу** in gender, case and number.

c. Change the following sentences into *passive* sentences expressed by means of reflexive verbs and translate them, thus:

Это сло́во (acc.) **пи́шут** так to: Это сло́во (nom.) **пи́шется** так.

This word is written (*lit.*: writes itself) thus.

Note that the verb agrees in number and person with the new subject, **сло́во.**

1. На берега́х Во́лги **стро́ят** огро́мные гидро-ста́нции. 2. Его́ **счита́ли** о́чень у́мным челове́ком. 3. В на́шем клу́бе **начина́ют** собра́ния ро́вно в во́семь часо́в ве́чера. 4. Во вре́мя боле́зни **принима́ют** ра́зные лека́рства. 5. Сюда́ **присыла́ют** пи́сьма со всех концо́в Росси́и. 6. Образова́ние **распространя́ют** среди́ населе́ния. 7. Иностра́нные кни́ги **печа́тали** при Петре́ Вели́ком. 8. Архитекту́ру то́же **бу́дут изменя́ть** под влия́нием культу́рных рефо́рм. 9. Как изве́стно, **тре́бовали** подня́тие культу́рного у́ровня в рабо́те клу́ба. 10. В 19-ом ве́ке **прекраща́ют** педагоги́ческую де́ятельность Акаде́мии Нау́к.

d. Use the *past passive participles* given in the table on page 298 in *passive* Russian sentences.

VII. TRANSLATION INTO RUSSIAN

1. Peter the Great, one of the most learned and energetic Russian Tsars, died before the Russian Academy of Sciences, founded by him in 1724, had begun its activity. 2. If only he had lived a few more years, how great would have been his influence on his creation, the Academy! 3. With what interest would he have read the first Russian grammar written by one of the greatest Russian scholars, Mikhail Lomonosov! 4. With what pleasure would he have heard about that scholar's many discoveries in the field of chemistry and physics! 5. Under his influence the Russian Academy of Sciences might have grown even faster. 6. He would have invited more foreign scholars, more journals would have been printed, more foreign books would have been translated into Russian. 7. Peter had frequently gone to Europe and had studied abroad. 8. He knew that his country had fallen behind its European neighbors in many respects (in much). 9. Much had to be done, in order to change Russia, following the example of European countries. 10. According to Peter's plan, Russian youths (sing.) were sent abroad, to England, to France, to Italy, and to Holland, there to study economics, philosophy, architecture, and even shipbuilding. 11. The spread of education to (into) all the

parts of his enormous empire was one of the main problems
of Peter the Great. 12. The economic, political, and cultural
reforms carried out by the Russian Tsar were recognized by
the great scholars of Europe in all the fields of learning. 13. In
the year 1717 Peter the Great was elected (chosen) a member
of the Paris Academy of Sciences, members of which had been
invited by Peter to occupy important positions (sing.) at his
court. 14. The beautiful city of St. Petersburg was built by
Peter on [the banks of] the river Neva. 15. In his new capital
of Russia were built many beautiful theaters, museums, and
libraries. 16. Here were opened many technical schools. 17. Here,
in the year 1703, was printed the first Russian newspaper.
18. Scholars in the new schools, libraries, and museums wrote
important scholarly books. 19. Textbooks in all the fields of
learning were also written and some of them were even worked
out by Peter himself. 20. Peter wanted his scholars to occupy
themselves not only with pure research activity but also with
pedagogical problems. 21. Their students should, in the course
of time, themselves become teachers in technical schools and
universities. 22. Yes, Peter the Great knew very well that
"Knowledge is light and ignorance is darkness" and did all
he could to spread education to all parts of his state.

VIII. CONCLUDING EXERCISE

Write a brief composition on the "Accomplishments of Peter
the Great," or on a topic of your own choosing, drawing freely
upon your knowledge of Russian grammar and vocabulary gained
in this course.

POETRY

It is in the poetry of a nation that the quality of its language, its color, its rhythm, its idiomatic and colloquial turn, are most vividly felt. Here, in its poetry, the student of language will recognize most quickly the uniqueness of a national idiom, and will develop most readily that indefinable "feel" for its finest and subtlest nuances.

This is nowhere more true than in the poetry of Russia, which ranges from the most refined, esoteric lyrical statement to the most direct, vivid and vigorous, pithy and earthy utterance in folk song and proverb.

There is in Russian, especially in folk poetry, a very characteristic feature which the student will notice at once and which will perhaps puzzle him somewhat. This feature is the frequent and effective use of forms of endearment, disparagement, and contempt, and of diminutive forms and forms of magnification. All of these forms are denoted by a variety of suffixes; the most important of them are listed below, to ease the student's way to his first sampling of Russian poetry.

A. Suffixes imparting to the noun a diminutive meaning and/ or expressing endearment:

-ик	:	(дом) до́мик	"little (dear) house"
-ок (ёк)	:	(сын) сыно́к	"dear little son"
-ец	:	(брат) бра́тец	"dear little brother"
-ка	:	(рука́) ру́чка	"dear little hand"
-ица	:	(сестра́) сестри́ца	"dear little sister"

B. Suffixes expressing tenderness, endearment:

-ушка	:	де́душка	"grandfather"
		ба́бушка	"grandmother"
-юшка	:	ба́тюшка	"daddy, little father"
		дя́дюшка	"dear (little) uncle"
-енька	:	па́пенька	"dear father"
		ма́менька	"dear mother"

C. Suffixes expressing contempt:

-ишка	:	мальчи́шка	"urchin, brat"
-ишко	:	доми́шко	"miserable little house, a shack"
-ёнка	:	избёнка	"miserable little hut"

D. Suffixes expressive of magnitude, hugeness:

-ище   : парни́ще "big fellow"; доми́ще "huge house"

Adjectives can also be given a diminutive and/or endearing meaning by attaching the ending -енький in place of -ый:

мѝлый   "dear"   ми́ленький   "dear, little (one)"
хоро́ший   "good"   хоро́шенький   "pretty"

Notice the frequent occurence of these suffixes, especially in the first two poems that follow. The "visible" vocabulary is provided to eliminate the boredom of mechanical thumbing of dictionaries but not the satisfaction that is sure to come with the realisation that the knowledge of Russian gained in this course proves quite ample to deal with the poems here offered. (The new words or phrases are asterisked and translated, *unless they are easily derivable from known words*.)

I. КАЗАЧЬЯ КОЛЫБЕЛЬНАЯ ПЕСНЯ
(COSSACK CRADLE SONG)

Text	Vocabulary
Спи, младе́нец* мой прекра́сный,	infant, child
Ба́юшки-баю́.	
Ти́хо све́тит ме́сяц* я́сный	moon
В колыбе́ль* твою́.	cradle
Ста́ну ска́зывать я ска́зки,*	fairytale
Пе́сенку спою́.	
Ты ж дремли́*, закры́вши гла́зки,	to dream, sleep
Ба́юшки-баю́.	peacefully

II. А. Блок: ВЕРБОЧКИ[1]

Text	Vocabulary
Ма́льчики, да де́вочки	
Све́чечки*, да ве́рбочки*	little candles and willow branches
Понесли́ домо́й.	(diminutive/endearing forms!)
Ветеро́к уда́ленький,*	brave, boisterous (diminutive/ endearing form!)
До́ждик*, до́ждик ма́ленький,	(diminutive/endearing!)
Не заду́й* огня́*.	blow out the fire
В Воскресе́нье Ве́рбное	
За́втра вста́ну пе́рвая	
Для свято́го дня.*	for the holy day

----

[1] The Sunday before Easter Sunday is called Ве́рбное Воскресе́нье. It is the equivalent of our Palm Sunday. The poem describes how, on the eve of that festive day, boys and girls are carrying home the blessed candles and willow branches, blessed at an evening service.

III.   A. Фет: ЗИМА

Text	Vocabulary
Чу́дная* карти́на,*	beautiful (wondrous) picture
Как ты мне родна́!	
Бе́лая равни́на,	
По́лная луна́.*	synonym for ме́сяц
Свет небе́с* высо́ких	plural of не́бо
И блестя́щий* снег,*	glistening snow
И сане́й* далёкийх,	sled (gen. pl.)
Одино́кий бег!*	run, course

IV.   A. Пушкин: ЗИМНЕЕ УТРО

Text	Vocabulary
Моро́з* и со́лнце; день чуде́сный*	frost; wondrous
Ещё ты дре́млешь,* друг	doze, dream
преле́стный.	
Пора́, краса́вица, просни́сь:*	wake up
Вечо́р,* ты по́мнишь, вью́га*	old spelling of ве́чер; snow
зли́лась,*	storm was raging
На му́тном* не́бе мгла* носи́лась;*	cloudy; haze was hovering
Луна́, как бле́дное пятно́*,	spot
Сквозь* ту́чи* мра́чные* желте́ла,*	was yellow through the
	darkling clouds
А ты печа́льная* сиде́ла.	sad one
А ны́нче*... погляди́ в окно́:	now
Под голубы́ми* небеса́ми	synonym for си́ний
Великоле́пными* ковра́ми	magnificent
Блестя́ на со́лнце, снег лежи́т;	
Прозра́чный* лес оди́н черне́ет	transparent
И ель* сквозь и́ней* зелене́ет,	fir tree; hoar frost
И ре́чка подо* льдо́м* блести́т.	подо—под; ice

V. М. Лермонтов: ГОРНЫЕ ВЕРШИНЫ

Text	Vocabulary
Горные вершины* спят во тьме ночной;	mountain top, peak
Тихие долины*	valleys
Полны свежей мглой;	
Не пылит* дорога,	send up dust
Не дрожат* листы*...	leaves do not tremble
Подожди немного,	
Отдохнёшь и ты.	

VI. А. Майков: ХРИСТОС ВОСКРЕС!

Text	Vocabulary
Повсюду* благовест* гудит*	Everywhere the ringing of bells resounds (*lit.*: drones)
Из всех церквей народ валит,*	throng
Заря* глядит уже с небес...	the dawn, sunrise
Христос* Воскрес!* Христос Воскрес!	Christ has risen!
Вот просыпается земля,	
И одеваются поля...	
Весна идёт, полна чудес*	wonders (gen.)
Христос Воскрес! Христос Воскрес!	

VII. М. Лермонтов: МОЛИТВА

Text	Vocabulary
В минуту жизни трудную,	
Теснится ль* в сердце грусть,*	crowds; sadness (if, whenever sadness crowds in the heart)
Одну молитву* чудную*	prayer: wonderful
Твержу* я наизусть.*	repeat by heart
С души* как бремя скатится,*	soul; rolls, falls off (disappears)
Сомненье* далеко —	doubt ("is" understood)
И верится* и плачется,*	and one believes; and one weeps
И так легко, легко.	(tears of joy and relief)

VIII.   М. Лермонтов: ПАРУС

Text	Vocabulary
Белеет* парус* одинокий*	shines white; sail; lonely
В тумане* моря голубом.	mist (fog)
Что ищет он в стране далёкой?	
Что кинул* он в краю родном?	left (behind)
Играют волны, ветер свищет*...	whistles
И мачта* гнётся* и скрипит*...	the mast bends and creaks
Увы!* Он счастия не ищет	Alas!
И не от счастия бежит!	
Под ним струя* светлей лазури,*	flash (*lit.*: stream); azure
Над ним луч* солнца золотой,	ray
А он, мятежный,* просит бури,	rebellious, mutinous
Как будто в бурях есть покой!*	rest, peace

IX.   А. Майков: ТИХО МОРЕ ГОЛУБОЕ!

Text	Vocabulary
Тихо море голубое!	
Если б вихрь* не налетал,*	whirlwind; swoop down, rush in
Не шумело б, не кидало* б	would not throw
В берега за валом вал!*	wave, surge
Тихо б грудь* моя дышала,*	breast; would breathe
Если б вдруг, в душе моей	
Образ* твой не проносился*	picture, image; rush through
Вихря буйного* быстрей!	tempestuous, raging

X.   М. Кольцов: НАРОДНАЯ ПЕСНЯ

Text	Vocabulary
Дуют ветры	
Ветры буйные,*	storms (*lit.*: wild winds)
Ходят тучи,*	clouds
Тучи тёмные	
Не видать в них	
Света* белого,*	the wide world (*lit.*: white world)
Не видать в них	
Солнца красного.*	for: красивого (archaic)

Во сыро́й* мгле,*	damp mist, haze
За тума́нами,	
То́лько но́чка*	night (*lit.*: little night)
Лишь* черне́ется*...	only darkles
В э́ту по́ру*	time
Непого́жую*	foul, bad weather (adj.)
Одному́ жить	
Се́рдцу хо́лодно...	

XI. А. Пушкин: ЭПИГРАММЫ

Text	*Vocabulary*
Друзья́, прости́те! завеща́ю*	bequeath
Вам всё, чем рад и чем бога́т:	
Оби́ды,* пе́сни — всё проща́ю,*	insults, affronts; forgive
А мне пуска́й долги́* простя́т.	debts

Всегда́ так бу́дет и быва́ло,	
Тако́в* издре́вле* бе́лый* свет.*	such from yore (is) the wide (white) world
Учёных мно́го, у́мных ма́ло,	
Знако́мых тьма,* а дру́га нет.	great number, mass of (*lit.*: darkness)

Полумило́рд, полукупе́ц,*	half-merchant
Полумудре́ц,* полуневе́жда,*	half-wise man, half-boor
Полуподле́ц,* но есть наде́жда,*	half-rascal; hope
Что бу́дет по́лным наконе́ц.	

Пусто́е «вы» серде́чным* «ты»	heartfelt, cordial
Она́, обмо́лвясь,* замени́ла,*	by slip of tongue she had replaced
И все счастли́вые мечты́*	dreams, reveries, wishful thoughts
В душе́ влюблённой* возбуди́ла.*	infatuated; she aroused, awakened
Пред ней заду́мчиво* стою́;	thoughtfully
И говорю́ ей, как «вы» ми́лы	
И мы́слю:* как «тебя́» люблю́!	think

XII.   А. Блок: ДЕВУШКА ПЕЛА...

Text	Vocabulary
Девушка пела в церковном хо́ре*	choir
О всех уста́лых в чужо́м* краю́,	foreign, strange
О всех корабля́х, уше́дших в мо́ре,	
О всех забы́вших ра́дость свою́.	
Так пел её го́лос, летя́щий в ку́пол,*	flying up to (into) the cupola
И луч* сия́л* на бе́лом плече́,	the ray was bright (shone)
И ка́ждый из мра́ка* смотре́л и слу́шал,	out of the darkness
Как бе́лое пла́тье* пе́ло в луче́.	stands in poetic context for: де́вушка
И всем каза́лось, что ра́дость бу́дет,	
Что в ти́хой за́води* все корабли́,	sheltered cove (*lit.*: backwater)
Что на чужби́не* уста́лые лю́ди	in the foreign land
Све́тлую жизнь себе́ обрели́·*	have gained (obtained) for themselves

TEXT OF RUSSIAN SONGS

(Recorded by the Don Cossack Choir on Record No. CHS 1230)

I.   ПОЛЮШКО—ПОЛЕ

Text	Vocabulary
По́люшко-по́ле,	
По́люшко широ́ко по́ле	
Едут по по́лю геро́и,	
Эх-да Кра́сной Армии геро́и.	
Де́вушки пла́чут,*	they cry
Де́вушкам сего́дня гру́стно.*	sad
Ми́лый надо́лго уе́хал,	
Эх-да ми́лый в а́рмию уе́хал.	

Дéвушки, гля́ньте,*	look, take a look
Гля́ньте на доро́гу нáшу,	
Вьётся* дáльняя* доро́га.	stretches (*lit.*: curls) ; distant
Эх-да развесёлая* доро́га.	a most merry, happy
Едем мы, éдем,	
Едем, а круго́м* колхо́зы.	round about, around
Нáши, дéвушки, колхо́зы,	
Эх-да молоды́е нáши селá.*	villages

II. МЕТЕЛИЦА

Text	*Vocabulary*
Вдоль* по у́лице метéлица* метёт,*	along; the snow
За метéлицей мой ми́ленький идёт.	storm is sweeping
Ты посто́й,* посто́й красáвица моя́,	stop a while, tarry
Дай мне наглядéться,* рáдость	to have one's fill of
на тебя́.	looking
На твою́ ли* на прия́тну[1] красоту́,	not expressive of
	a question here
На твоё ли* да на бéлое лицо́.	but implies "as well
	as..."
Ты посто́й, посто́й, красáвица моя́,	⎱
Дай мне наглядéться, рáдость,	⎰ refrain—припéв
на тебя́	
Красотá твоя́ с умá меня́ свелá,*	has driven me insane
	(*lit.*: has led me
	off my mind.)
Погуби́ла* дóбра[2] мóлодца* меня́.	has undone, destroyed;
	right fine young
	fellow
Ты посто́й, посто́й, красáвица моя́,	
Дай мне наглядéться, рáдость	
на тебя́.	

---

[1] Short ending in keeping with folk-tone.

[2] An archaic form of the adjective particularly common in folk-speech.

III. КТО ЕГО ЗНАЕТ

Text	*Vocabulary*
На зака́те* хо́дит па́рень*	at sunset; fellow, lad
Во́зле* до́ма моего́.	in front of
Поморга́ет* мне глаза́ми	winks
И не ска́жет ничего́.	
И кто его́ зна́ет, заче́м он морга́ет, Заче́м он морга́ет, заче́м он морга́ет...	refrain—припе́в
Как приду́ я на гуля́нье*	festive dance
Он танцу́ет и поёт.	
А прости́мся у кали́тки,*	gate
Отвернётся* и вздохнёт.*	turns away; sighs
И кто его́ зна́ет, чего́* он вздыха́ет,	why
Чего́ он вздыха́ет, чего́ он вздыха́ет...	
Я спроси́ла, что* не ве́сел	why
И не ра́дуется.*	is not happy
Потеря́л* я, отвеча́ет,	I have lost
Се́рдце бе́дное своё.	
И кто его́ зна́ет, заче́м он теря́ет,	
Заче́м он теря́ет, заче́м он теря́ет...	
А вчера́ присла́л по по́чте	
Два зага́дочных* письма́.	mysterious
В ка́ждой стро́чке	
То́лько то́чки.*	dots, periods
Догада́йся,* мол,* сама́.	guess; emphatic particle
И кто его́ зна́ет, на что намека́ет,*	hints
На что намека́ет, на что намека́ет.	
Я разга́дывать не ста́ла,	
Не наде́йся* и не жди!	don't hope
То́лько се́рдце почему́-то	
Сла́дко та́яло* в груди́.*	melted in breast
И кто его́ зна́ет, чего́ оно́ та́ет,	
Чего́ оно́ та́ет, чего́ оно́ та́ет.	

Цыганская песня: МОЙ КОСТЁР

Text	Vocabulary
Мой костёр* в тума́не све́тит,	campfire
Искры* га́снут* на лету́;*	the sparks are extinguished,
Но́чью нас никто́ не встре́тит,	die away in flight
Мы прости́мся на мосту́.	
Ночь пройдёт и спозара́нок*	very early
В степь далёко, ми́лый мой,	
Я уйду́ с толпо́й цыга́нок*	gipsies
За киби́ткой* кочево́й.*	covered nomadic cart
	(a nomad's cart)
На проща́нье шаль* с каймо́ю*	shawl with a hem
Ты узло́м* на мне стяни́:*	into a knot; tie (pull
Как концы́ её, с тобо́ю	together)
Мы сходи́лись* в э́ти дни.	we met (came together)
Кто-то мне судьбу́ предска́жет?	
Кто-то за́втра, со́кол* мой,	falcon
На груди́ мое́й развя́жет*	will untie
Узел, стя́нутый тобо́й?	
Вспо́мни же,* когда́ друга́я,	do remember
Дру́га ми́лого любя́,	
Бу́дет пе́сни петь игра́я	
На коле́нях* у тебя́!	on (your) knees (your lap)
Мой костёр в тума́не све́тит,	
Искры га́снут на лету́,	
Но́чью нас никто́ не встре́тит,	
Мы прости́мся на мосту́.	

И. Козлов: ВЕЧЕРНИЙ ЗВОН

Text	Vocabulary
Вече́рний звон,* вече́рний звон!	(lit.: peal, ringing of
	evening bells)
Как мно́го дум* наво́дит* он	thoughts it calls up
О ю́ных* днях* в краю́ родно́м,	of youthful days
Где я люби́л, где о́тчий дом,*	parental (father's) house
И как я с ним на век простя́сь,	
Там слу́шал звон в после́дний раз.	

Уже́ не зреть* мне све́тлых дней	to see, behold (archaic)
Весны́ обма́нчивой* мое́й	illusive, deceptive
И ско́льких нет тепе́рь в живы́х	
Тогда́ весёлых, молоды́х	
И кре́пок их моги́льный* сон:*	sleep of death, sepulchral
Не слы́шен им вече́рний звон.	sleep
Лежа́ть и мне в земле́ сыро́й!	
Напе́в* уны́лый* надо мно́й	a sad tune, melody, refrain
В доли́не* ве́тер разнесёт;*	valley (vale); will scatter
Друго́й певе́ц по ней пройдёт —	
И уж не я, а бу́дет он	
В разду́мьи* петь вече́рний звон.	in thought, pensively

PROVERBS — ПОСЛОВИЦЫ

Text	*Vocabulary*
Без посло́вицы не прожнвёшь.[1]	Without the proverb, you won't make your way through life.[1]

1. *Learning*

Век* живи́, век учи́сь!	century, age
Повторе́нье* — мать уче́нья.	repetition
Учи́сь смо́лоду,* не умрёшь с го́лоду.*	from early youth; from hunger
Уче́нье свет, а неуче́нье тьма!	

2. *Work*

Рабо́та не медве́дь,* в лес не убежи́т.*	the bear; won't run away
Де́ло ма́стера бои́тся.	
Ко́нчил де́ло, гуля́й сме́ло!*	boldly
Коне́ц де́лу вене́ц.	All's well that ends well.

---

[1] Notice that some of the more difficult and idiomatic proverbs are rendered in full. The majority of items, however, the student should have little difficulty in handling aided by the "visible" vocabulary

Тише* едешь, дальше будешь.   more quietly, calmer,
                                                              slower

Куй железо пока горячо!   Strike while the iron
                                                              is hot!

Терпение и труд всё перетрут.   Patience and work
                                                              will overcome
                                                              everything.

3. Love and Friendship

Насильно мил не будешь.   One cannot endear
                                                              oneself by force.

Старый друг лучше новых двух.
Не имей сто рублей, а имей сто друзей!
Девичье «нет» не отказ.   A maiden's "no"
                                                              is not a refusal.

С глаз долой, из сердца вон.   Out of sight, out of
                                                              the heart (mind).

4. Way of the World

Жизнь прожить, не поле перейти.*   to cross
Нет худа без добра.   In every evil there
                                                              is [some] good.

Правда светлей солнца·
Без Бога ни до порога.*   threshold
Утро вечера мудренее.*   wiser
Нет дыма без огня.*   fire
Не всё то золото, что блестит.*   glistens
Лучше поздно, чем никогда.

За три вещи не ручайся:*   don't vouch for
за часы, за лошадь, да за жену!

Русский человек любит:*   «говорить» is
                                                              understood

«авось», «небось», да «как-нибудь.»* "perhaps," "proba-
                                                              bly," "somehow"

ЗАГАДКИ — RIDDLES

Text	Vocabulary

1

Тáет снежóк,
Ожил лужóк,*
День прибывáет.*
Когдá это бывáет?

the meadow has come alive
is growing longer

2

Сóлнце печёт,*
Лúпа цветёт,*
Рожь поспевáет.*
Когдá э́то бывáет?

burns hot, bakes
the linden stands in bloom
the corn is ripening

3

Пусты* поля́
Мóкнет* земля́,
Дождь поливáет.*
Когдá э́то бывáет?

empty
is wet, soaked
pours

4

Снег на поля́х,
Лёд* на рекáх,
Вьюга* гуля́ет.*
Когдá э́то бывáет?

ice
the snow storm is blowing

5

Шумúт* он в пóле и в садý
А в дом не попадёт*
И никудá я не идý
Покýда* он идёт

it makes noise
will not get in

as long as (colloquial)

6

Под* Нóвый Год пришёл он в дом
Такúм румя́ным* толстякóм.*
Но с кáждым днём теря́л* он вес*
И наконéц совсéм исчéз!*

on the eve of (New Year)
rosy-cheeked fat one
he lost weight
disappeared

7

Кто на* бегу́,* пары́* клубя́*

Пуска́я дым трубо́й*
Несёт вперёд
И сам себя́
Да и меня́ с тобо́й?

8

Всегда́ шага́ем* мы вдвоём,*
Похо́жие как бра́тья.
Мы за обе́дом под столо́м,
А но́чью под крова́тью.*

9

Мы хо́дим но́чью,
Хо́дим днём,
Но никуда́
Мы не уйдём.

Мы бьём* испра́вно*
Ка́ждый час
Но вы, друзья́,
Не бе́йте нас!

7

on the run; blowing off
     steam
through the smokestack

8

walk (march) in pairs

synonym for посте́ль

9

we strike punctually

РАЗГАДКА	SOLUTION
1. весно́й	in the spring
2. ле́том	in the summer
3. о́сенью	in the fall
4. зимо́й	in the winter
5. дождь	rain
6. календа́рь	calendar
7. парово́з	locomotive
8. боти́нки, ту́фли, сапоги́	shoes, slippers, boots
9. часы́	watch, clock

APPENDIX II

I. DECLENSION OF NOUNS

Masculine and Neuter Genders

Singular

| | Masculine | | | Neuter | | |
	Hard	Soft	Soft	Hard	Soft	Soft
Nom.	стол	музе́й	дождь	ме́сто	по́ле	зда́ние
Gen.	стола́	музе́я	дождя́	ме́ста	по́ля	зда́ния
Dat.	столу́	музе́ю	дождю́	ме́сту	по́лю	зда́нию
Acc.	стол[1]	музе́й[1]	дождь[1]	ме́сто	по́ле	зда́ние
Instr.	столо́м[2]	музе́ем[3]	дождём[3]	ме́стом	по́лем[3]	зда́нием[3]
Prep.	столе́	музе́е	дожде́	ме́сте	по́ле	зда́нии

Plural

Nom.	столы́[4]	музе́и	дожди́	места́	поля́	зда́ния
Gen.	столо́в[5]	музе́ев	дожде́й	мест	поле́й	зда́ний
Dat.	стола́м	музе́ям	дождя́м	места́м	поля́м	зда́ниям
Acc.	столы́[4]	музе́и	дожди́	места́	поля́	зда́ния
Instr.	стола́ми	музе́ями	дождя́ми	места́ми	поля́ми	зда́ниями
Prep.	стола́х	музе́ях	дождя́х	места́х	поля́х	зда́ниях

[1] *Animate masculines* have identical *accusative* and *genitive* endings.

[2] *Unaccented* instrumental ending -ом of *masculines* becomes -ем when preceded by ж, ч, ш, щ, ц: това́рищем.

[3] When *stressed*, the masculine and neuter instrumental ending -ем changes to -ём: дождём, ружьём. The same change from е to ё takes place in the *neuter nominative* and *accusative singular*: ружьё.

[4] *Masculine* plural nominative and accusative (inanimate) ending -ы changes to -и when preceded by г, к, х, ж, ч, ш, щ (not ц) : това́рищи.

[5] The *masculine genitive plural* ends in -ей after ж, ч, ш, щ: това́рищей; and in -ев after ц: ме́сяцев.

For further peculiarities in the declension of *masculines*, see Lessons 18, 19, 21; for further peculiarities in the declension of *neuters*, see Lessons 20, 21.

DECLENSION OF NOUNS (continued)

Feminine Gender

Singular

	Hard	Soft	Soft	Soft
Nom.	ко́мната	неде́ля	дверь	фами́лия
Gen.	ко́мнаты[1]	неде́ли	две́ри	фами́лии
Dat.	ко́мнате	неде́ле	две́ри	фами́лии
Acc.	ко́мнату	неде́лю	дверь	фами́лию
Instr.	ко́мнатой[2](ою)[2]	неде́лей(ею)	две́рью	фами́лией(ею)
Prep.	ко́мнате	неде́ле	две́ри	фами́лии

Plural

	Hard	Soft	Soft	Soft
Nom.	ко́мнаты[1]	неде́ли	две́ри	фами́лии
Gen.	ко́мнат	неде́ль	двере́й	фами́лий
Dat.	ко́мнатам	неде́лям	дверя́м	фами́лиям
Acc.	ко́мнаты[1,3]	неде́ли[3]	две́ри[3]	фами́лии[3]
Instr.	ко́мнатами	неде́лями	дверя́ми	фами́лиями
Prep.	ко́мнатах	неде́лях	дверя́х	фами́лиях

[1] *Genitive singular* and *nominative* and *accusative plural* ending -ы changes to -и after г, к, х, ж, ч, ш, щ (not ц) : кни́ги.

[2] *Unstressed* instrumental singular ending -ой (-ою) changes to -ей (-ею) after ж, ч, ш, щ, ц: продавщи́цей.

[3] *Animate* feminine nouns have identical *accusative* and *genitive* endings in the *plural*.

Note that, in the *plural, feminine* noun endings differ from those of the *masculine* only in the *genitive* (and in the accusative of animate feminines).

For further peculiarities in the declension of feminine nouns, see Lesson 23.

II. NOUN ENDINGS

The Three Regular Declensional Patterns Arranged for Easy Comparison

Singular

Cases	Masculine and Neuter		Feminine	
Nom.	Consonant : стол · Hard · -ь : гость } Soft · -й : чаЙ · -иЙ : гéниЙ	-О : окнО · Hard · -Е : мóрE } Soft · -Ё : ружьЁ · -иЕ : здáниЕ	-А : кóмнатА · Hard · -Я : недéлЯ } Soft · -ия : фамúлияЯ · -ь : дверь	Hard · Soft
Gen.	Hard: -А	Soft: -Я	Hard: -Ы	Soft: -И
Dat.	Hard: -У	Soft: -Ю	-А and -Я > *-Е · -ия and -ь > -И	
Acc.	Masc. *Inanimate* like Nominative · *Animate* like Genitive · Neuter always like Nominative		-А > -У · -Я and -ия > -Ю · -ь remains *unchanged*	
Instr.	Hard: -ОМ	Soft: -ЕМ	-А > -ОЙ (-ОЮ) · -Я and -ия > ЕЙ (-ЕЮ) · -ь > -ЬЮ	
Prep.	Always -Е except masc. -иЙ > -ИИ · neut. -иЕ > -ИИ		-А and -Я > -Е · -ия and -ь > -И	

* The sign > stands for "changes to."

Plural — All Genders

Cases	Masculine and Neuter	Feminine
Nom.	Masculine and Feminine *Hard:* **-Ы** Masculine and Feminine *Soft:* **-И**	Neuter *Hard:* **-А** Neuter *Soft:* **-Я**
Gen.	*Masculine* *Hard Cons. adds* **-ОВ** **-Й** and **ий** > **-ЕВ** **-ь** > **-ЕЙ** *Neuter* *Hard: no ending* **-Е** and **-ё** > **-ЕЙ** **-иЕ** > **-ий**	*Feminine* *Hard: no ending* **-Я** > **-ь;** **-ия** > **-ий** **-ь** > **-ЕЙ**
Dat.	*All Genders Hard:* **-АМ** *All Genders Soft:* **-ЯМ**	
Acc.	*Inanimate* — Masculine and Feminine like *Nominative* *Animate* — Masculine and Feminine like *Genitive* Neuter always like *Nominative*	
Instr.	*All Genders Hard:* **-АМИ** *All Genders Soft:* **-ЯМИ**	
Prep.	*All Genders Hard:* **-АХ** *All Genders Soft:* **-ЯХ**	

III. PLURAL ENDINGS OF RUSSIAN NOUNS

Plural Endings	*Types of Nouns*
-Ы	*Masc.* ending in *Hard Consonants*: стол, завод, etc. *Fem.* ending in the *Hard Vowel* «**А**»: жена́, рабо́та, etc.
-И	*Masc.* ending in «**Й**»: ге́ний, музе́й, etc. *Fem.* ending in «**Я**»: дере́вня, ку́хня, etc. *Masc. & Fem.* ending in «**Ь**»: день. ночь, etc. *Masc. & Fem.* the stem of which ends in «**Г, К, Х**» and in «**Ж, Ш, Щ**»: кни́га, нож, това́рищ, etc. *Neuters*: **плечо́, я́блоко.**
-А	Most *Neuters* ending in «**О**»: окно́, ме́сто, etc. Certain *Masc.* with stress on the plural ending: глаза́, города́, доктора́, дома́, поезда́. *Neuters* ending in «**ЖЕ, ШЕ, ЩЕ, ЧЕ, ЦЕ**»: со́лнце, се́рдце, etc.
-Я	*Neuters* ending in «**Е**» *or* «**Ё**»: по́ле, ружьё, etc. *Masc.* ending in «**Ь**» and having the stress on the plural ending: учителя́, etc.
-АНЕ **-ЯНЕ**	*Masc.* ending in «**АНИН**» and «**ЯНИН**»: англича́нин, граждани́н, крестья́нин, христиа́нин.
-ЬЯ	*Masculines*: **брат, лист, муж, стул.** *Neuters*: **де́рево, перо́.**
-ЕНА	*Neuters* ending in «**МЯ**»: бре́мя, вре́мя, вы́мя, зна́мя, и́мя, пла́мя, пле́мя, се́мя, стре́мя, те́мя.

Irregular Formations	*Singular*	*Plural*	*Singular*	*Plural*
	господи́н	господа́	мать	ма́тери
	дитя́	де́ти	ребёнок	ребя́та
	дочь	до́чери	сын	сыновья́
	друг	друзья́	у́хо	у́ши
	челове́к	лю́ди	цвето́к	цветы́

IV. DECLENSION OF ADJECTIVES

Hard: -'ый (-'ий); -ой

	Masculine	Neuter	Feminine	Plural All Genders
Nom.	но́вый	но́вое	но́вая	но́вые
Gen.	но́вого	но́вого	но́вой	но́вых
Dat.	но́вому	но́вому	но́вой	но́вым
Acc.	но́вый(ого)	но́вое	но́вую	но́вые(ых)
Instr.	но́вым	но́вым	но́вой (ою)	но́выми
Prep.	но́вом	но́вом	но́вой	но́вых

Soft: -'ий

	Masculine	Neuter	Feminine	Plural All Genders
Nom.	си́ний	си́нее	си́няя	си́ние
Gen.	си́него	си́него	си́ней	си́них
Dat.	си́нему	си́нему	си́ней	си́ним
Acc.	си́ний(его)	си́нее	си́нюю	си́ние(их)
Instr.	си́ним	си́ним	си́ней (ею)	си́ними
Prep.	си́нем	си́нем	си́ней	си́них

1. Adjectives in -ой (молодо́й) are declined exactly like но́вый, the stress being on the ending throughout the declension.

2. After г, к, х, ж, ч, ш, щ the vowel ы of all endings in the *hard* declension changes to и.

3. After ж, ч, ш, щ, ц the *unstressed* о of all endings in the *hard* declension changes to е.

4. When an adjective modifies an *animate masculine* noun in the *singular* or *animate masculine* and *feminine* nouns in the *plural* its *accusative* ending is like its *genitive*.

V. DECLENSION OF THE POSSESSIVE PRONOUN-ADJECTIVES

	Masculine	Neuter	Feminine	Plural All Genders
Nom.	мой	моё	моя	мои
Gen.	моего	моего	моей	моих
Dat.	моему	моему	моей	моим
Acc.	мой (его)	моё	мою	мои (их)
Instr.	моим	моим	моей (ею)	моими
Prep.	моём	моём	моей	моих

Like **мой** are declined **твой** "your, yours" and the reflexive possessive pronoun-adjective **свой** "my own, your own, his own, etc."

	Masculine	Neuter	Feminine	Plural All Genders
Nom.	наш	наше	наша	наши
Gen.	нашего	нашего	нашей	наших
Dat.	нашему	нашему	нашей	нашим
Acc.	наш (его)	наше	нашу	наши (их)
Instr.	нашим	нашим	нашей (ею)	нашими
Prep.	нашем	нашем	нашей	наших

Like **наш** is declined **ваш** "your, yours" (plural and polite).

The third person possessive pronoun-adjectives **его** "his, its," **её** "her, hers," **их** "their, theirs," are not declined.

For the declension of other pronoun-adjectives see:

VI. NUMBERS [1]

	Cardinals	Ordinals	
1	оди́н, одна́, одно́	пе́рвый, -'ая, -'ое	first
2	два, две	второ́й, -а́я, -о́е	second
3	три	тре́тий, -'ья, -'ье	third
4	четы́ре	четвёртый, -'ая, -'ое	fourth
5	пять	пя́тый, -'ая, -'ое	fifth
6	шесть	шесто́й, -а́я, -о́е	sixth
7	семь	седьмо́й, -а́я, -о́е	seventh
8	во́семь	восьмо́й, -а́я, -о́е	eighth
9	де́вять	девя́тый, -'ая, -'ое	ninth
10	де́сять	деся́тый, -'ая, -'ое	tenth
11	оди́ннадцать .	оди́ннадцатый, -ая, -ое	11th
12	двена́дцать ...	двена́дцатый, -ая, -ое	12th
13	трина́дцать ...	трина́дцатый, -ая, -ое	13th
14	четы́рнадцать	четы́рнадцатый, -ая, -ое	14th
15	пятна́дцать ...	пятна́дцатый, -ая, -ое	15th
16	шестна́дцать .	шестна́дцатый, -ая, -ое	16th
17	семна́дцать ...	семна́дцатый, -ая, -ое	17th
18	восемна́дцать .	восемна́дцатый, -ая, -ое	18th
19	девятна́дцать .	девятна́дцатый, -ая, -ое	19th
20	два́дцать	двадца́тый, -'ая, -'ое	20th
21	два́дцать оди́н	два́дцать пе́рвый, -'ая, -'ое	21st
22	два́дцать два .	два́дцать второ́й, -а́я, -о́е	22nd
30	три́дцать	тридца́тый, -'ая, -'ое	30th
40	со́рок	сороково́й, -а́я, -о́е	40th
50	пятьдеся́т	пятидеся́тый, -'ая, -'ое	50th
60	шестьдеся́т ...	шестидеся́тый, -'ая, -'ое	60th
70	се́мьдесят	семидеся́тый, -'ая, -'ое	70th
80	во́семьдесят ..	восьмидеся́тый, -'ая, -'ое	80th
90	девяно́сто	девяно́стый, -'ая, -'ое	90th
100	сто	со́тый, -'ая, -'ое	100th
200	две́сти	двухсо́тый, -'ая, -'ое	200th
300	три́ста	трехсо́тый, -'ая, -'ое	300th
400	четы́реста	четырёхсо́тый, -'ая, -'ое	400th
500	пятьсо́т	пятисо́тый, -'ая, -'ое	500th
600	шестьсо́т	шестисо́тый, -'ая, -'ое	600th
700	семьсо́т	семисо́тый, -'ая, -'ое	700th
800	восемьсо́т	восьмисо́тый, -'ая, -'ое	800th
900	девятьсо́т	девятисо́тый, -'ая, -'ое	900th
1,000	ты́сяча	ты́сячный, -ая, -ое	1000th
2,000	две ты́сячи ...	двухты́сячный, -ая, -ое	2,000th
10,000	де́сять ты́сяч .	десятиты́сячный, -ая, -ое	10,000th
1,000,000	оди́н миллио́н	миллио́нный, -'ая, -'ое	millionth

[1] For the declension of numerals, see: оди́н, Lesson 21; all other cardinals, Lesson 26; ordinals, Lesson 19.

VII. A SUMMARY OF RULES OF CASE REQUIREMENTS
AFTER CARDINAL NUMERALS

The Noun *with Cardinal Numerals*

RULE I:

When following **одйн** and all its compounds (except 11), the noun agrees with the numeral in gender and case, and is always in the *Singular*.

Examples:

одйн стол, одного́ стола́, одному́ столу́, etc. **два́дцать одйн стол, двадцатй одного́ стола́, двадцатй одному́ столу́,** etc.

одно́ окно́, одного́ окна́, одному́ окну́; два́дцать одно́ окно́, etc.

одна́ ко́мната, одно́й ко́мнаты, etc.; **два́дцать одна́ ко́мната,** etc.

RULE II:

When following other cardinal numerals there is agreement in the *oblique* cases, i.e., in the Genitive Dative, Instrumental, Prepositional, and the *Accusative* when that case differs from the *Nominative*.

Examples:

двух столо́в, с тремя́ друзья́ми, о сорока́ зда́ниях, etc.

When following these cardinal numerals in the *Nominative* and the *Accusative* (when the accusative is like the nominative) there is *no* agreement, the following sub-rules apply:

SUB-RULE I:

When following 2, 3, 4, and all their compounds the noun is in the *Genitive Singular*.

Examples:

два стола́, три кни́ги, два́дцать четы́ре окна́, etc.

SUB-RULE II:

When following 5, 6, 7, 8, 9, and all their compounds as well as 10 and 11 the noun is in the *Genitive Plural*. Also when following 100 and its multiples.

Examples:

пять столо́в, два́дцать шесть книг, де́сять око́н, одйннадцать сту́льев, сто солда́т, две́сти до́лларов, etc.

A SUMMARY OF RULES OF CASE REQUIREMENTS
AFTER CARDINAL NUMERALS
(Continued)

The Adjective *with Cardinal Numerals*

RULE I :

When following one and its compounds (except 11), the adjective agrees with the numerals in gender and case and is always in the *Singular*: два́дцать одного́ большо́го стола́, etc.

RULE II :

When following other numbers there is agreement in the *oblique* cases: с двумя́ ста́рыми друзья́ми, ста ста́рых книг, etc.

RULE III :

When following other numbers in the *Nominative* and *Accusative* (when it is like nominative) the adjective is always in the *Genitive Plural*, though after 2, 3, 4* it can also be in the *Nominative Plural*: две ста́рых/ста́рые кни́ги, четы́ре хоро́ших/хоро́шие дру́га, пять изве́стных учёных, etc.

---

* and their compounds except 12, 13, 14.

VIII. PREPOSITIONS

Preposition		Case
без	without	**Genitive**
впереди	in front of	
для	for	
до	up to, until	
из	out of	
кроме	besides, except	
около	near, around, about	
от	from, away from	
подле	alongside of	
позади	behind	
после	after	
с (со)	from, off	
у	near, at, at the house of (possession)	
к (ко)	to, toward	**Dative.**
по	on, along, according to	
в (во)	in, into (motion)	**Accusative**
за	behind (motion)	
на	on, onto (motion)	
о (об, обо)	against	
под	under (motion)	
через	through, across, within (time)	
за	for, behind (location)	**Instrumental**
между	between	
над	above	
перед	in front of	
под	under (location)	
с (со)	with, by means of	
в (во)	in (location)	**Prepositional**
о (об, обо)	about, concerning	
на	on (location)	
при	in the presence of	

IX. PREPOSITIONS USED WITH MORE THAN ONE CASE

Prepositions	Cases	Meaning and sample sentences
в, на о, об óбо	Accusative	**Motion toward, against:** Я éду **в** гóрод **на** концéрт. Вóлны бúли **о** бéрег. **Time:** Я прочёл э́то **в** час. Я éду **в** гóрод **на** недéлю.
	Prepositional	**Location:** Я **в** гóроде **на** концéрте. **Time:** Он éдет **в** мáрте, **на** э́той недéле. **"About," "concerning":** Мы читáем **о** поэ́те Пýшкине.
за под	Accusative	**Motion "behind," "under":** Он кладёт газéту **за** лáмпу, **под** кнúгу. **Time:** Я прочёл кнúгу **за** час.
	Instrumental	**Location "behind," "under":** Газéта **за** лáмпой, **под** кнúгой. **"ЗА" in the meaning of "for," "after":** Я идý **за** газéтой.
с со	Genitive	**"С" in the meaning of "from (off)":** Я взял кнúгу **со** столá. Он идёт **с** урóка.
	Instrumental	**"С" in the meaning of "with," "in the company of":** Онú говоря́т **с** учúтелем. Идёшь ты **с** ним **на** концéрт?

X. USE OF PREPOSITIONS WITH THEIR CASES IN TIME EXPRESSIONS

English	Prepositions Russian	Cases	Typical Expressions
after	че́рез	Accusative	Че́рез час мы бу́дем до́ма. After an hour we shall be home.
at (clock time)	в	Accusative	В час, в два часа́, в пять At one, two, five o'clock
for (optional)	***	Accusative	Я чита́л час. I read (for) an hour.
for (compulsory)	на	Accusative	Он прие́хал на неде́лю. He came for a week, i. e., to spend a week.
from — to	от — до с — до	Genitive	Я бу́ду у вас от часа́ до шести́. I shall be with you from 1 to 6. Я бу́ду до́ма с утра́ до ве́чера. I shall be at home from morning till evening.
	из — в с — на	Gen.—Acc.	Он жил там из го́да в год. He lived there from year to year; year in year out. Он меня́ет пла́ны с неде́ли на неде́лю. He changes his plans from week to week.
in	в	Instrumental	Утром, днём, ве́чером, но́чью Зимо́й, весно́й, ле́том, о́сенью In the morning.., in winter...
		Prepositional	В мае ме́сяце: In the month of May

| English | Prepositions | | Typical Expressions |
	Russian	Cases	
in, during, within	в	Accusative	**В** одну́ мину́ту я узна́л её. In a (one) minute I recognized her.
	за	Accusative	**За** э́ту неде́лю я прочёл всю кни́гу. During this week I read the whole book.
on (specific)	в	Accusative	**В** сре́ду у меня́ собра́ние. On Wednesday I have a meeting.
		Genitive	Второ́го ма́я у нас собра́ние. On the second of May we have a meeting.
on (habitual, repetitive)	по	Dative	**По** сре́дам всегда́ собра́ния. On Wednesdays we always have meetings.
per (times a...)	раз ... в	Accusative	Уро́к два **ра́за** в неде́лю. (There is) a lesson twice a week.
No Prepositions	в	Accusative	**В** э́ту сре́ду: this Wednesday
	на	Prepositional	**В** про́шлом году́: last year
		Prepositional	**На** э́той неде́ле: this week
	***	Instrumental	Э́той весно́й, про́шлой зимо́й, бу́дущим ле́том This spring, last winter, next summer

XI. PREPOSITIONAL PREFIXES

Prefixes	Meaning	Prepositions with which chiefly used	Case by which followed	Sample sentences (Notice perfective aspect of verbs.)
в, во	Motion into a place	в	Accusative	Я войду́ в ко́мнату.
вз, вс, взо	Motion upward (*N. B.*: з changes to с before voiceless consonants)	на	Accusative	Мы взойдём на́ гору. Он взбежа́л на 2-о́й эта́ж.
вы	Motion out of a place	из	Genitive	Я вы́шел из ко́мнаты.
до	Completion; action carried to a fixed limit	до	Genitive	Я дошёл до клу́ба. Он дописа́л письмо́ до конца́.
за	Starting; turning in; going behind	к за	Dative or Accusative	Она́ запе́ла. Зайди́те к нам за́втра. Я зае́хал за го́ру.
из ис	"out" in a figurative sense: thoroughly, completely	***	***	Я изучи́л ка́рту Евро́пы. Он исписа́л весь лист.
на	On; upon; and figuratively: satiation	на	Accusative	Авто́бус нае́хал на де́рево. Он нашёл меня́ бы́стро. Он нае́лся и напи́лся.
над	Over; above; also figuratively	***	***	Он надписа́л э́ту кни́гу.
о, обо	Motion around and about; also figuratively	***	***	Я обошёл парк. Он описа́л наш го́род.
от, ото	From, away (with reference to place and person)	от	Genitive	Мы отошли́ от кино́. Он отошёл от бра́та.

334

Prefixes	Meaning	Prepositions with which chiefly used	Case by which followed	Sample sentences (Notice perfective aspect of verbs.)
пéре	Repetition or Motion across	чéрез	Accusative	Он переплыл (чéрез) óзеро. Я передéлал гарáж.
по	Completion or performance in a casual or leisurely manner	***	***	Я попросил ещё воды. Он любит посидéть и поговорить.
под	Motion up and under, also figuratively: stealth, subterfuge	под к	Accusative Dative	Он подлéз под стол. Он подошёл к ней. Он подговорил меня. Он подкрáлся ко мне.
при	Arrival, attachment	***	***	Я приписáл нéсколько слов. Поезд приéхал.
про	motion & action through, thoroughly	чéрез* +	Accusative Instrumental	Я прошёл чéрез парк. Я прошёл пáрком.
пред	"fore," before	***	***	Предскáзывают дождь. Я это предвидел.
раз рас	"dis," "un"; dispersion, division	***	***	Они разъéхались. Онá раздалá свой вéщи.
с со, с	Motion away from a place; completion; with reflexive verbs: union, coming together.	с со	Genitive Instrumental	Я собрáл книги со столá. Кто это сдéлал? Они сошлись харáктерами.
у	motion away from a place; disappearance.	из	Genitive	Он уéхал из гóрода. Самолёт улетéл.

* Optional.

XII. THE VERB

First Conjugation

Imperfective	*Perfective*

I. Infinitive:

читáть   прочитáть   to have read
to read, be reading

II. Indicative:

Present Tense

I read, am reading

я читáю
ты читáешь
он, онá, онó читáет   None

мы читáем
вы читáете
онú читáют

Past Tense

I read, was reading	I have, had read
я читáл, ла, ло	я прочитáл, ла, ло
ты читáл, ла, ло	ты прочитáл, ла, ло
он читáл	он прочитáл
онá читáла	онá прочитáла
онó читáло	онó прочитáло
мы, вы онú читáли	мы, вы, онú прочитáли

Future Tense

I shall read, be reading	I shall have read
я бýду читáть	я прочитáю
ты бýдешь читáть	ты прочитáешь
он, онá, онó бýдет читáть	он, онá, онó прочитáет
мы бýдем читáть	мы прочитáем
вы бýдете читáть	вы прочитáете
онú бýдут читáть	онú прочитáют

Imperfective	*Perfective*

III. Subjunctive (conditional):

Conjugated exactly like the *past* tense of the *indicative* mood with the addition of particles бы or б:

я читáл, ла, ло бы (б) etc. я прочитáл, ла, ло бы (б) etc.

I should read, be reading, should have been reading

I should have read

IV. Imperative:

читáй!
читáйте! read!

прочитáй!
прочитáйте!

read! read (it) through, completely

V. Adverbial participles:

Present Tense

читáя   reading, while
             reading   None

Past Tense

читáвши   while (I, etc.)   прочитáвши
читáв   was reading   прочитáв   having read

VI. Participles:

a. Active:

Present Tense

читáющий one whō is
         reading   None

Past Tense

читáвший one who was   прочитáвший   one who has,
         reading   had read

Imperfective	*Perfective*

b. *Passive*:

Present Tense

Long form: читáе**мый**
Short form: читáе**м**   None

which is being read

Past Tense

Long form: чи́танн**ый**   прочи́танн**ый**   which has, had
Short form: чи́тан   прочи́тан   been read

which was read

(Other *past passive participle* endings are: long **-тый,** short **-т.**)

VII. Passive:

The *passive* is constructed by means of the *short passive participle* forms, *present* or *past* (see directly above); also by means of the *reflexive* form.

Second Conjugation

Imperfective	*Perfective*

I. Infinitive:

курить
to smoke, be smoking

выкурить   to have smoked

II. Indicative:

Present Tense

I smoke, am smoking

None

я курю
ты куришь
он, она, оно курит

мы курим
вы курите
они курят

Past Tense

I smoked, was smoking

I have, had smoked

я курил, ла, ло
ты курил, ла, ло
он курил
она курила
оно курило

я выкурил, ла, ло
ты выкурил, ла, ло
он выкурил
она выкурила
оно выкурило

мы, вы, они курили

мы, вы, они выкурили

Future Tense

I shall smoke, be smoking

I shall have smoked

я буду курить
ты будешь курить
он, она, оно будет курить
мы будем курить
вы будете курить
они будут курить

я выкурю
ты выкуришь
он, она, оно выкурит
мы выкурим
вы выкурите
они выкурят

III. Subjunctive (conditional):

Conjugated exactly like the *past* tense of the *indicative* mood
with the addition of particles **бы (б)**:

я курил, ла, ло бы (б) etc.   я выкурил, ла, ло бы (б) etc.

I should smoke, be smoking,   I should have smoked
should have been smoking

Imperfective		*Perfective*

IV. Imperative:

кури́!	smoke!	вы́кури!	smoke! finish
кури́те!		вы́курите!	smoking!

V. Adverbial participles:

Present Tense

куря́	smoking, while smoking	None

Past Tense

кури́вши	while (I, etc.)	вы́куривши	
кури́в	was smoking	вы́курив	having smoked

VI. Participles:

a. *Active* :

Present Tense

куря́щий	one who is smoking	None

Past Tense

кури́вший	one who was smoking	вы́куривший	one who has, had smoked

b. *Passive* :

Present Tense

Long form: кури́мый
Short form: кури́м   None

which is being smoked

Past Tense

Long form: ку́ренный   вы́куренный   which has, had
Short form: ку́рен   вы́курен   been smoked

which was smoked

(Other *past passive participle* endings are long **-тый,** short **-т.**)

VII. Passive:

The *passive* is constructed by means of the *short passive participle* forms, *present* or *past* (see directly above); also by means of the *reflexive* form.

XIII. VERBS FROM THE TEXT ARRANGED ACCORDING
TO THEIR TYPICAL CONJUGATIONAL PATTERNS

(*Regular first and second conjugation verbs are not included.*)

I. CONSONANT PERMUTATION

1. Д > Ж: (In the first person singular *only*)

будить: бужу́, бу́дишь, бу́дят	to awaken, rouse
ви́деть: ви́жу, ви́дишь, ви́дят	to see
води́ть: вожу́, во́дишь, во́дят	to lead, guide
заводи́ть: завожу́, заво́дишь, заво́дят	to wind
вы́глядеть: вы́гляжу, вы́глядишь, вы́глядят	to appear, look
е́здить: е́зжу, е́здишь, е́здят	to drive
роди́ться: рожу́сь, роди́шься, родя́тся	to be born
сиде́ть: сижу́, сиди́шь, сидя́т	to sit
ходи́ть: хожу́, хо́дишь, хо́дят	to go, walk

2. З > Ж: (Throughout)

каза́ться: кажу́сь, ка́жешься, ка́жутся	to appear, seem
показа́ть: покажу́, пока́жешь, пока́жут	to show
сказа́ть: скажу́, ска́жешь, ска́жут	to say, tell
рассказа́ть: расскажу́, расска́жешь, расска́жут	to tell, narrate
(In the first person sing. *only*)	
вози́ть: вожу́, во́зишь, во́зят	to transport, cart

3. Ж > Г: (In the first person singular and the third plural)

бежа́ть: бегу́, бежи́шь, бегу́т	to run

VERBS ARRANGED ACCORDING TO THEIR
CONJUGATIONAL PATTERN (*continued*)

4. **С > Д: (Throughout)**

класть: кладу́, кладёшь, кладу́т	to put, place
попа́сть: попаду́, попадёшь, попаду́т	to get to, catch
упа́сть: упаду́, упадёшь, упаду́т	to fall
сесть: ся́ду, ся́дешь, ся́дут (Note the change from **e** to **я**)	to sit down

5. **С > Ш: (In the first person singular *only*)**

бро́сить: бро́шу, бро́сишь, бро́сят	to throw
носи́ть: ношу́, но́сишь, но́сят	to carry, bear
проси́ть: прошу́, про́сишь, про́сят	to ask, beg (a favor)
спроси́ть: спрошу́, спро́сишь, спро́сят	to ask (a question)
пригласи́ть: приглашу́, пригласи́шь, приглася́т	to invite

(Troughout)

писа́ть: пишу́, пи́шешь, пи́шут,	to write
посла́ть: пошлю́, пошлёшь, пошлю́т	to send (away)
присла́ть: пришлю́, пришлёшь, пришлю́т	to send (to receiver)

6. **СК, СТ, Т > Щ: (Throughout)**

иска́ть: ищу́, и́щешь, и́щут **(In the first person singular *only*)**	to search, look for
прости́ться: прощу́сь, прости́шься, простя́тся	to say good bye
спусти́ть: спущу́, спу́стишь, спу́стят	to lower, let down
прекрати́ть: прекращу́, прекрати́шь, прекратя́т	to stop, end, cease

VERBS ARRANGED ACCORDING TO THEIR
CONJUGATIONAL PATTERN (*continued*)

7. **Т > Ч**: (In the first person singular *only*)

встре́тить: встре́чу,	to meet
встре́тишь, встре́тят	
лете́ть: лечу́, лети́шь, летя́т	to fly
отве́тить: отве́чу, отве́тишь,	to answer
отве́тят	

(Throughout the singular)
хоте́ть: хочу́, хо́чешь, хо́чет
but not in the plural:
хоти́м, хоти́те, хотя́т   to want, wish

8. **ЧЬ > Г**: (For 1st pers. sing. & 3rd pl.) > **Ж** (for all other persons):

мочь: могу́, мо́жешь, мо́-жет, мо́жем, мо́жете, мо́-гут	to be able
лечь: ля́гу, ля́жешь, ля́жет, ля́жем, ля́жете, ля́гут	to lie down

(Note the change from **е** to **я**)

9. **АВА, ЕВА, ОВА > У/Ю**:

воева́ть: вою́ю, вою́ешь, вою́ют	to wage war
интересова́ться: интересу́-юсь, интересу́ешься, интересу́ются	to be interested
любова́ться: любу́юсь, любу́ешься, любу́ются	to admire
тре́бовать: тре́бую, тре́буешь, тре́буют	to demand
чу́вствовать: чу́вствую, чу́вствуешь, чу́вствуют	to feel

II. CONSONANT INFIXES

1. After **б, в, ф, м, п** certain verbs insert **Л** in the first person sing.:

люби́ть: люблю́, лю́бишь, лю́бят	to love
гото́вить: гото́влю, гото́вишь, гото́вят	to prepare

VERBS ARRANGED ACCORDING TO THEIR
CONJUGATIONAL PATTERN (*continued*)

нра́виться: нра́влюсь, нра́вишься, нра́вятся	to like, please
отпра́вить: отпра́влю, отпра́вишь, отпра́вят	to send off, away
попра́вить: попра́влю, попра́вишь, попра́вят	to repair
ста́вить: ста́влю, ста́вишь, ста́вят	to place, put
предста́вить: предста́влю, предста́вишь, предста́вят	to introduce, represent
станови́ться: становлю́сь, стано́вишься, стано́вятся	to become, grow to be
знако́мить: знако́млю, знако́мишь, знако́мят	to introduce, make acquainted
купи́ть: куплю́, ку́пишь, ку́пят	to buy
поступи́ть: поступлю́, посту́пишь, посту́пят	to enter, enroll, enlist
спать: сплю, спишь, спят	to sleep

2. Infix - **В** - :

жить: живу́, живёшь, живу́т	to live
плыть: плыву́, плывёшь, плыву́т	to swim

3. Infix - **Н** - :

встать: вста́ну, вста́нешь, вста́нут	to get up, rise
стать: ста́ну, ста́нешь, ста́нут	to become, grow to be
нача́ть: начну́, начнёшь, начну́т	to begin
(Note the loss of the "a")	
оде́ть: оде́ну, оде́нешь, оде́нут	to dress
отста́ть: отста́ну, отста́нешь, отста́нут	to fall behind, lag

III. VOWEL INFIXES

1. Infix - **Ь** - :

пить: пью, пьёшь, пьют	to drink
бить: бью, бьёшь, бьют	to strike, hit

VERBS ARRANGED ACCORDING TO THEIR
CONJUGATIONAL PATTERN (*continued*)

2. Infix - **O** - :

догна́ть: догоню́, дого́- нишь, дого́нят	to catch up with
закры́ть: закро́ю, закро́- ешь, закро́ют	to close
мыть: мо́ю, мо́ешь, мо́ют	to wash
петь: пою́, поёшь, пою́т	to sing

3. Infix - **E** - :

брать: беру́, берёшь, беру́т	to take
добра́ться: доберу́сь, доберёшься, доберу́тся	to reach

IV. VERBS IN -ТИ

идти́: иду́, идёшь, иду́т	to go
везти́: везу́, везёшь, везу́т	to carry (by vehicle), transport
вести́: веду́, ведёшь, веду́т (Note the change from с to д)	to lead
нести́: несу́, несёшь, несу́т	to carry, bear
расти́: расту́, растёшь, расту́т	to grow

V. VERBS OF VARYING CONJUGATIONAL PATTERNS

быть: бу́ду, бу́дешь, бу́дут	to be
взять: возьму́, возьмёшь, возьму́т	to take
дава́ть: даю́, даёшь, даю́т	to give
дать: дам, дашь, даст, дади́м, дади́те, даду́т	to give
есть: ем, ешь, ест, еди́м, еди́те, едя́т	to eat
е́хать: е́ду, е́дешь, е́дут	to drive
заня́ть: займу́, займёшь, займу́т	to borrow
поня́ть: пойму́, поймёшь, пойму́т	to understand
проче́сть: прочту́, прочтёшь, прочту́т	to read through, to the end
умере́ть: умру́, умрёшь, умру́т	to die

XIV. LIST OF VERBS FROM THE TEXT WITH VARYING
PAST TENSE CONJUGATIONS

I. PERMUTATION OF Ч > Г

1. мочь: мог, могла́, могло́,   to be able to
могли́
2. лечь: лёг, легла́, легло́,   to lie down
легли́

II. LOSS OF C

1. есть: ел, е́ла, е́ло, е́ли   to eat
2. класть: клал, кла́ла, кла́ло,   to place, put
кла́ли
3. упа́сть: упа́л, упа́ла, упа́ло,   to fall
упа́ли

III. STEM CONSONANT (without Л) IN THE *MASCULINE*

1. умере́ть: у́мер, умерла́,   to die
умерло́, у́мерли

IV. VERBS IN -ТИ

1. идти́ (итти́): шёл, шла,   to go (on foot)
шло, шли
вы́йти: вы́шел, вы́шла,   to go out
вы́шло, вы́шли
подойти́: подошёл,   to go, come up to
подошла́, подошло́,
подошли́
прийти́: пришёл, пришла́,   to arrive (on foot)
пришло́, пришли́
произойти́: произошёл,   to happen
произошла́, произошло́,
произошли́
разойти́сь: разошёлся,   to part
разошла́сь, разошло́сь,
разошли́сь
уйти: ушёл, ушла́, ушло́,   to go away
ушли́

VERBS WITH VARYING PAST TENSE CONJUGATIONS
(*continued*)

2. везти́: вёз, везла́, везло́,   to cart, transport
   везли́
   вы́везти: вы́вез,   to export, cart out
   вы́везло, вы́везли
   привезти́: привёз,   to bring (by vehicle)
   привезла́, привезло́,
   привезли́

3. вести́: вёл, вела́, вело́, вели́   to lead
   ввести́: ввёл, ввела́, ввело́,   to lead in, introduce
   ввели́
   перевести́: перевёл, переве-   to lead over, across,
   ла́, перевело́, перевели́   translate

4. нести́: нёс, несла́, несло́,   to carry, bear
   несли́
   внести́: внёс, внесла́, внесло́,   to carry in, introduce
   внесли́

5. расти́: рос, росла́, росло́,   to grow, develop
   росли́
   вы́расти: вы́рос, вы́росла,   to grow up, mature
   вы́росло, вы́росли

XV. LIST OF VERBS FROM THE TEXT ARRANGED ACCORDING TO THEIR PERFECTIVE ASPECT FORMATION

(This list does not include all possible perfective forms.)

I. By Way of Prefixes

1. **ВЫ**

купа́ться: **вы́**купаться (21)*	to bathe, swim
мы́ться: **вы́**мыться (16)	to wash
расти́: **вы́**расти (22)	to grow, grow up
чи́стить: **вы́**чистить (16)	to clean, to make neat, tidy

2. **ЗА**

крича́ть: **за**крича́ть (26)	to shout; P. to start shouting, cry out
спеши́ть: **за**спеши́ть (16)	to hurry; P. to begin hurrying
хоте́ть: **за**хоте́ть (16)	to want to; P. to get the desire

3. **НА**

писа́ть: **на**писа́ть (16)	to write
печа́тать: **на**печа́тать (30)	to print

4. **ПО**

(Perfectives of this type used in the text are too numerous to receive complete listing here)

дуть: **по**ду́ть (26)	to blow
иска́ть: **по**иска́ть (25)	to search, look for
любова́ться: **по**любова́ться (21)	to admire
нра́виться: **по**нра́виться (18)	to like; P. to come to like
плы́ть: **по**плы́ть (24)	to swim
пры́гать: **по**пры́гать (26)	to jump
стро́ить: **по**стро́ить (24)	to build
тре́бовать: **по**тре́бовать (27)	to demand
купи́ть: **по**купа́ть (16)	to buy — has ПО in the *imperfective* and drops it in the *perfective*

5. **ПРИ**

гото́вить: **при**гото́вить (16)	to prepare

6. **РАЗ**

буди́ть: **раз**буди́ть (23)	to awaken, rouse

---

* Numbers in parentheses refer to lessons in which the verbs are to be found with their key forms.

VERBS ARRANGED ACCORDING TO THEIR PERFECTIVE ASPECT FORMATION (*continued*)

7. **С**

горе́ть: **с**горе́ть (27)	to burn
де́лать: **с**де́лать (16)	to do
мочь: **с**мочь (16)	to be able to
петь: **с**петь (13)	to sing

8. **У**

ви́деть: у**ви́деть** (16)	to see; P. catch sight of
па́дать: **упа́сть** (26)	to fall
слы́шать: у**слы́шать** (17)	to hear; P. to catch the sound of

II. By Dropping the Vowels И or Ы

добира́ться: добра́ться (27)	to reach, get to
избира́ть: избра́ть (30)	to select, choose
убира́ть: убра́ть (16)	to pick up, tidy up
посыла́ть: посла́ть (30)	to send

III. By Dropping the Syllables

1. **ВА**

доби**ва́**ться: доби́ться (28)	to strive for, gain, achieve
закры**ва́**ть: закры́ть (19)	to close
отда**ва́**ть: отда́ть (25)	to give away
отста**ва́**ть: отста́ть (26)	to fall behind
переда**ва́**ть: переда́ть (28)	to transmit, pass on
препода**ва́**ть: препода́ть (20)	to teach, instruct
раздава**ва́**ться: разда́ться (21)	to resound
сда**ва́**ть: сдать (18)	to give up
уси́ли**ва**ться: уси́литься (29)	to increase, grow stronger

2. **ЫВ**

насчи́**тыв**ать: насчита́ть (27)	to count
разраба́**тыв**ать: разрабо́тать (29)	to work out, develop
расска́**зыв**ать: рассказа́ть (20)	to tell, narrate

3. **ИН**

начи**на́**ть: нача́ть (16)	to begin

VERBS ARRANGED ACCORDING TO THEIR PERFECTIVE
ASPECT FORMATION (*continued*)

IV. By Change of Ending

1. **АТЬ > ИТЬ**: (N.B. This involves a change from 1st to 2nd conjugation)

броса́ть: бро́сить (26)	to throw
изуча́ть: изучи́ть (20)	to study; P. to master
получа́ть: получи́ть (18)	to receive
поступа́ть: поступи́ть (20)	to enter, enroll, act
продолжа́ть: продо́лжить (20)	to continue
разреша́ть: разреши́ть (17)	to permit, solve

2. **ЯТЬ > ИТЬ**: (Change from 1st to 2nd conjugation)

выполня́ть: вы́полнить (27)	to fulfill, carry out
заменя́ть: замени́ть (29)	to replace, substitute
изменя́ть: измени́ть (21)	to change
населя́ть: насели́ть (22)	to populate, settle
объясня́ть: объясни́ть (20)	to explain
отделя́ть: отдели́ть (22)	to separate
проверя́ть: прове́рить (19)	to check
распространя́ть: распространи́ть (30)	to spread, disseminate

V. By Change of Stem and Ending

1. **ЧАТЬ > ТИТЬ**:

встреча́ть: встре́тить (16)	to meet
отвеча́ть: отве́тить (17)	to answer

2. **ЩАТЬ > ТИТЬ**:

прекраща́ться: прекрати́ться (26)	to stop, end
проща́ться: прости́ться (18)	to say goodbye

3. **ЛЯТЬ > ИТЬ**:

отправля́ть: отпра́вить (18)	to send off
поправля́ть: попра́вить (19)	to correct
представля́ть: предста́вить (17)	to introduce

4. **ШАТЬ > СИТЬ**:

приглаша́ть: пригласи́ть (17)	to invite

5. **ИМАТЬ > ЯТЬ**:

занима́ть: заня́ть (20)	to occupy
поднима́ться: подня́ться (21)	to rise, get up
понима́ть: поня́ть (25)	to understand
принима́ть: приня́ть (17)	to accept
снима́ть: сня́ть (19)	to take off, rent

VERBS ARRANGED ACCORDING TO THEIR PERFECTIVE ASPECT FORMATION (*continued*)

6. АТЬ > НИТЬ/НУТЬ:

запомина́ть: запо́мнить (20)	to remember
крича́ть: кри́кнуть (26)	to shout; P. to cry out
отдыха́ть: отдохну́ть (21)	to rest
повора́чивать: поверну́ть (19)	to turn
стиха́ть: сти́хнуть (27)	to subside, quiet down
раздвига́ть: раздви́нуть (23)	to extend, draw out

VI. By Radical Change in Stem or Use of Different Verb

1. Verbs Belonging to the Indeterminate—Determinate Group.

води́ть: вести́ (25)	to lead
вводи́ть: ввести́ (25)	to lead in
переводи́ть: перевести́ (19)	to lead across, translate
вози́ть: везти́ (25)	to carry (by vehicle), transport
вывози́ть: вы́везти (25)	to export
привози́ть: привезти́ (26)	to bring (by vehicle), import
носи́ть: нести́ (25)	to carry, bear
вноси́ть: внести́ (25)	to carry in
-езжа́ть: éхать (8)	to drive
приезжа́ть: приéхать (16)	to arrive (driving)
уезжа́ть: уéхать (16)	to depart (driving)
ходи́ть: (о)*йти (идти́) (8)	to walk, go
выходи́ть: вы́йти (25)	to go, walk out
находи́ться: найти́сь (22)	to be located
подходи́ть: подойти́ (26)	to approach, come up
приходи́ть: прийти́ (25)	to arrive (on foot)
расходи́ться: разойти́сь (26)	to go apart, part
уходи́ть: уйти́ (25)	to go away

2. Special Formations

класть: положи́ть (19)	to place, put
укла́дывать: уложи́ть (18)	to pack (one's belongings)
спуска́ть: спусти́ть (26)	to lower, let down
станови́ться: стать (21)	to become
брать: взять (18)	to take
говори́ть: сказа́ть (16)	to speak; P. tell

---

* The "o" is inserted after consonants.

XVI. TABLE OF DOUBLE INFINITIVE VERBS AND THEIR COMPOUNDS

Imperfective		Perfective	English
Indeterminate	Determinate		
ходи́ть	итти́/идти́	пойти́ (идти́)	to walk, go (on foot)
е́здить	е́хать	пое́хать (е́хать)	to ride, go (in vehicle)
носи́ть; ношу́ но́сишь, но́сят	нести́; несу́, нести́; несу́, несёшь, несу́т; нёс, несла́, несли́	понести́ (нести́)	to carry
вози́ть; вожу́, во́зишь, во́зят	везти́; везу́, везёшь, везу́т; вёз, везла́, везли́	повезти́ (везти́)	to convey (in vehicle)
води́ть, вожу́, во́дишь, во́дят	вести́, веду́, ведёшь, веду́т; вёл, вела́, вели́	повести́ (вести́)	to lead
бе́гать (I)	бежа́ть; бегу́, бежи́шь, бегу́т	побежа́ть (бежа́ть)	to run
ла́зить; ла́жу, ла́зишь, ла́зят	лезть; ле́зу, ле́зешь, ле́зут; лез, ле́зла, ле́зли	поле́зть (лезть)	to climb
лета́ть (I)	лете́ть; лечу́, лети́шь, летя́т	полете́ть (лете́ть)	to fly
пла́вать (I)	плыть; плыву́, плывёшь, плыву́т	поплы́ть (плыть)	to float, swim

Imperfective	Perfective	English
приходи́ть (ходи́ть)	прийти́ /притти́/ (идти́)	to come, arrive (on foot)
приезжа́ть (I)	прие́хать (е́хать); приезжа́й/-те	to arrive (by vehicle)
приноси́ть (носи́ть)	принести́ (нести́)	to bring
привози́ть (вози́ть)	привезти́ (везти́)	to bring (by vehicle)
приводи́ть (води́ть)	привести́ (вести́)	to bring, lead to
уходи́ть (ходи́ть)	уйти́ (итти́)	to go away (on foot)
уезжа́ть (I)	уе́хать (е́хать) уезжа́й/-те	to go away (by vehicle)
уноси́ть (носи́ть)	унести́ (нести́)	to carry away
увози́ть (вози́ть)	увезти́ (везти́)	to carry away (by vehicle)
уводи́ть (води́ть)	увести́ (вести́)	to carry, lead away
улета́ть (лета́ть)	улете́ть (лете́ть)	to fly away
въезжа́ть (I)	въе́хать (е́хать)	to ride into
ввози́ть (вози́ть)	ввезти́ (везти́)	to convey in (by vehicle)
вбега́ть (I)	вбежа́ть (бежа́ть)	to run in
влета́ть (I)	влете́ть (лете́ть)	to fly in
вплыва́ть (I)	вплы́ть (плыть)	to float in
влеза́ть (I), etc.	влезть (лезть)	to climb in, etc.

Remember that the verb followed by a verb in parenthesis is to be conjugated like the verb in parenthesis; e.g., пойти́ (итти́) : пойду́, пойдёшь, etc., like: иду́, идёшь, etc.

XVII. FORMATION OF PARTICIPLES: ACTIVE AND PASSIVE

Imperfective Infinitive	Active Participle		Passive Participle	
	Present	Past	Present	Past
1. читáть	читáющий, -ая, -ее, -ие	читáвший, -ая, -ее, -ие	читáемый, -ая, -ое, -ые	чúтанный, -ая, -ое, -ые
2. вúдеть	вúдящий, -ая, -ее, -ие	вúдевший, -ая, -ее, -и	вúдимый, -ая, -ое, -ые	вúденный, -ая, -ое, -ые
3. говорúть	говорящий, -ая, -ее, -ие	говорúвший, -ая, -ее, -ие	говорúмый, -ая, -ое, -ые	говорённый, -ая, -ое, -ые
4. одевáть	одевáющий, -ая, -ее, -ие	одевáвший, -ая, -ее, -ие	одевáемый, -ая, -ое, -ые	None
5. одевáться	одевáющийся, -аяся, -ееся, -иеся	одевáвшийся, -аяся, -ееся, -иеся	None	None
Perfective Infinitive				
1. прочитáть	None	прочитáвший, -ая, -ее, -ие	None	прочúтанный, -ая, -ое, -ые
2. увúдеть	None	увúдевший, -ая, -ее, -ие	None	увúденный, -ая, -ое, -ые
3. сказáть	None	сказáвший, -ая, -ее, -ие	сказýемый	сказáнный, -ая, -ое, -ые
4. одéть	None	одéвший, -ая, -ее, -ие	None	одéтый, -ая, -ое, -ые
5. одéться	None	одéвшийся, -аяся, -ееся	None	None

VOCABULARIES

Arabic numerals following certain items in the vocabularies refer to the pages where the grammatical forms (declensions, conjugations, etc.) and explanations of these items can be found.

Verbs followed by (I) belong to the *first regular* conjugation; by (II) to the *second regular* conjugation; irregular verbs are followed by the keyforms or by the page where keyforms or full conjugation are given.

Aspects are given in the *Russian-English* vocabulary in pairs except when they follow alphabetically in consecutive lines; *Perfectives* are marked **P.**; "**по-**" indicates a *Perfective* formed by prefixing "**по**" to the *Imperfective* verb: **ку́шать** (I): **по-** stands for **ку́шать** (I): **поку́шать P** (I); *Perfectives* in "**по**" are not followed by the *Imperfective*: **поку́шать P** (I) stands for **поку́шать P** (I): **ку́шать** (I).

In the *English-Russian* vocabulary the *Imperfective* verb is always given first, immediately followed by the *Perfective*: **писа́ть, написа́ть**. If only one verb is given, it must be understood that only the one in common usage is given in the text.

Nouns followed by: (m.) are masculine; (†o) or (†e) drop these vowels in oblique cases (see Lesson 15); (o) or (e) insert these vowels in the genitive plural (see Lesson 23); (pl.) have only *plural* declensional forms; (dim.) are diminutive forms.

The use of parentheses around **(-ся)** serves to remind the student that the verb may be used without the reflexive suffix (see Lesson 15).

Adverbs derivable from adjectives by replacing the adjectival ending with the adverbial ending **o** (without any further change!) are *not* separately listed.

Other abbreviations used:

acc.	= accusative	gen.	= genitive
adj.	= adjective	instr.	= instrumental
adv.	= adverb	m.	= masculine
conj.	= conjunction	n.	= neuter
dat.	= dative	pl.	= plural
dim.	= diminutive	pol.	= polite
f.	= feminine	prep.	= prepositional (locative)
fam.	= familiar	pron.	= pronoun

(**ё** > **ь**): final **ё** changes to **ь** in oblique cases of the noun (see Lesson 15).

[Numerals are not given in the General Vocabularies. See Appendix II, page 327.]

Russian-English Vocabulary

А

а 22, and, but, while
áвгуст, August
августóвский, August *(adj.)*
автомобúль *(m.)*, car, auto
áвтор, author
áзбука, alphabet
азиáтский, Asiatic
Азия, Asia
акýла, shark
аллó, hello
алфавúт, alphabet
Амéрика, America
американец (†е), American
американка (о), American *(f.)*
американский, American *(adj.)*
англúйский, English *(adj.)*
англичáнин 171, Englishman
англичáнка (о), Englishwoman
Англия, England
апельсúн, orange
апрéль *(m.)*, April
áрия, aria
áрмия, army
артиллерúст, artilleryman
архитектýра, architecture

Б

бáба, woman
бáбушка, grandmother
багáж, baggage
банк, bank
бáшня (е), tower
бéгать (I) 239, to run
бéдный, бéден, беднá, бедны́, poor
бежáть 239, to run
без *(gen.)* 53, without
бéлый, white
бéрег, shore
бесéда, conversation
беспокóйство, worry
библиотéка, library
билéт, ticket
благодарúть (II): по-, to thank
благодаря́, thanks to
благополýчно, all right, successfully
блéдный, pale
блúже, nearer

блúзкий, near
Бог, God
богáтство, wealth, riches
богáтства, прирóдные, natural
  resources, raw materials
богáтый, rich
богáче, richer
бой, battle
бóлее 216, more
болéзнь (е), sickness, illness
бóлен 124, sick, ill
болéть (I): заболéть P (I), to be ill,
  ache: to fall ill, sick
больнúца, hospital
бóльно, painful (ly), it is painful
больнóй, ill, sick
бóльше 216, more, bigger
большóй, big, large
бомбардирóвщик, bombing plane,
  gunner
боя́ться (II), to be afraid of
брат 193, brother
брать: взять P 159, to take
брéмя 194, burden
бригáда, brigade
брúться 131: по-, to shave
бросáть(ся) (I), to rush, dash
брóсить(ся) P 251, to rush, dash
будúть: разбудúть P 215, to awaken,
  rouse
бýдущий, future, coming, next
бýква, letter (of the alphabet)
бульвáр, boulevard
бумáга, paper
б, бы, see 264 f.
бывáть 195, to happen, visit, be
был, былá, бы́ло 81, was
бы́стро, quickly
быть 21, 116, 195, to be

В

в (во) 39, 45, 266 *(prep. or acc.)*, in,
  into
вагóн, car (railroad)
вáжно, important
вáжный, important
вал, bulwark
вам, to you
вáми, with you, by you

вас, of you, you *(acc.)*
ваш, ва́ша, ва́ше, ва́ши 116, 185, your, yours
вверх up, upward
ввести́ *P* 238, 239, to introduce, lead in
вводи́ть 238, 239, to introduce, lead in
вдруг, suddenly
вёз 239, conveyed, transported
везде́, everywhere
везти́ 239, to convey, transport, cart
век, century, age
вёл 239, lead, conducted
вели́кий, great, mighty
ве́ра, faith, belief, religion
весели́ть(ся) (II): по-, to be merry, to make merry
ве́село, gaily, merrily, joyfully
весёлый, gay, merry, joyful
весе́нний, spring *(adj.)*
весна́, spring
весно́й, in the spring
вести́ 239, to conduct, lead
весь *(m.)*, вся *(f.)*, всё *(n.)*, все *(pl.)* 226, 227, all, everyone, everybody, everything, entire, whole
ве́тер (†e), wind
ве́чер 161, evening
вече́рний, evening *(adj.)*
ве́чером, in the evening
вещь, thing, object
взду́мать (I), to get the idea
взять *P*: брать 159, to take
вид, view, appearance
ви́деть: уви́деть *P*, 138, to see: catch sight of
византи́йский, Byzantine
Виза́нтия, Byzantium
визг, scream, shriek
ви́лка (о), fork
вино́, wine
влия́ние, influence
вме́сте, together
внести́ *P* 238, 239, to bring in, carry in
вноси́ть 238, 239, to bring in, carry in
внук, grandson
вну́чка (е), granddaughter
вода́, water
води́ть 239, to lead, conduct
во́дка (о), vodka
воева́ть: по- 262, to fight, wage war

вое́нный, military
вождь *(m.)*, leader
во́здух, air
вози́ть 239, to convey, transport, cart
возмо́жность, possibility
война́, war
войти́ (like идти́): входи́ть (like ходи́ть), to enter
вокза́л, station
волна́, wave
вопро́с, question
вор, thief
воскресе́нье, Sunday
восто́к, east
восточнославя́нский, East Slavic
восто́чный, eastern
вот, here is (emphatic)
впереди́ *(gen.)*, in front, ahead
впечатле́ние, impression
впро́чем, by the way, incidentally, however, after all
времена́ми, at times
вре́мя 150, 194, time
все *(pl.)* 227, all, everybody
всё *(n.)* 227, all, everything
всегда́, always
всё таки, nevertheless, yet
вслух, aloud
встава́ть 122, to get up, rise
встать (вста́ну, вста́нешь, вста́нут) *P*, to get up, rise
встре́тить(ся) *P* 138, to meet
встреча́ть(ся) (I) 126, to meet
всю́ду, everywhere
вся *(f.)* 227, whole, entire, all
вто́рник, Tuesday
вчера́, yesterday
въезжа́ть (I), to drive in, ride in
въе́хать (like е́хать) *P*, to drive in, ride in
вы 151, you
вы́везти *P* 238, 239, to export
вывози́ть 238, 239, to export
вы́глядеть 215, to appear, seem
выезжа́ть (I), to drive out, ride out
вы́ехать (like е́хать), to drive out, ride out
вы́йти (like идти́): выходи́ть (like ходи́ть), to go out, come out
вы́купаться *P*: купа́ться (I), to bathe thoroughly: to bathe
вы́мыться *P*: мы́ться 138, to wash (thoroughly): wash (oneself)

вы́полнить P 262, to carry out, fulfill
выполня́ть (I), to carry out, fulfill
вы́расти P: расти́ 205, to grow
высо́кий, high
высоко́, high
вы́стрел, shot
вы́учить P: учи́ть 95, 183, to teach, learn thoroughly: teach, learn
вы́ход, exit
выходи́ть (like ходи́ть): вы́йти P (like идти́), to go out, come out
вы́чистить P: чи́стить 139, to clean, cleanse thoroughly: clean, cleanse
вы́ше, higher

Г

газе́та, newspaper
гара́ж, garage
где 21, 40, where
ге́ний, genius
геро́й, hero
гидроста́нция, water power station
глава́, head, chief
гла́вный, chief, main
глаз 161, 162, eye
глу́бже, deeper
глубо́кий, deep
говори́ть (II): сказа́ть P 138, to speak, say, tell
год, year
голова́, head
го́лод, hunger
го́лоден, hungry
голо́дный, hungry (adj.)
го́лос 161, voice
гольф, golf
гора́, mountain
гора́здо, comparatively, see 218
горе́ть: сгоре́ть P 262, to burn: burn up
го́рло, throat
го́род 161, city, town
городско́й, urban
горя́чий, hot
горячо́, hot (ly)
го́спиталь (m.), hospital
господа́ 171, ladies and gentlemen
господи́н 171, Mr., Sir
госпожа́, 171, lady, Mrs.
гости́ная 216, drawing-room, living room, parlor
гости́ница, hotel

гость (m.), guest
госуда́рственный, governmental, state (adj.)
госуда́рство, government, state
гото́в 124, ready, prepared
гото́вить 105: приготовить P 138, to prepare
гото́вый, ready, prepared
гра́ждане 172, citizens
граждани́н 172, citizen (m.)
гражда́нка 172 (о), citizen (woman)
грамма́тика, grammar
грани́ца, border
Грек, Greek
гре́ческий, Grecian, Greek (adj.)
гроб, coffin
гро́мкий, loud
гро́мче, louder
гру́ппа, group
грязь, mud
гуля́ть: по- (I), to walk, take a walk

Д

да, yes
дава́ть 62: дать P 138, to give
давно́, long ago
да́же 275, even
дай, да́йте 207, let me, us, etc.
далеко́, far, far away
дальне́йшем, в, in the future, in the course of time, subsequently
дать P 138: дава́ть 62, to give
да́ча, country house
дверь, door
движе́ние, movement
дво́е 255, two (twosome)
двор, court (yard)
де́вочка (е), girl
де́душка (е) 206, grandfather
действи́тельно, really, in fact
дека́брь (m.), December
де́лать (I): сде́лать P (I), to do, make: finish, complete
де́латься (I): сде́латься P (I), to happen
де́ло, business, matter, action
делово́й, business, businesslike
де́нь (†е) (m.) 162, day
де́ньги 194, money
дереве́нский, rural, country (adj.)
дере́вня (е), village
де́рево 193, wood (substance)
держа́ть 81: по-, to hold, keep hold of

де́ти 172, children
де́тство, childhood
деше́вле, cheaper
дешёвый, cheap
де́ятельность, activity
дива́н, divan, sofa
диви́зия, division
дипло́м, diploma
дире́ктор, director
дитя́ 172, child
дли́нный, long
для *(gen.)* 82, 83, for
днём, in the daytime
до *(gen.)*, until, before, up to
добива́ться (I), to strive for, gain, achieve
добира́ться 262, to reach, get to
доби́ться P 273, to strive for (successfully), gain, achieve
добра́ться P 262, to reach, get to
до́брый, good, kind
дово́лен 124, pleased, satisfied
дово́льный, pleased, satisfied
догна́ть P 225, to catch up with
догоня́ть 225, to catch up with
дождли́вый, rainy
дождь *(m.)*, rain
докла́д, report
до́ктор 161, doctor
до́лго, long, for a long time
до́лее, longer (of time)
до́лжен 162, must, have to
до́ллар, dollar
до́льше, longer
дом 161, house
до́ма, at home
домо́й, homeward, home
доро́га, road, way
до́рого, expensively, dearly
дорого́й, expensive, dear
доро́же, more expensive, dearer
до свида́ния, goodbye
доста́точно, enough, sufficiently
дочь 215, daughter
дрова́, firewood
дро́жки (е), droshki (carriage)
друг 194, friend
друг дру́га 241, one another
друго́й, other (one)
ду́мать (I): по-, to think
дуть (I): по-, to blow
ду́шный, stifling
дым, smoke

дю́жина, dozen
дя́дя 206, uncle

Е

Евро́па, Europe
европе́йский, European
его́ 116, his, its
еда́, food
её 116, her, hers
е́здить 69, 141, to drive, go, travel
ёлка (о), Christmas tree
е́сли, if
есть 41, there is
есть 40: по-; съесть P, to eat: have a bite; eat up, devour
е́хать 47: по-, to ride, drive
ешь! eat!
ещё, still, yet, more

Ж

жаль, it's a pity, too bad
жар, fever
жа́ркий, hot
жа́рко, hot, it is hot
жарко́е, roast meat
жа́рче, hotter
ждать 81, 82: подожда́ть P, to wait (for)
же 275, but, then
жела́ть (I): по-, to wish, want, desire
желе́зный, iron *(adj.)*
жёлтый, yellow
жена́, wife
жена́т (на) *(m.)* 215, married
жени́ться (на) 215, to get married
же́нщина, woman
жесть, tin
живо́й, live (ly), alive
живо́тный мир fauna
жи́дкий, liquid, fluid, thin
жи́же, thinner, more diluted
жизнь, life
жи́тель *(m.)*, inhabitant, dweller
жить 46: по-, to live
журна́л, periodical

З

за *(acc. or instr.)* 89, 97, behind, after
заболе́ть P (I): боле́ть (I), to fall ill, sick: to be ill, sick

забыва́ть (I), to forget

забы́ть (забу́ду, забу́дешь, забу́дут) *P*, to forget

заво́д, plant, factory

за́втра, tomorrow

за́втрак, breakfast

за́втракать (I): по-, to have breakfast, lunch

зада́ча, problem

зака́т (со́лнца), sunset

закрича́ть *P* 139, 140: крича́ть (II), to cry out, begin crying: to shout, cry

закрыва́ть (I), to close

закры́ть *P* 170, to close

заку́ска (о), hors d'oeuvre

замени́ть *P* (II), to substitute, replace

заменя́ть (I), to substitute, replace

замеча́тельный, remarkable

за́мужем (за) 215, married

занима́ть (ся) (I): заня́ть (ся) *P* 183, to occupy, study, to be busy

за́нят 124, busy

заня́тие, occupation, pursuit

занято́й, busy

заня́ть (ся) *P* 183: занима́ть (ся) (I), to occupy, study, to be busy

за́пад, west

за́падный, western

запомина́ть (I), to remember, memorize

запо́мнить *P* (II), to remember, memorize

зараба́тывать (I), to earn

зарабо́тать *P* (I), to earn

зара́нее, beforehand, in advance

заспеши́ть *P* (II): спеши́ть (II), to hurry, rush

зате́м, after that

зато́, on the other hand, but then

захоте́ть *P* 139: хоте́ть 76, 82, to get the desire: want, wish

звезда́, star

звони́ть 95: по-, to ring, call (by phone)

звоно́к (†о), bell, (telephone) ring

звук, sound

зда́ние, building

здесь, here

здоро́в 124, healthy, well

здоро́вый, healthy, well

здоро́вье, health

здра́вствуйте, how are you, how do you do, hello

зелёный, green, verdant

зима́, winter

зи́мний, winter *(adj.)*

зимо́й, in winter

знако́мить 149: по-, to acquaint

знако́мый, acquaintance, familiar *(adj.)*

знамени́тый, famous

зна́мя 194, flag, standard

зна́ние, knowledge

знать (I): узна́ть *P*, to know, find out

значе́ние, meaning, importance

зо́лото, gold

зо́на, zone

И

и 22, and

игра́ть (I): по-, to play

иде́я, idea

идти́ 46, 90: пойти́ *P*, to go on foot

из 82, 83, 255 *(gen.)*, from, out of

изба́, hut

избира́ть (I), to select, elect

избра́ть *P* (like бра́ть), to select, elect

изве́стный, famous

изво́зчик, cabman

измени́ть (ся) *P* 295, to alter, change

изменя́ть (ся) (I), to alter, change

изуча́ть (I), to learn, study

изучи́ть *P* 183, to master

и... и 276, both... and

и́ли, or

и́ли... и́ли 276, either... or

им, to them, by him

име́ние, estate

и́менно, just

име́ть (I) 117, to have

и́ми, with them, by them

импера́тор, emperor

и́мя 150, 194, name

инжене́р, engineer

иногда́, sometimes

иностра́нец (†е), foreigner

иностра́нный, foreign

интере́сный; интере́сно, interesting; it is interesting

интересова́ть (ся) 238: по-, to interest (oneself) in, have interest for

иска́ть: по- 238, to search, look for

исто́рик, historian
исто́рия, story, history, affair
исто́чник, source
их, their, theirs 116; them
ию́ль (m.), July
ию́нь (m.), June

К

к (ко) (dat.) 61, 255, to
ка́ждый, every, each
каза́ться: по- 152, to seem, appear
как, how
как бу́дто, as if
како́й, which, what kind of, what
    sort of
кана́л, canal
канона́да, cannonade
капита́н, captain
капу́ста, cabbage
каранда́ш 162, pencil
ка́рта, map; ка́рты, playing cards
каучуконо́с, rubber tree
ка́ша, porridge
ка́шель (†e) (m.), cough
кварти́ра, apartment
киломе́тр, kilometer
кино́ 34, movie
кла́няться (I): поклони́ться P 193,
    to bow, give regards to
класс, class
класть 46: положи́ть P 170, to put,
    place
кли́мат, climate
клуб, club
кни́га, book
кня́жество, principality
ковёр (†ё), rug, carpet
когда́ 40 when
ко́жа, leather, skin
кой (see како́й)
коли́чество, quantity, number
колхо́з, collective farm
команди́р, commander
ко́мната, room
коне́ц (†e), end
коне́чно, of course
конто́ра, office
конце́рт, concert
конча́ть (I), to end, finish
ко́нчить P (II), to end, finish
кора́бль (m.), ship
кораблестрое́ние, shipbuilding
коро́бка (o), box

коро́ткий 124, short
кото́рый, which (one); (relative
    pronoun, see 284 f)
ко́фе, coffee
край, country, region
краса́вица, beautiful woman
краси́вый, beautiful
кра́сный, red
красота́, beauty
кре́пкий, strong firm
кре́пче, stronger, firmer
кре́сло, armchair
крестья́нин 171, farmer, peasant
крик, shout, cry
кри́кнуть P (I) 139, 140, to cry out
крича́ть 251, to shout, call
кро́ме, besides, except (for) (gen.)
кро́ме того́, besides (that)
круг, circle
круго́м, round, round about
крюк, hook
кто 124, who (relative pronoun, see
    284 f)
куда́, whereto, where
кузне́ц, blacksmith
культу́ра, culture
культу́рный, cultured, cultural
купа́льня (e), bathing place, bath
    house
купа́ться (I): вы́купаться P (I), to
    bathe; bathe thoroughly
купе́ц (†e), merchant
купи́ть P 138: покупа́ть (I), to buy,
    purchase
кусо́к (†o), piece
ку́хня (o), kitchen
ку́шать 40: по-, to eat: have a bite

Л

ла́вка (o), shop, bench
ла́мпа, lamp
лёг, lay down
лёгкий, light, easy
легко́, easy, easily, lightly, it is easy
ле́гче, lighter, easier
лёд (ё > ь), ice
лежа́ть 67: по-, to lie, recline
лека́рство, medicine
лес 161, forest, woods
ле́со-степь, forest and grassland
лета́ть 239, to fly
лете́ть 239, to fly
ле́тний, summer (adj.)

ле́то, summer

ле́том, in the summer

лечи́ть (ся) 122: по-, to treat, be treated

лечь (ля́гу, ля́жешь, ля́гут) P: ложи́ться (II), to lie down

лимо́н, lemon

лист 193, leaf (of a tree), sheet, piece (of paper)

литерату́ра, literature

литерату́рный, literary

лицо́, face

лоб (†о), forehead

ло́вко, adroitly

ло́дка (о), boat

ложи́ться (II): лечь (see лечь) P, to lie down

ло́жка (е), spoon

ло́шадь, horse

лу́чше, better

люби́мый, beloved, favorite

люби́ть 88, 163: по-, to love

любова́ться 193: по-, to admire

лю́ди 172, people

ляг! lie down!

М

мавзоле́й, mausoleum

магази́н, store

май, May

ма́ленький, little, small

ма́ло (gen.) 53, 164, little

ма́льчик, boy

ма́ма, mother

март, March

ма́сло, butter

матро́с, sailor

мать 215, mother

маши́на, machine, engine

мёд, honey

медици́нский, medical (adj.)

ме́дленно, slowly

медь, copper

ме́жду (instr.) 68, between, among

ме́нее 216, less

ме́ньше 216, less, smaller

меня́, of me, me (acc.)

мёртвый, dead

ме́сто, place, room, space

ме́сяц 150, 162, month

мета́лл, metal

ме́тод, method

метро́ 34, subway

мех, fur, pelt

меха́ник, mechanic

милиционе́р, policeman

ми́лости про́сим, welcome (in)

ми́лый, dear, nice

ми́ля, mile

ми́мо (gen.), past

ми́на, mine, mortar shell

ми́нус, minus

мину́та, minute

мир, world, peace

мла́дше, younger

мла́дший, younger, youngest, junior

мне, to me

мно́го (gen.) 53, 164, much

многоуважа́емый, much respected

мной, мно́ю, with me, by me

мог 90, could, was able

мо́дный, fashionable

моё 27, 116, 185, my, mine

мо́жет быть, perhaps

мо́жно 162, possible, permitted

мой 27, 116, 185, my, mine

молодёжь, youth, young people

молодо́й, young

мо́лодость, youth

моло́же, younger

молоко́, milk

мора́ль, morals, ethics

мо́ре, sea

моро́з, frost

Москва́, Moscow

моско́вский, Moscow (adj.)

мост 150, bridge

мочь 55, 90: смочь P 138, to be able, know how

моя́ 116, my, mine

муж 194, husband

мужи́к, peasant

мужчи́на 205, man

музе́й, museum

му́зыка, music

му́ка, torment, suffering

мука́, flour, meal

мы 151, we

мы́ло, soap

мысль, thought

мыть (ся) 122: вы́мыть (ся) P 138, to wash (oneself): wash thoroughly

мя́гкий, soft

мя́со, meat

H

на *(acc.* or *prep.)* **39, 45, 46,** on
наблюда́тель *(m.)*, observer
над *(instr.)* **68,** above, over
на́до **162,** it is necessary, needed
наза́д, back, backward (s)
найти́сь *P*: находи́ться **205,** to be located, found
наконе́ц, finally
накрыва́ть (I), to cover, set (the table)
накры́ть (накро́ю, накро́ешь, накро́ют) **213,** to cover, set (the table)
нале́во, to the left
нам, to us
на́ми, with us, by us
написа́ть *P*: писа́ть **52,** to write
направле́ние, direction
напра́во, to the right
напра́сно, in vain
наприме́р, for example
напро́тив, opposite *(with gen.)*, on the contrary *(adv.)* **276**
наро́д, people, nation
наро́дный, popular, national
наряду́ с, side by side, equally important
нас, of us, us *(acc.)*
населе́ние, population
насели́ть *P* (II), to populate, settle
населя́ть (I), to populate, settle
на́сморк (head), cold
(на) счита́ть *P* (I), to count
(на) счи́тывать (I), to count
нау́чный, scientific
находи́ться: найти́сь *P* **205,** to be located, found
национа́льный, national
нача́ло, beginning (noun)
нача́льник (шта́ба), (staff) commander
нача́ть (ся) *P* **131, 205,** to begin
начина́ть (ся) (I), to begin
наш **185,** our, ours
не **21, 22,** not
не́бо, sky
невозмо́жно, impossible
неда́вно, recently
неде́ля, week
незави́симость, independence
не́которые, some
нельзя́ **162,** forbidden
не́мец (†е), German

не́мка (о), German woman
необходи́мо, necessarily
необходи́мый, necessary, unavoidable
непоси́льно, beyond one's strength
непра́вильный, incorrect
неприя́тно, unpleasant, it is unpleasant
не́сколько, some
несмотря́ на **276,** in spite of
несомне́нно, undoubtedly, certainly
нести́: носи́ть **239, 240,** to carry, wear
несча́стный, unhappy
нет **22, 52,** no, there is no
нетерпе́ние, impatience
неудо́бно, uncomfortable, it is uncomfortable
нефть, oil
ни, as prefix + neg. particle, see **263**
нибу́дь, as suffix see **262, 263**
ни́же, lower
ни́зкий, low
никогда́, never
никто́ **35, 263,** nobody
никуда́, nowhere
ни... ни **276,** neither ... nor
ничего́ **35,** nothing; it does not matter; alright; quite well
ни́щий, beggar
но, but
но́вость, news
но́вый, new
нога́, foot, leg
нож **162,** knife
но́мер, number, room (in a hotel)
нос, nose
носи́льщик, porter
носи́ть **239, 240:** нести́ *P*, to carry, wear
ночь, night
но́чью, at night
ноя́брь *(m.)*, November
нра́виться: по-, **163,** to please, like: get to like
ну! well!
ну́жно **162,** it is necessary, needed
ню́хать (I): по-, to smell, sniff

O

о, об, о́бо *(prep.)*, about, concerning
о́ба **252,** both *(m.)*
о́бе **252,** both *(f.)*
обе́д, dinner

обéдать (I): по-, to dine, have dinner
обеспéчен, guaranteed
обещáть (I): по-, to promise
обúда, insult
обитáемый, inhabitable
óблако, cloud
óбласть, region, province
óбраз, image, figure, manner
образовáние, education
образóванный, educated
обрáтно, back
обстанóвка (о), furniture, situation
óбувь, footwear
óбщество, society
óбщий, general, common
обыкновéнно, usually
объединéние, unification
объявлéние, announcement
объяснéние, explanation
объяснúть P 183, to explain
объяснять (I), to explain
óвощи, vegetables
оглядываться (I), to look around, back
оглянýться P (I), to look around, back
огрóмный, huge, big
одевáть (ся) 131, to dress, put on
одéть (ся) P 131, to dress, put on
одúн, one
одинáковый, same, identical
однáжды, once (upon a time)
однáко 276, however, yet
ожидáние, expectation, waiting
óзеро 184, lake
окáнчивать (I): окóнчить P (II), to finish
окнó (о), window
óколо (gen.) 82, 83, beside, about, next to
окóнчить P (II): окáнчивать (I), to finish
окрáина, outskirts
октябрь (m.), October
он, онá, онó 27, 150, he, she, it
онú 151, they
опáздывать (I): опоздáть P (I), to be late
óпера, opera
описáние, description
опоздáть P (I): опáздывать (I), to be late
опять, again

оркéстр, orchestra
осéнний, autumnal
óсень, fall, autumn
óсенью, in the fall
осмáтривать (I), to inspect, examine, sightsee
осмотрéть P 171, to inspect, examine, sightsee
осóбенно, especially
от (gen.) 82, 83, 255, from
отвéт, answer
отвéтить P 149, to answer
отвечáть (I) 61, to answer
отдавáть 238, to give away
отдáть P 238, to give away
отделéние, department
отделúть P (II), to separate
отдéльный, separate
отделять (I), to separate
отдохнýть P 193, to rest
óтдых, rest, relaxation
отдыхáть (I), to rest
отец (†е), father
открывáть (I): открыть P 138, to open
открытие, discovery
открытый, open
открыть P 138: открывáть (I), to open
откýда, from where, whence
отличáться (I), to differ, stand out
отличúться P (II), to differ, stand out
отпрáвить P 160, to send off
отправлять (I), to send off
отставáть 251, to fall behind, lag
отстáнь! leave (one) alone! fall behind!
отстáть P 251, to fall (lag) behind
óтчество, patronymic
отъéзд, departure
очевúдно, evidently
óчень, very
óчередь, queue, (one's) turn

П

пáдать (I): упáсть P 251, to fall (down)
пакéт, package
пáлец (†е), finger
пáлуба, deck
пальтó 34, coat
папирóса, cigarette

па́ра, pair
парк, park
парохо́д, steamship
па́рус, sail
Па́сха, Easter; па́сха, Easter cake (of curds, eggs, etc.)
пацие́нт, patient
певе́ц (†е), singer
певи́ца, singer (f.)
педагоги́ческий, pedagogical
пей! drink!
пе́рвый, first
перевести́ P 171, to move, transfer, translate
перево́д, translation
переводи́ть 171, to move, transfer, translate
перево́дчик, translator
пе́ред (instr.) 68, before, in front of
передава́ть 273, to transmit, pass on
переда́ть P 273, to transmit, pass on
пере́дняя 216, entrance hall, ante-room, vestibule, lobby
переса́дка (о), change (of trains)
перио́д, period
перо́ 193, pen, feather
пе́сня (е), song
петь 105: спеть P, to sing
пехо́та, infantry
печа́тать (I): напеча́тать P (I), to print
пешко́м, on foot
пикни́к, picnic
пиро́г, cake, pie
писа́тель (m.), writer, author
писа́ть 52: написа́ть P 131, to write
пи́сьменность, literature, written language
письмо́ (е), letter
пить 60: по-; вы́пить P, to drink: drink a little; completely
пла́вать 239: по-, to swim, float
пла́мя 194, flame
план, plan
планта́ция, plantation
пла́тье, dress
пле́мя 194, tribe
плечо́ 184, shoulder
плодоро́дный, fertile
плоти́на, dam
пло́хо, badly, it is bad
плохо́й, bad
пло́щадь, square
плыть 225, 239, to swim, float

плюс, plus
по (dat.) 255, along, on, according to
по-америка́нски, American, in American
по-англи́йски, English, in English
поблагодари́ть P (II), to thank
побри́ться P 131, to shave
по́вар, cook
поверну́ть P 171: повора́чивать (I) to turn
повесели́ться P (II), to be merry
повоева́ть P 262, to battle, wage war
повора́чивать (I): поверну́ть P 171, to turn
поворо́т, turn
поговори́ть P (II), to speak, chat
пого́да, weather
погуля́ть P (I), to take a walk
под (acc. or instr.) 89, 97, under
подержа́ть P (like держа́ть), to hold
по́дле (gen.) 255, near, alongside
поднима́ться 193, to arise, get up
подня́тие, raising, lifting
подня́ться P 193, to arise, get up
подожда́ть (conjugated like ждать) 81, 82, to wait (a little)
подойти́ P: подходи́ть 251, to approach, come up to
подру́га, girl friend
поду́мать P (I), to think
поду́ть P (I), to blow
подходи́ть: подойти́ P 251, to approach, come up to
подчинённый, subordinate
по́езд 161, train
пожа́луйста, please, if you please
пожа́р, conflagration, fire
пожела́ть P (I), to wish, desire
пожива́ть (I), to get along, live
поза́втракать P (I), to breakfast, lunch
позади́ (gen.), behind
позво́лить P (II), to permit, allow
позволя́ть P (I), to permit, allow
позвони́ть P (II), to ring, call (by phone)
по́здний, по́здно, late
познако́мить (ся) P 149, to acquaint, present, get acquainted
пойти́ P (like идти́), to go (on foot)
пока́, while, as long as
показа́ть P 138, to show
пока́зывать (I), to show

поклони́ться *P* 193: кла́няться (I), to bow, greet, give regards to

покупа́ть (I): купи́ть *P* 138, to buy, purchase

поку́пка (о), purchase

поку́шать (I), to have a bite, eat a little

пол 150, floor

по́ле, field

полежа́ть *P* (II), to lie, recline

полечи́ться *P* (II), to treat, be treated

полити́ческий, political

поли́ция, police

полново́дный, deep

по́лный, full, complete, stout

полови́на, half

положе́ние, situation, position, office

положи́ть *P* 170: класть 46, to put, place

по́лон 124, full

полотно́, linen

получа́ть (I), to receive, get

получи́ть *P* 160, to receive, get

полфу́нта, half a pound

полчаса́, half an hour

полюби́ть *P* (like люби́ть), to get to like, love

полюбова́ться *P* 193, to admire

по́мнить (II), to remember

помно́женное на, multiplied by

помога́ть 88, to help

помо́чь *P* (like мочь), to help

понату́жься! pull yourself together! try hard!

понеде́льник, Monday

понима́ть (I): поня́ть *P* 238, to understand

понра́виться *P* 159, 163, to please, like

поня́ть *P* 238: понима́ть (I), to understand

попада́ть 238, to get to, catch

попа́сть *P*, to get to, catch

попла́вать (I), to swim

поплы́ть *P* 225, to swim, set sail

попра́вить (ся) *P* 171, to get well, improve

поправля́ть (ся) (I), to get well, improve

попре́жнему, as before, formerly

попроси́ть *P* 149, to ask a favor, beg

попры́гать (I), to jump

пора́, time, it is time

порабо́тать *P* (I), to work (a little)

порт, port, harbor

по-ру́сски, Russian, in Russian

поруче́ние, commission

посиде́ть *P*, to sit

посла́ть *P* 295: посыла́ть (I), to send

по́сле *(gen.)* 53, after, afterward

после́дний, last

посмотре́ть *P* 160, to look, glance

поспа́ть *P* 88, to sleep

поста́вить (like ста́вить) *P*, to place, put

постара́ться *P* (I), to strive, try

посте́ль, bed

постоя́нный, continuous, constant

постро́ить *P* (II), to build

поступа́ть (I), to act, enter, enroll, enlist

поступи́ть *P* 183, to act, enter, enroll, enlist

посу́да, dishes

посыла́ть (I): посла́ть *P* 295, to send

потоло́к (†о), ceiling

пото́м, afterward, then

потому́ что, because

потре́бовать *P*, to demand

по-францу́зски, French, in French

похо́жий на, resembling, like

по́чва, ground, soil

почему́, why

почита́ть (I), to read (a little)

по́чта, post office, mail

почти́, almost

почу́вствовать *P*, to feel

поэ́т, poet

поэ́тому 276, therefore, because of that

прав 124, right, correct

пра́вда, truth; to be sure *(conj.)*

пра́вильный, пра́вильно, right, correct

прави́тельство, government

пра́вый, right (direction, side)

пра́здник, holiday, feast

предме́т, subject, object

председа́тель *(m.)*, president

предста́вить *P* 149, to introduce

представля́ть (I), to introduce

пре́жний, former

президе́нт, president

прекра́сный, beautiful, splendid, fine

прекрати́ться *P* 252, to stop, end
прекраща́ться (I), to stop, end
преподава́ть (I), to teach, instruct
препода́ть *P* 183, to teach, instruct
при *(prep.)* 255, in, in the presence of, at
привезти́ *P* 251, to bring, convey
привози́ть 251, to bring convey
пригласи́ть *P* 149, to invite
приглаша́ть (I), to invite
приглаше́ние, invitation
пригото́вить *P* 138: гото́вить 138, to prepare
прие́зд, arrival
приезжа́ть (I): прие́хать (like е́хать) *P*, to arrive (by vehicle)
прие́м, reception
прие́хать *P* 139: приезжа́ть (I), to arrive (by vehicle)
признава́ть 295, to acknowledge, admit
призна́ть (like знать), to acknowledge, admit
прийти́ *P* (like идти́): приходи́ть (like ходи́ть), to arrive (on foot)
приказа́ние, order, command
приме́р, example
принима́ть (I), to receive, accept
приня́ть *P* 149, to receive, accept
приро́да, nature
приро́дное бога́тство, raw materials, natural resources
присла́ть *P* (пришлю́, пришлёшь, пришлю́т), to send
присыла́ть (I), to send
притти́ *P* (like идти́), to arrive, come
приходи́ть (like ходи́ть), to arrive, come
причи́на, cause, reason
прия́тель *(m.)*, friend, comrade
прия́тный; прия́тно, pleasant; it is pleasant
пробива́ть (I), to strike (the hour)
проби́ть (like бить) *P*, to strike (the hour)
про́бка (о), stopper, cork
прове́рить *P* 171, to check
проверя́ть (I), to check
програ́мма, program
продаве́ц (†е), salesman, merchant
продавщи́ца, saleslady
продолжа́ть (I), to continue
продо́лжить *P* 183, to continue

проезжа́ть (I), to drive, ride through
прое́хать (like е́хать), to drive, ride through
произво́дство, production
произойти́ *P* 262, to happen, take place
происходи́ть 262, to happen, take place
пройти́ *P* (like идти́): проходи́ть (like ходи́ть), to go through, pass
пронзи́тельный, piercing
проси́ть: по- 149, to ask a favor, beg
просну́ться *P* (I): просыпа́ться (I), to awaken
прости́! прости́те! excuse me, please!
прости́ть (прощу́, прости́шь, простя́т) *P*: проща́ть (I), to forgive
прости́ться *P* 160: проща́ться (I), to say goodbye
про́сто, simple, simply
просто́й, simple
простота́, simplicity
просту́женный, afflicted with cold
просыпа́ться (I): просну́ться *P* (I), to awaken
профе́ссор 161, professor
проходи́ть (like ходи́ть): пройти *P* (like идти́), to go, through, pass
прохо́жий, passer-by
проце́сс, process
проче́сть *P*; прочита́ть *P* 175, to read (through)
про́шлый, past, last
проща́й! goodbye!
проща́ть (I): прости́ть (see прости́ть) *P*, to forgive
проща́ться (I): прости́ться *P* 160, to say goodbye
пры́гать (I), to leap, jump, dive
пры́гнуть *P* 252, to leap, jump, dive
пря́мо, straight, straightaway
пуска́й, пусть 208, let
пусты́ня, desert
путь *(m.)*, path, route, voyage
пу́шка (е), cannon, gun
пье́са, drama, play
пя́теро 255, five, fivesome
пя́тница, Friday

Р

рабо́та, work
рабо́тать (I): по-, to work
рабо́чий 216, worker, working *(adj.)*

ра́бство, slavery
равни́на, plain
равно́, same, equal to
ра́вный, equal
равня́ется, is equal to
рад, happy
ра́дио 34, radio
ра́достный, happy, merry
ра́дость, joy, happiness
раз 162, one, once, time
разбуди́ть *P*: буди́ть, to awaken, rouse
разгово́р, conversation, talk
разгово́рный, conversational, colloquial
раздава́ться 193, to resound
разда́ться *P* 193, to resound
раздвига́ть (I), to push apart, extend, open
раздви́нуть *P* 215, to push apart, extend, open
разделённое на, divided by
раздели́ть *P* (II), to divide
разделя́ть (I), to divide
разли́чный, different
разнообра́зный, various, varied, different
ра́зный, different, various
разойти́сь *P*: расходи́ться 252, to part, go apart, scatter
разорва́ться *P* 262: разрыва́ться (I), to burst, explode
разраба́тывать (I), to work out, develop
разрабо́тать *P* (I), to work, out, develop
разреша́ть (I), to permit, solve
разреши́ть *P* 149, to permit, solve
разрыва́ться (I): разорва́ться *P* 262, to burst, explode
райо́н добы́чи, region of extraction
райо́н обрабо́тки, region of processing
ра́нний, ра́но, early
ра́ньше, earlier, formerly
расписа́ние, timetable, schedule
распрода́жа, sale
распростране́ние, dissemination
распространи́ть *P* (II), to spread, disseminate
распространя́ть (I), to spread, disseminate
расска́з, story, tale, narrative

рассказа́ть *P* 183, to tell, narrate
расска́зывать (I), to tell, narrate
расти́: вы́расти *P* 205, to grow: grow up
расти́тельный мир, flora
расходи́ться: разойти́сь *P* 252, to part, go apart, scatter
реа́льность, reality
ребёнок (†о) 172, child
ребя́та 172, lads, fellows, youngsters
ре́дкий; ре́дко, rare; rarely
ре́зкий, sharp
результа́т, result
река́, river
рели́гия, religion
рестора́н, restaurant
рефо́рма, reform
речь, speech
реши́тельный, firm, resolute
ро́вно, even, exactly
ро́дина, native country
роди́ться *P* 238: рожда́ться (I), to be born
родно́й, native
Рождество́, Christmas
роль, role
рома́н, novel
Росси́я, Russia
рот (†о) 150, mouth
роя́ль *(m.)*, piano
руби́ть (рублю́, ру́бишь, ру́бят): по-, to chop
рубль *(m.)*, ruble
рука́, hand
ру́сский, a Russian, Russian *(adj.)*
рю́мка (о), wine glass
ря́дом, alongside, next to

С

с (со), *(instr.)* 68, with *(gen.)* 97, from off
сад 150, garden
сади́ться 125: сесть (ся́ду, ся́дешь, ся́дут) *P*, to sit down
сам, сама́, само́, са́ми 206, oneself (myself, yourself, etc.)
самова́р, samovar
самолёт, airplane
са́мый 225, the most
сапо́г, boot
са́хар, sugar
са́харный, sugar *(adj.)*
све́жий, fresh

свёкла, beet
светло́, light, bright
све́тлый, light *(adj.)*
свида́ние, meeting
свобо́дный, free
свой, своё, своя́, свои́ 185, one's own (my own, your own, etc.)
сгоре́ть *P*: горе́ть 262, to burn up: burn
сдава́ть 160, to give up, check, rent
сдава́ться (for conjugation *see* дава́ть), to be for rent, to surrender
сдать *P* 160, to give up, check, rent
сда́ться (like дать) *P*, to surrender, be for rent
сде́лать *P* 174 (I): де́лать (I), to finish, complete
сде́латься *P* (I): де́латься (I), to happen, to become
себе́, себя́, собо́й 206, oneself (myself, yourself, etc.)
се́вер, north
се́верный, northern
сего́дня, today
сейча́с, now, just a minute
сейча́с же, immediately
секрета́рша *(f.)*, secretary
секрета́рь *(m.)*, secretary
семе́стр, semester
се́мя 194, seed
семья́, family
се́но, hay
сентя́брь *(m.)*, September
се́рдце (е), heart
серебро́, silver
сере́бряный, silver *(adj.)*
серьёзный, serious
сестра́ *(pl.* сёстры), sister
сесть (ся́ду, ся́дешь, ся́дут) *P*: сади́ться 125, to sit down
сига́ра, cigar
сиде́ть 131: по-, to sit
си́ла, strenght
си́льный, strong
си́ний, blue
систе́ма, system
сказа́ть *P* 138: говори́ть (II), to tell, speak, say
ска́терть, tablecloth
ско́лько *(gen.)* 53, 164, how much, how many
ско́ро, soon, quickly
ско́рость, speed

ско́рый, quick
скри́пка (о), violin
скуча́ть (I): по-, to be bored
ску́чный, boring, dull, tedious
сла́ва, fame
славяни́н, Slav
славя́нский, Slavic
сла́дкий, sweet
сла́дкое, dessert, sweets
сла́ще, sweeter
сле́дующий, following, coming
сли́шком, too, excessively
сло́во, word
сло́жный, complicated
слу́жба (е), work, job
слу́чай, occasion
слу́шать (I): по-, to listen to
слы́шать (II): услы́шать *P* (II), to hear: to catch the sound of
смерть, death
смесь, mixture
смешно́й, funny, comical
смея́ться 125 (I): по- (I), to laugh
смотре́ть 160: по-, to look: take a look
смочь *P* 138, 174: мочь 55, 90, to be able, to know how
снаря́д, shell
снача́ла, at first
снег, snow
снима́ть (I), to take off, rent
сноше́ние, dealings, relation
снять *P* 171, to take off, rent
собира́ть (ся) (I), to gather, collect, meet, prepare for
собра́ние, meeting, gathering, collection
собра́ть (ся) *P* 215, to gather, collect, meet, prepare for
собы́тие, event
соверше́нно, completely, entirely, quite
сове́тский, Soviet *(adj.)*
совреме́нный, contemporary
совсе́м, completely, entirely, quite
содержа́ние, content
созда́ние, creation
солда́т 162, soldier
со́лнце 150, 184, sun
соль, salt
сообще́ние, communication, message
сосе́д, *pl.*: сосе́ди, сосе́дей, etc., neighbor

сосе́дка (о), neighbor *(f.)*
сосе́дний, neighboring
сосчита́ть *P* (I), to count
со́тня, a hundred
спаси́бо, thank you
спать 88: по-, to sleep
сперва́, at first
спеть *P*: петь 105, to sing
специали́ст, specialist
спеши́ть (II): заспеши́ть *P* (II), to
    hurry, to rush: begin to ʾhurry,
    rush
спина́, back
споко́йный, calm, quiet *(adj.)*
споко́йствие, calm, quiet
спо́рить (II): по-, to argue, dispute
спорт, sport
спра́шивать (I), to ask
спроси́ть *P* 139, to ask
спуска́ть (I), to let down, lower
спусти́ть *P* 252, to let down, lower
сраже́ние, battle
сра́зу, at once
среда́, Wednesday
среди́ *(gen.)*, amidst, in the midst of
сре́дство, means
ста́вить (ста́влю, ста́вишь, ста́вят):
    по-, to place, put
ставь! place! put!
стака́н, glass
станови́ться: стать *P* 193, 195, to be-
    come, place oneself
ста́нция, station
стара́ться (I): по-, to strive, try
старе́е, older
стари́нный, ancient, old
ста́рше, older, elder
ста́рший, elder, eldest, senior
ста́рый, old
стать *P*: станови́ться 193, 195, to be-
    come, place oneself
стена́, wall
стиха́ть (I), to abate, quiet down,
    subside
сти́хнуть *P* 262, to abate, quiet down,
    subside
сто́ить (II), to cost
стол, table
столи́ца, capital
столо́вая 216, dining room
сто́лько *(gen.)*, so much, so many
сторона́, side
стоя́ть 225: по-, to stand

страна́, country
страни́ца, page
стра́нный, peculiar, strange
страх, fear
стре́лка (о), pointer, hour, minute
    hand (of a clock, watch)
стро́гий, strict
стро́ить (II): по- 225, to build
строка́, line
студе́нт *(m.)*, student
студе́нтка *(f.)*, student
стул 193, chair
суббо́та, Saturday
судьба́, fate
сумасше́дший, madman, crazy one
суме́ть *P* 174: уме́ть (I), to be able,
    know how
сунду́к, trunk
суп, soup
су́тки (о) *(pl.)*, day and night,
    24 hours
сушь, landmass, dry land
сце́на, stage, scene
счастли́вый, lucky, happy
сча́стье, happiness
сын 194, son
сыр, cheese
съесть *P* 174: есть 40, to eat (up),
    devour: eat
сюда́, here, hither
сядь! sit down!

Т

так, so, thus
та́кже, also, likewise, too
так (же) ... как 218, as ... as
тако́й, such a one
такси́, taxi
там, there
твой, твоё, твоя 116, 185, your, yours
тво́рчество, creative power, creations
теа́тр, theatre
тебе́, to you
тебя́, of you, you *(acc.)*
телеви́зор, television set
телегра́мма, telegram
телефо́н, telephone
телефони́ст, telephone operator
темно́, dark
тёмный, dark
температу́ра, fever, temperature
те́ннис, tennis
тепе́рь, now

тепло́, warm, it is warm
тёплый, warm
террито́рия, territory
те́сно, close, confined
теснота́, closeness
тётя, aunt
тече́ние, current, stream
ти́хий, ти́ше, quiet, quieter
то . . . то, now . . . now
тобо́й, тобо́ю, with you, by you
това́рищ 162, comrade
тогда́, then
то́же, also, too
толпа́, crowd
то́лстый, thick
то́лще, thicker
то́лько, only
тому́ наза́д, ago
тон, tone
то́нкий, thin
то́ньше, thinner
торго́вля, trade
торго́вый, trade *(adj.)*
тот, та, то 27, 195, that
трамва́й, streetcar
тре́бовать 262: по-, to demand
тро́е 255, threesome
тростни́к, cane
тру́бка (о), pipe
труд, labor, toil
тру́дный; тру́дно, difficult; it is difficult
тря́пка (о), rag
туда́, there, thither
тури́ст, tourist
тут, here
ту́фля (е), slipper
ты 150, you (thou)
тылово́й, (of the) rear
тьма, darkness
тюк, bale
тяжело́, heavily
тяжёлый, heavy, burdensome

У

у *(gen.)* 53, at, near
убира́ть (I), to clean, tidy, remove
убра́ть P 139, to clean, tidy, remove
уве́ренный, firm, confident
уви́деть P: ви́деть 138, to catch sight of: see
у́гол (†о) 150, corner

удивле́ние, astonishment, surprise
удо́бный 124, comfortable, convenient
удово́льствие, pleasure
уезжа́ть (I), to depart, leave
уе́хать P (like е́хать), to depart, leave
уже́, already
у́же, narrower
у́жин, supper
у́жинать (I): по- (I), to have (eat) supper
у́зкий, narrow
узнава́ть (узнаю́, узнаёшь, узнаю́т), to find out
узна́ть P (I): знать (I), to find out: know
уйти́ P: уходи́ть 238, to leave, go away
укла́дывать (I): уложи́ть P 160, to pack (ones things)
у́лица, street
уложи́ть P: укла́дывать (I) 160, to pack (one's things)
у́мер, умерла́, he, she died
умере́ть P 238: умира́ть (I), to die
уме́ть (I) 55: суме́ть P (like уме́ть), to be able, know how
умира́ть (I): умере́ть P 238, to die
у́мный 124, clever
универса́льный, general, universal
университе́т, university
упа́сть P 251: па́дать (I), to fall (down)
у́ровень *(m.)*, level, niveau
урожа́й, harvest
уро́к, lesson
уси́ливаться (I), to increase, grow stronger, more intense
уси́литься P (II), to increase, grow stronger, more intense
усло́вие, condition, agreement
услы́шать P 149: слы́шать (I), to catch the sound of: hear
успе́х, success
уста́лый, tired
устра́ивать (I), to construct, make, arrange
устро́ить P 252, to construct, make, arrange
устро́йство, organization
у́тро, morning
у́тром, in the morning
у́хо 184, ear

уходи́ть: уйти́ P 238, to leave, go
  away
уче́бник, textbook
уче́ние, studying, teaching
учени́к, student
учени́ца, girl student
учёный 216, scholar, learned (adj.)
учи́тель (m.) 161, teacher
учи́тельница, lady teacher
учи́ть(ся) 95, 183: вы́учиться, to
  teach, learn: to teach, learn
  thoroughly
ую́тный, cozy, comfortable

Ф

фа́брика, factory
факульте́т, faculty
фами́лия, family name
февра́ль (m.), February
фило́соф, philosopher
филосо́фский, philosophical
фо́рма, form, genre
фотогра́фия, photograph
Фра́нция, France
францу́женка (о), French woman
францу́з, Frenchman
францу́зский, French (adj.)
фронт, front
фрукто́вый сад, orchard
фунт, pound

Х

хара́ктер, character
хи́мик, chemist
хлеб, bread
хло́пок, cotton
ходи́ть 69, 141, to walk, go, attend
хозя́ин, proprietor, master, landlord
хозя́йка, proprietress, hostess, landlady
хозя́йство, housekeeping, household,
  economy
хо́лодно, cold
холо́дный, cold
хоро́ший, good
хорошо́, good, well, it is well, good
хоте́ть 76, 82: захоте́ть 139, to wish,
  want: get the desire
хоте́ться 152, to feel like, have a
  desire
хоть 276, though

хотя́ (бы) 276, (even) though
христиа́нский, Christian
христиа́нство, Christianity
Христо́с, Christ
худо́й, thin, skinny
ху́же, worse

Ц

царь (m.), Tsar, emperor
цвет 172, color
цвето́к (†о) 172, flower
це́лый, whole, entire
цель, aim, goal
цена́, price
центр, center
центра́льный, central
це́рковь (†о), church

Ч

чай, tea
ча́йник, teapot
час, hour
ча́стый, frequent
часть, part
часы́ (pl.), watch, clock
ча́шка (е), cup
ча́ще, more frequent (ly)
чей, чьё, чья 185, whose
челове́к 172, human being, man,
  person
челове́чество, humanity
чем 218, than
чем...тем... 218, the...the...
чемода́н, suitcase
че́рез (acc.) 89, over, across, through
чёрный, black
честь. honor
четве́рг, Thursday
че́тверо 255, foursome
че́тверть, quarter
число́ (е), number, date
чи́стый, clean, pure
чи́стить 139: вы́чистить P, to clean:
  clean thoroughly
чита́ть (I): по-, to read
член, member
что 27, 35, 124, 195, what, that
что́бы, in order to
чу́вство feeling
чу́вствовать (ся) 122: по-, to feel
  (oneself)

Ш

шаг, step, pace
ша́пка (о), cap
шар, ball, globe
шёл, шла, шло, went
шёлк, silk
шерсть, wool
ше́стеро 255, six
ши́ре, broader, wider
широ́кий, broad, wide; широко́ *(adj.)*
шко́ла, school
шля́па, hat
штаб, headquarters
шта́бный, staff *(adj.)*
штат, state
шум, noise
шу́мный, noisy

Щ

ще́пка (о), sliver
щётка (о), brush
щи, cabbage soup

Э

экза́мен, examination
эконо́мика, economics
электри́ческий, electric (al)
электроста́нция, electrical station
эне́ргия, energy
эпо́ха, epoch
э́ра, era
эта́ж 162, floor, story
э́тот, э́та, э́то 27, 194, this

Ю

юг, south
ю́жный, southern
ю́мор, humor
юмористи́ческий, humorous
юриди́ческий, juridical
юри́ст, jurist, lawyer

Я

я 150, I
я́блоко 184, apple
язы́к, tongue, language
я́корь *(m.)*, anchor
янва́рь *(m.)*, January
я́сный, clear

English-Russian Vocabulary

A

abate, стихáть (I), стúхнуть 262
able, to be, мочь 55, смочь 138;
уметь (I), суметь 174; able, was,
мог 90
about, о, об, óбо (prep.); óколо
(gen.) 82, 83
above, над (instr.) 68
accept, принимáть, принять 149
according to, по (dat.) 255
accurate, аккурáтный
ache, болéть (I)
achieve, добивáться, добúться 273
acknowledge, признавáть 295, признáть (I)
acquaint (someone), знакóмить, по-
знакóмить 149
acquaintance, знакóмый
acquainted, знакóмый
acquainted, to get, знакóмиться, познакóмиться 149
across, чéрез (acc.) 89
act, поступáть, поступúть 183
action, дéло
activity, дéятельность
adjoining, сосéдний
admire, любовáться, полюбовáться
193
admit, признавáть 295, признáть (I)
adroit, лóвкий, лóвко
advance, in, зарáнее
affair, дéло, истóрия
afflicted with a cold, простýженный
afraid of, to be, боя́ться (II) (gen.)
after, пóсле (gen.) 53; потóм, пóсле;
за (acc. † instr.) 89, 97
after all, впрóчем 276
after that, затéм
afterward, потóм, пóсле
again, опя́ть
age, век
ago, томý назáд
agreement, услóвие
ahead, впередú (gen.)
aim, цель
air, вóздух
airplane, самолёт
alive, живóй

all, весь, вся, всё 226, 227
allow, позволя́ть (I), позвóлить (II)
all right, лáдно, благополýчно
almost, почтú
along, по (dat.) 225; along with, с,
со (instr.) 68
alongside, ря́дом, пóдле 255
aloud, вслух
alphabet, áзбука, алфавúт
already, ужé
alright, хорошó, ничегó
also, тáкже, тóже 218
alter, изменя́ть(ся) (I), изменúть(ся)
295
although, хотя́
always, всегдá
America, Амéрика
American (person), америкáнец
(m.), америкáнка (f.)
American, америкáнский; in American, по-америкáнски
amidst, средú (gen.)
among, мéжду (instr.) 68; средú
(gen.)
amusing, смешнóй, смешнó
anchor, я́корь (m.)
ancient, старúнный
and, а 22, и, да
animatedly, оживлённо
another, one, друг дрýга 241
announcement, объявлéние
answer, отвéт
answer, отвечáть 61, отвéтить 149
anteroom, передня́я 216
any (one), какóй-либо, какóй-нибудь
262, 263
anything, чтó-нибудь 262, 263
apartment, квартúра
appeal, призы́в
appear, вы́глядеть 215; казáться 152,
показáться
appearance, вид
apple, я́блоко 184
approach, подходúть, подойтú 251
approximately, óколо (gen.) 82, 83
architecture, архитектýра
argue, спóрить, поспóрить (II)
aria, áрия

arise, поднима́ться, подня́ться 193
armchair, кре́сло
army, а́рмия
around, круго́м
arrange, устра́ивать, устро́ить 252
arrival, прие́зд
arrive, приходи́ть, притти́ 238; при-
  езжа́ть, прие́хать 138.
artilleryman, артиллери́ст
as... as, так... как... 218
as before, попре́жнему
Asia, А́зия
Asiatic, азиа́тский
as if, как бу́дто
ask (a favor), проси́ть, попроси́ть
  149
ask (a question), спра́шивать, спро-
  си́ть 139
as long as, пока́
astonishment, удивле́ние
as though, как бу́дто
at, у (gen.) 53; при (prep.) 255
at first, снача́ла, сперва́
at home, до́ма
at night, но́чью
at once, сра́зу
attend, ходи́ть 69, 141
at times, времена́ми
at the side of, по́дле (gen.) 255
August, а́вгуст
August, (adj.) а́вгустовский
aunt, тётя
author, писа́тель (m.); а́втор
auto, автомоби́ль (m.)
autumn, о́сень
autumnal, осе́нний
awaken, буди́ть, разбуди́ть (to wake
  someone) 215; просыпа́ться (I),
  просну́ться (I) (to awake)

B

back, спина́
back, наза́д; обра́тно
bad (ly), плохо́й, пло́хо
baggage, бага́ж
bale, тюк
ball, шар
bank, банк
bathe, купа́ться, покупа́ться (I);
  вы́купаться (I)
bathhouse (pool), купа́льня (e)

battle, сраже́ние; бой; воева́ть, по-
  воева́ть 262
be, быть 21, 116; быва́ть 195
beautiful, краси́вый, прекра́сный
beauty, красота́
beauty (woman), краса́вица
because, потому́ что
because of that, поэ́тому 276
become, станови́ться 193, стать 195
bed, посте́ль
beet, свёкла
before, пе́ред (instr.) 68; до (gen.)
before, as, попре́жнему
beforehand, зара́нее
beg, проси́ть, попроси́ть 149
beggar, ни́щий
begin, начина́ть, нача́ть 131; начи-
  на́ться, нача́ться 205
begin to hurry, заспеши́ть (II) P
beginning, нача́ло
behind, за (prep. or acc.) 89, 97; по-
  зади́ (gen.)
belief, ве́ра
bell, звоно́к (†о)
beloved, дорого́й, люби́мый
bench ла́вка (о)
besides (s), о́коло (gen.) 82, 83
besides (that), кро́ме (того́)
better, лу́чше
between, ме́жду (instr.) 68
beyond one's strength, непоси́льно
big, большо́й; огро́мный, огро́мен
bigger, бо́льше 216
black, чёрный
blacksmith, кузне́ц
blow, дуть, поду́ть (I)
blue, си́ний
boat, ло́дка (о)
bombardier, бомбарди́ровщик
bombing plane (bomber), бомбарди-
  ро́вщик
book, кни́га
boot, сапо́г
border, грани́ца
bored, to be, скуча́ть (I), поскуча́ть
  (I)
boring, ску́чный, ску́чно
born, to be, рожда́ться,, роди́ться 238
both, о́ба (m. † n.), о́бе (f.) 252
both and, и.... и 276
boulevard, бульва́р
bow, кла́няться, поклони́ться 193
box, коро́бка (о)

boy, ма́льчик
bread, хлеб
breakfast, за́втрак
breakfast, за́втракать, поза́втракать (I)
bridge, мост 150
brief, коро́ткий 124
brigade, брига́да
bright (ly), све́тлый, светло́
bring (by vehicle), привози́ть, привезти́ 251
bring in, вноси́ть, внести́ 238, 239, вводи́ть, ввести́ 238, 239
broad (ly), широ́кий, широко́
broader, ши́ре
brother, брат 193
brow, лоб (†о)
brush, щётка (о)
build, стро́ить, постро́ить (II)
building, зда́ние
bulwark, вал
burden, бре́мя 194
burdensome, тяжёлый, тяжело́
burn, горе́ть, сгоре́ть 262
burst, разрыва́ться, разорва́ться 262
business, де́ло
business (like), делово́й
busy, заня́той, за́нят 124
busy oneself with, занима́ться, заня́ться 183
but, а 22; но; же 275
butter, ма́сло
but then, зато́
buy, покупа́ть, купи́ть 138
by the way (conj.), впро́чем 276, ме́жду про́чим
Byzantine, византи́йский
Byzantium, Византи́я

C

cabbage, капу́ста
cabbage soup, щи
cabman, изво́зчик
cake, пиро́г
call (by phone), звони́ть, позвони́ть (II) 95
call out, крича́ть, покрича́ть (II): кри́кнуть 251
calm, споко́йный; споко́йствие
canal, кана́л
cane, тростни́к
cannon, пу́шка (е)

cannonade, канона́да
cap, ша́пка (о)
capital, столи́ца
captain, капита́н
car, автомоби́ль (m.)
car (railroad), ваго́н
cards, playing, ка́рты
carpet, ковёр (†ё)
carry, носи́ть, нести́ 239, 240
carry in, вноси́ть, внести́ 238, 239
carry out, выполня́ть, вы́полнить 262
cart, вози́ть, везти́ 239
catch (get to), попада́ть, попа́сть 238
catch sight of, уви́деть 138
catch the sound of, услы́шать 142
catch up (with), догоня́ть, догна́ть 225
cause, причи́на
ceiling, потоло́к (†о)
center, центр
central, центра́льный
century, век
certainly, несомне́нно
chair, стул 193
change, изменя́ть(ся) (I), измен…и́ть(ся) 295
change (of trains), переса́дка (о)
channel, кана́л
character, хара́ктер
chat, have a, поговори́ть 134
cheap (ly), дешёвый, дёшево
cheaper, деше́вле
check, сдава́ть, сдать (в бага́ж) 160; проверя́ть, прове́рить 171
cheese, сыр
chemist, хи́мик
chief (person), глава́
chief, гла́вный
child, ребёнок (†о) 172; дитя́ 172
childhood, де́тство
children, де́ти 172
chop, руби́ть (рублю́, ру́бишь, ру́бят)
Christ, Христо́с
Christian, христиа́нский
Christianity, христиа́нство
Christmas, Рождество́
Christmas tree, ёлка (о)
church, це́рковь (†о)
cigar, сига́ра
cigarette, папиро́са
circle, круг
citizen (m.), граждани́н 172
citizen (f.), гражда́нка (о) 172

citizens, гра́ждане 172
city, го́род 161; городско́й (adj.)
class (room), класс
clean, чи́стить, вы́чистить 139; уби-
 ра́ть (I), убра́ть 139; чи́стый
 (adj.)
cleanse, чи́стить, вы́чистить 139
clear, я́сный
clever (ly), у́мный, умно́ 124
climate, кли́мат
clock, часы́ (pl.)
close, те́сно
close, закрыва́ть, закры́ть 170
closeness, теснота́
cloud, о́блако
club, клуб
coat, пальто́ 34
coffee, ко́фе
coffin, гроб
cold (ly), холо́дный, хо́лодно
cold (head), на́сморк
collect, собира́ть(ся) (I), собра́ть(ся)
 215
collection, собра́ние
collective farm, колхо́з
colloquial, разгово́рный
color, цвет 172
come with its characteristic prefixes
 (входи́ть, выходи́ть etc.). See 245,
 246
comfortable, удо́бный, удо́бен;
 ую́тный, ую́тно
comical, смешно́й
coming, бу́дущий, сле́дующий
command, приказа́ние
commander, команди́р; (staff), на-
 ча́льник
commission, поруче́ние
common, о́бщий
communication, сообще́ние
complete (full), по́лный
complete, сде́лать (I)
completely, соверше́нно, совсе́м
complicated, сло́жно
comrade, това́рищ 162; прия́тель
 (m.)
concerning, о, об, о́бо (prep.)
concert, конце́рт
condition, усло́вие
conduct, води́ть, вести́ 239
conducted, вёл, вела, вело́, вели́
confident, уве́ренный

confined, те́сно
conflagration, пожа́р
constant, постоя́нный
consume, съесть 174
construct, стро́ить, постро́ить (II);
 устро́ить 252
contemporary, совреме́нный
content, дово́лен, дово́льный; со-
 держа́ние
continue, продолжа́ть, продо́лжить
 183
continuous, постоя́нный
contrary, on the, напро́тив 276
contrive, суме́ть 174
convenient, удо́бный, удо́бен, удо́б-
 но 124
conversation, бесе́да, разгово́р
conversational, разгово́рный
converse with, говори́ть, поговори́ть
 (II)
convey (by vehicle), вози́ть, везти́
 239; привози́ть, привезти́ 251
cook, по́вар
copper, медь
cork, про́бка (о)
corner, у́гол (†о) 150
correct, пра́вильный, прав 124
cost, сто́ить (II)
cotton, хло́пок
cough, ка́шель (†е) (m.)
could, мог, 90
count, насчи́тывать, насчита́ть (I);
 счита́ть (I)
count (together), сосчи́тывать, со-
 счита́ть (I)
country, край, страна́; дереве́нский
country house, да́ча
court (yard), двор
cover, накрыва́ть (I), накры́ть 213
cozy, ую́тный
crazy (one), сумасше́дший
creation(s), созда́ние, тво́рчество
creative power, тво́рчество
crowd, толпа́
cry, крик; крича́ть, покрича́ть; кри́к-
 нуть 139, 140, 251
cry out, закрича́ть 251
cultural, культу́рный
culture, культу́ра
cultured, культу́рный
cup, ча́шка
current, тече́ние

D

dam, плоти́на
dark (ly), тёмный, темно́
darkness, тьма
dash, броса́ться, бро́ситься 251
date, число́ (е)
daughter, дочь 215
day, день (†е) (m.) 123, 162
day and night, су́тки (о) (pl.)
daytime, in the, днём
dead, мёртвый
dealings, отноше́ние, сноше́ние
dear (one), дорого́й, ми́лый
dearer, доро́же, миле́е
death, смерть
December, дека́брь (m.)
deck, па́луба
deep (ly), глубо́кий, глубоко́, полно-
    во́дный
deeper, глу́бже
demand, тре́бовать, потре́бовать 262
depart, уезжа́ть (I), уе́хать (like
    е́хать)
department, отделе́ние
departure, отъе́зд
description, описа́ние
desert, пусты́ня
desire, жела́ть, пожела́ть (I)
desire, to get the, захоте́ть 139
desire, to have, хоте́ться 152
dessert, сла́дкое
develop, разраба́тывать (I), разра-
    бо́тать (I)
devour, ску́шать (I), съесть (like
    есть)
die, умира́ть, умере́ть 238
differ, отлича́ться (I), отличи́ться
    (II)
different, ра́зный, разли́чный
difficult, тру́дный, тру́дно
diluted, more, жи́же
dine, обе́дать, пообе́дать (I)
dining room, столо́вая 216
dinner, обе́д
dinner, to have, обе́дать, пообе́дать
    (I)
diploma, дипло́м
direction, направле́ние
director, дире́ктор
discovery, откры́тие
disease, боле́знь
dishes, посу́да

dispute, спо́рить, поспо́рить (II)
disseminate, распространя́ть (I),
    распространи́ть (II)
dissemination, распростране́ние
distant, далеко́
district, о́бласть
divan, дива́н
dive, пры́гать, пры́гнуть 252
divide, разделя́ть (I), раздели́ть (II)
divided by, разделённое на
division, диви́зия
do, де́лать, сде́лать (I)
doctor, до́ктор 161
dollar, до́ллар
door, дверь
dozen, дю́жина
drama, пье́са
drawing-room, гости́ная 216
dress, пла́тье
dress (oneself), get dressed, одева́ть-
    ся (I), оде́ться 131
drink, пить 60, попи́ть; **drink!** пей!
drink up, completely, вы́пить (like
    пить)
drive, е́хать 47, пое́хать; е́здить 69,
    141
drive with its characteristic prefixes
    (въе́хать, вы́ехать, etc.). See 245,
    246
droshki (carriage), дро́жки (е)
dull, ску́чный

E

each, ка́ждый
ear, у́хо 184
earlier, ра́ньше
early, ра́нний, ра́но
earn, зараба́тывать, зарабо́тать (I)
easier, ле́гче
east, восто́к
Easter, Па́сха
Easter cake, па́сха
eastern, восто́чный
East Slavic, восточнославя́нский
easy, лёгкий, легко́
eat, есть 40, съесть 174; ку́шать 40,
    ску́шать (I)
eat! ешь!
economics, эконо́мика
economy, хозя́йство
educated, образо́ванный
education, образова́ние

either ... or, и́ли ... и́ли 276
elder, ста́рший
eldest, ста́рший
elect, избира́ть (I), избра́ть (like брать)
electrical, электри́ческий
electrical station, электроста́нция
emperor, царь (m.), импера́тор
empire, госуда́рство
end, коне́ц (†)
end, конча́ть(ся) (I), ко́нчить(ся) (II); прекраща́ть(ся), прекрати́ть (ся) 252
energy, эне́ргия
engine, маши́на
engineer, инжене́р
England, А́нглия
English, англи́йский; по-англи́йски
Englishman, англича́нин 171
Englishwoman, англича́нка (о)
enlist, поступа́ть (в а́рмию), поступи́ть 183
enough, доста́точно
enroll, поступа́ть (на университе́т), поступи́ть 183
enter, входи́ть, войти́ (like ходи́ть, идти́); поступа́ть, поступи́ть 183
entire, це́лый, весь, вся, всё 226, 227
entirely, совсе́м, соверше́нно
entrance hall, пере́дняя 216
epoch, эпо́ха
equal, ра́вный
equal in importance, наряду́ с, со
equal, is равня́ется
equal to, равно́
era, э́ра
erect, стро́ить, постро́ить (II)
especially, осо́бенно
estate, име́ние
ethics, мора́ль
Europe, Евро́па
European, европе́йский
even, ро́вно (exactly); да́же 275, хоть
evening, ве́чер 161; вече́рний (adj.)
evening, in the, ве́чером
event, собы́тие
even though, хотя́ бы
everybody, все 226, 227
every (one), ка́ждый, все 226, 227
everything, всё 226, 227
everywhere, везде́, всю́ду
evidently, очеви́дно

exactly, ро́вно, аккура́тно
examination, экза́мен
examine, осма́тривать (I), осмотре́ть 171
example, приме́р; for example наприме́р
excellent, прекра́сный
except for, кро́ме
excessive, сли́шком
excuse me, please! прости́! прости́те!
exit, вы́ход
expectation, ожида́ние
expensive (ly), дорого́й, до́рого
expensive, more, доро́же
explain, объясня́ть, объясни́ть 183
explanation, объясне́ние
explode, разрыва́ться, разорва́ться 262
export, вывози́ть, вы́везти 238, 239
extend, раздвига́ть, раздви́нуть 215
eye, глаз 161, 162

F

face, лицо́
factory, заво́д, фа́брика
faculty, факульте́т
faith, ве́ра, рели́гия
fall (autumn), о́сень; осе́нний (adj.)
fall, in the, о́сенью
fall, па́дать, упа́сть 251
fall behind, отстава́ть, отста́ть 251
fall ill, sick, заболе́ть (I)
fame, сла́ва
familiar, знако́мый
family, семья́
family name, фами́лия
famous, знамени́тый; изве́стный
far, far away, далеко́ (от † gen.)
farmer, крестья́нин 171
fashionable, мо́дный
fate, судьба́
father, оте́ц (†е)
fauna, живо́тный мир
favor, ask a, проси́ть, попроси́ть 194
favorite, люби́мый
fear, страх
fear, боя́ться, побоя́ться (II)
feast, пра́здник
feather, перо́ 193
February, февра́ль (m.)
feel (oneself), чу́вствовать(ся), почу́вствовать(ся) 122

feeling, чу́вство
feel like, хоте́ться 152
fellows, ребя́та 172
fertile, плодоро́дный
fever, жар; температу́ра
few, ма́ло 164
few, a, не́сколько
field, по́ле
fight, воева́ть, повоева́ть 262
figure, о́браз
finally, наконе́ц
find out, узнава́ть, узна́ть (I)
fine, прекра́сный
finger, па́лец (†e)
finish, конча́ть (I), ко́нчить (II);
  ока́нчивать, око́нчить 183; сде́лать
  (I)
fire, ого́нь; пожа́р
firewood, дрова́
firm (ly), кре́пкий, кре́пко; реши́-
  тельный; уве́ренный
firmer, кре́пче
first, пе́рвый
first, at, снача́ла; сперва́
fivesome (five), пя́теро 255
flag, зна́мя 194
flame, пла́мя 194
float, плыть 225; пла́вать 239
floor, пол 150; эта́ж
flora, расти́тельный мир
flour, мука́
flower, цвето́к (†o) 172
fluid, жи́дкий
fly, лета́ть, лете́ть 239
following, сле́дующий
food, еда́
foot, нога́
foot, on, пешко́м
footwear, о́бувь
for, для (gen.) 82, 83; за (acc.) 97;
  (in time expressions, 108, 109)
forbidden, it is, нельзя́ 162
forehead, лоб (†o)
foreign, иностра́нный
foreigner, иностра́нец
forest, лес 161
for example, наприме́р
forget, забыва́ть (I), забы́ть (забу́-
  ду, забу́дешь, забу́дут)
forgive, проща́ть (I), прости́ть (про-
  щу́, прости́шь, простя́т)
fork, ви́лка (o)
form, фо́рма

former, пре́жний; formerly, as, по
  пре́жнему
formerly, ра́ньше
found, to be, находи́ться, найти́сь
  205
foursome (four), че́тверо 255
France, Фра́нция
free, свобо́дный
French, францу́зский
French, in, по-францу́зски
Frenchman, францу́з
French woman, францу́женка (o)
frequent, ча́стый
frequent (ly), more, ча́ще
fresh, све́жий
Friday, пя́тница
friend, друг 194; прия́тель (m.)
friend (girl), подру́га
from, из (gen.) 82, 83; от (gen.) 82,
  83, 255; с, со (gen.) 97
front, фронт
front, in (of), впереди́ (gen.); пе́рел
  (instr.) 68
frost, моро́з
fulfill, выполня́ть, вы́полнить 262
full, по́лный, по́лон 124
funny, смешно́й
fur, мех
furniture, обстано́вка (o)
future (one), бу́дущий
future, in the, в дальне́йшем

G

gaily, ве́село
gain, добива́ться, доби́ться 273
garage, гара́ж
garden, сад 150
gate, воро́та (pl.)
gather, собира́ть(ся), собра́ть(ся)
  215
gathering, собра́ние
gay, весёлый
gay, be, весели́ться, повесели́ться
  (II)
general, универса́льный, о́бщий
genius, ге́ний
German (masc.), не́мец (†e)
German (fem.), не́мка (o)
German, in, по-неме́цки
Germany, Герма́ния
get, получа́ть, получи́ть 160

get along, поживать (I), пожить P (like жить)
get the desire, захотеть (like хотеть)
get the idea, вздумать (I)
get to, добираться, добраться 262; попадать, попасть 238
get to like, love, полюбить (like любить)
get to like, понравиться 159, 163
get up, вставать 122, встать (встану, встанешь, встанут); подниматься, подняться 193
get well, поправляться (I), поправиться 171
girl, девочка (е)
girl friend, подруга
give, давать 62, дать 138
give away, отдавать, отдать 238
give regards (to), кланяться, поклониться 193
give up, сдавать, сдать 160
glad, рад
glance at, посмотреть (на) 160
glass, стакан
globe, шар
goal, цель
go apart, расходиться, разойтись 252
go by a vehicle, ездить, ехать 69, 141
go (on foot), идти 46, 90; пойти; ходить 69, 141; походить
go up, подниматься, подняться 193
go with its characteristic prefixes (входить, **выходить** etc.). See 245, 246
God, Бог
gold, золото
golf, гольф
good, добрый; хороший, хорошо
goodbye, до свидания, прощай, прощайте
government, правительство
governmental, государственный
grammar, грамматика
granddaughter, внучка (е)
grandfather, дедушка (е) 206
grandmother, бабушка (е)
grandson, внук
grave, могила, гроб
great, большой; великий
greater, больше
Grecian, греческий
Greek, грек; греческий (adj.)
green, зелёный

greet, кланяться, поклониться 193
ground, почва
group, группа
grow (become), становиться, стать 193, 175; расти, вырасти 205
grow stronger, усиливаться (I), усилиться (II)
gruel, каша
guaranteed, обеспечен
guest, гость (m.)
gun, пушка (е)
gunner, бомбардировщик

H

half, половина
half an hour, полчаса
half a pound, полфунта
hand, рука
hand, minute, hour, стрелка (о)
hand, on the other, зато
happen, бывать (I), быть 195; происходить, произойти 262; делаться (I), сделаться (I)
happiness, счастье, радость
happy, радостный, рад; счастливый (lucky)
harbor, порт
harvest, урожай
hat, шляпа
have, иметь 117; у меня, тебя, etc. 54
have a bite (to eat), покушать P (I)
have a desire, хотеться 152
have an interest (in), интересоваться, поинтересоваться 162
have a walk, погулять
have dinner, обедать, пообедать (I)
have to (need, necessity), нужно, надо 162
have to (obligation), должен 162
hay, сено
he, он 27, 150
head, голова
head (chief person), глава
head cold, насморк
headquarters, штаб
head, take into one's, вздумывать, вздумать (I)
heal, лечить(ся) 122; вылечить(ся) (II)
health, здоровье
healthy, здоровый, здоров 124

hear, слы́шать, услы́шать 142
heart, се́рдце (e)
heavy, heavily, тяжёлый, тяжело́
hello! алло́! здра́вствуйте!
help, помога́ть 88 (I), помо́чь (like мочь)
her(s), её; her own, свой 116
here, здесь; тут; вот (here is)
here (hither), сюда́
hero, геро́й
high (ly), высо́кий, высоко́
higher, вы́ше
his, его́ 116; his own, свой 116, 185
historian, исто́рик
history, исто́рия
hither, сюда́
hold, держа́ть, подержа́ть 81
holiday, пра́здник
home (ward), домо́й
home, at, до́ма
honest, откры́тый
honey, мёд
honor, честь
hook, крюк
hors d'oeuvre, заку́ска
horse, ло́шадь
hospital, больни́ца; го́спиталь (m.)
host, хозя́ин
hostess, хозя́йка
hot (ly), горя́чий, горячо́; жа́ркий, жа́рко
hotel, гости́ница
hotter, жа́рче
hour, час
hour hand (of clock, watch), стре́лка
house, дом 161
household, housekeeping, хозя́йство
how, как
how are you! здра́вствуйте!
how do you do! здра́вствуйте!
however, впро́чем, одна́ко 276; но
how many, much, ско́лько 53, 164
huge, огро́мный, огро́мен
human being, челове́к 172
humanity, челове́чество
humor, ю́мор
humorous, юмористи́ческий
hundred (unit), со́тня
hunger, го́лод
hungry, го́лоден, голо́дный
hurry, спеши́ть, заспеши́ть (II)
hurt, боле́ть (II)

husband, муж 194
hut, изба́

I

I, я 150
ice, лёд (†e)
idea, иде́я
idea, get the, взду́мать, взду́мывать (I)
identical, одина́ковый
if, е́сли
if, as, как бу́дто
ill, больно́й, бо́лен 124
ill, to be, боле́ть (I)
illness, боле́знь
image, о́браз
immediately, сейча́с же
impatience, нетерпе́ние
import, привози́ть, привезти́ 251
importance, значе́ние
important, ва́жный
impossible, невозмо́жный, нельзя́ 162
impression, впечатле́ние
improve, поправля́ть(ся), попра́вить(ся) 171
in, в (во) (prep. or acc.) 39, 45, 46, 266, при (prep.) 255
incidentally, впро́чем 276
incorrect, непра́вильный
increase, уси́ливаться (I), уси́литься (II)
independence, незави́симость
in fact, действи́тельно
infantry, пехо́та
influence, влия́ние
in front of, пе́ред (instr.) 68
inhabitable, обита́емый
inhabitant, жи́тель (m.)
in order to, что́бы
inspect, осма́тривать (I), осмотре́ть 171
in spite of, несмотря́ на 276
instruct, преподава́ть, препода́ть 183
insult, оби́да
interest oneself in, to have … in, интересова́ться, поинтересова́ться 238
interesting, интере́сный, интере́сно
in the midst of, среди́
in the presence of, при (prep.) 255
into, в (во) (acc.) 39

introduce (acquaint), представля́ть, предста́вить 149
introduce (bring in), вводи́ть, ввести́ вноси́ть, внести́ 238, 239
invitation, приглаше́ние
invite, приглаша́ть, пригласи́ть 149
iron, желе́зный
it, оно́ 27, 150
its, его́ 116; its own, свой 116

J

January, янва́рь (m.)
job, слу́жба (e)
jolly, весёлый, ве́село
joy, ра́дость; удово́льствие
joyful, весёлый
joyfully, ве́село
July, ию́ль (m.)
jump, пры́гать попры́гать (I); пры́гнуть 252
June, ию́нь (m.)
junior, мла́дший
juridical, юриди́ческий
jurist, юри́ст
just, и́менно
just a minute, сейча́с

K

keep, держа́ть 81, подержа́ть
kilometer, киломе́тр
kind, до́брый
kitchen, ку́хня (о)
knife, нож 162
know, знать (I)
know, begin to, come to, узнава́ть (узнаю́, узнаёшь, узнаю́т), узна́ть (like знать)
know how, уме́ть 55, суме́ть (I)
knowledge, зна́ние

L

labor, рабо́та; труд
ladies and gentlemen, господа́ 171
lads, ребя́та 172
lady, госпожа́ 171
lag behind, отстава́ть, отста́ть 251
lake, о́зеро 184
lamp, ла́мпа
land, (dry), сушь
landlady, хозя́йка
landlord, хозя́ин
landmass, сушь

language, язы́к
large, большо́й
last, после́дний, про́шлый
late, по́здний
late, to be, опа́здывать, опозда́ть (I)
laugh, смея́ться, посмея́ться 125
laughter, хо́хот; смех
lawyer, юри́ст
lead, води́ть, вести́ 239
leader, вождь (m.)
leaf (of tree), лист 193
leap, пры́гать, пры́гнуть 252
learn, учи́ться, учи́ть 95, 183; вы́учить; изуча́ть, изучи́ть 183
learned, учёный
learning, уче́ние
leather, ко́жа
leave, уходи́ть, уйти́ (on foot) 238; уезжа́ть (I), уе́хать (like е́хать) (by vehicle)
leave, to take, проща́ться, прости́ться 160
left, to the, нале́во
leg, нога́
lemon, лимо́н
less, ме́нее, ме́ньше 216
lesson, уро́к
let, дай 207; пусть, пуска́й 208
let down, спуска́ть, спусти́ть 252
letter письмо́; бу́ква (letter of the alphabet)
level, у́ровень (m.)
library, библиоте́ка
lie, лежа́ть, полежа́ть 67
lie down, ложи́ться (II), лечь (ля́гу, ля́жешь, ля́гут)
lie down! ляг!
life, жизнь
lifting, подня́тие
light, свет; све́тлый, светло́
light (easy), лёгкий, легко́
lighter, ле́гче
like, похо́жий на
like, нра́виться, понра́виться 159, 163
likewise, то́же, та́кже 218
line, строка́
linen, полотно́
liquid, жи́дкий
liquid, more, жи́же
listen (to), слу́шать (I), послу́шать (I)
literary, литерату́рный
literature, литерату́ра, пи́сьменность

little, маленький; малый, мало 53,
164
live, жить 46
live (ly), живой, живо; оживлённый
living room, гостиная 216
lobby, передняя 216
located, to be, находиться, найтись
205
long, длинный; долгий, долго
long ago, давно
longer, долее, дольше
look, смотреть, посмотреть 160
look around, back, оглядываться (I),
оглянуться (I)
look at with pleasure, любоваться,
полюбоваться 193
look for, искать, поискать 238
look like, выглядеть 215
loud, громкий, громко
louder, громче
love, любить 88, 163
low, низкий
lower, ниже
lower, спускать, спустить 252
lucky, счастливый
lunch, завтракать, позавтракать (I)

M

machine, машина
madman, сумасшедший
mail, почта
main, главный
make, делать (I), сделать (I);
устраивать, устроить 252
make an effort! понатужься!
man, человек 172; мужчина 205
manner, образ
many, so, столько (gen.)
map, карта
March, март
married, женат (m.); замужем (f.)
215
married, to get, жениться (на) (m.);
выходить, выйти замуж (за) (f.)
215
master, изучать (I), изучить 183
master, хозяин
matter, дело
matter, it does not, ничего
mausoleum, мавзолей
May, май
meal (flour), мука
meaning, значение

means, средство
meat, мясо
mechanic, механик
medical, медицинский
medicine, лекарство; медицинский
(adj.)
meet, собираться, собраться 215;
встречать, встретить 138
meet (with), встречаться (c + instr.)
126, встретиться 138
meeting, собрание, свидание
member, член
memorize, запоминать, запомнить
183
merchant, купец (†e), продавец (†e)
merry, merrily, весёлый, весело;
радостный
merry, to make, to be, веселиться,
повеселиться (II)
message, сообщение
metal, металл
method, метод
mighty, великий
mile, миля
military, военный
milk, молоко
mine, мой, моя, моё 27, 116, 185
mine (explosive), мина
minus, минус
minute, минута
minute hand (of clock, watch)
стрелка
mixture, смесь
Monday, понедельник
money, деньги 194
month, месяц 150, 162
morals, мораль
more, больше, более 216; ещё
morning, утро
morning, in the, утром
mortar shell, mine, мина
Moscow, Москва; московский (adj.)
most, the, самый 225
mother, мама; мать 215
mountain, гора
mouth, рот (†o) 150
move, переводить, перевести 171
move apart, раздвигать, раздвинуть
215
movement, движение
movie, кино 34
Mr., господин 171
Mrs., госпожа 171

much, мно́го 53, 164
much respected, многоуважа́емый
much, so, сто́лько (gen.)
mud, грязь
multiplied by, помно́женное на
museum, музе́й
music, му́зыка
must, до́лжен 162
my, мой, моя́, моё 27, 116, 185

N

name (Christian, first), и́мя 150, 194
name (last, family), фами́лия
narrate, расска́зывать, рассказа́ть 183
narrative, расска́з
narrow, у́зкий
narrower, у́же
nation, наро́д
national, наро́дный, национа́льный
native, родно́й
native country, ро́дина
natural resources, приро́дные бога́т-ства
nature, приро́да
near, о́коло (gen.) 82, 83; по́дле (gen.) 255; у (gen.) 53
near, бли́зкий
nearer, бли́же
necessary, необходи́мый, ну́жный
necessary, it is, ну́жно; на́до 162; необходи́мо
needed, ну́жно
neighbor (m.), сосе́д
neighbor (f.), сосе́дка (о)
neighboring, сосе́дний
neither ... nor, ни ... ни 276
never, никогда́
nevertheless, всё-таки
new, но́вый
news, но́вость
newspaper, газе́та
next, бу́дущий, сле́дующий
next to, ря́дом, о́коло (gen.)
nice, ми́лый
night, ночь
night, at, но́чью
niveau, у́ровень
no, нет 21, 22
nobody, никто́ 35
noise, шум
noisy, шу́мный
north, се́вер

northern, се́верный
nose, нос
not, не 21, 22
nothing, ничего́ 35
novel, рома́н
November, ноя́брь (m.)
now, сейча́с; тепе́рь
now ... now, то ... то
nowhere, никуда́ (direction), нигде́ (position)
number, коли́чество (quantity), число́ (е) (date), но́мер

O

object, предме́т, вещь
observer, наблюда́тель (m.)
occasion, слу́чай
occupation, заня́тие
occupied, заня́той
occupy, занима́ть, заня́ть 183
October, октя́брь (m.)
of course, коне́чно
off, с, со (gen.) 97
office, конто́ра, положе́ние
oil, нефть
old, ста́рый; стари́нный (ancient)
older, ста́рше, ста́рший, старе́е
on, по (dat.), на (prep. and acc.) 39, 45, 46
once, раз 162; одна́жды (once upon a time)
one, раз (in counting) 162; оди́н, одна́, одно́
one another, друг дру́га 241
oneself, сам, сама́, само́, са́ми 206; себе́, себя́, собо́й 206
one's own, свой, своя́, своё 116, 185
one time раз 162
on foot, пешко́м
only, то́лько
on the contrary, напро́тив 276
on the other hand, зато́
open, откры́тый
open, открыва́ть, откры́ть 138; раздвига́ть, раздви́нуть 215
opera, о́пера
opposite, напро́тив
or, и́ли
orange, апельси́н
orchard, фрукто́вый сад
orchestra, орке́стр
order, приказа́ние
organization, устро́йство

other, другой
our (s), наш, наша, наше 116, 185
out of, из (gen.) 82, 83
outskirts, окраина
over, через (acc.) (across) 89; над
 (instr.) 68
overcoat, пальто 34
ox, вол

P

pace, шаг
pack, укладывать (I), уложить 160
package, пакет
page, страница
painfully, it is painful, больно
pair, пара
pale, бледный
paper, бумага
park, парк
parlor, гостиная 216
part, часть
part, расходиться, разойтись 252
passer-by, прохожий
pass on, передавать, передать 273
past, прошлый
past, мимо (gen.)
path, путь (m.)
patient, пациент
patronymic, отчество
peace, мир
peasant, крестьянин 171; мужик
peculiar, странный
pedagogical, педагогический
pelt, мех
pen, перо 193
pencil, карандаш 162
people, народ; люди 172
perhaps, может быть
period, период
periodical, журнал
permissible, можно 162
permissible, not, нельзя 162
permit, позволять (I); позволить
 (II); разрешать, разрешить 149
permitted, it is, можно 162
person, человек 172
philosopher, философ
philosophical, философский
phone, звонить, позвонить (II)
photograph, фотография
piano, рояль (m.)
picnic, пикник
pie, пирог

piece, кусок (†о); (of paper) лист
 193
piercing, пронзительный
pipe, трубка (о)
pity, it is a, жаль
place, место
place (lay), класть 46, положить 171
place (stand upright), ставить (став-
 лю, ставишь, ставят), поставить
place! ставь!
place oneself, становиться, стать 193,
 195
place, take, происходить, произойти
 262
plain, равнина
plain (ly), простой, просто
plan, план
plant (factory), завод
plantation, плантация
play, играть (I), поиграть (I); пьеса
playing cards, карты
pleasant, приятный, приятно
please, пожалуйста
please, нравиться, понравиться 159,
 163
please, if you, хоть
pleased, довольный, доволен 124
pleasure, удовольствие
plus, плюс
poet, поэт
pointer, стрелка (о)
police, полиция
policeman, милиционер
political, политический
poor (one), бедный
popular, народный
populate, населять (I), населить (II)
population, население
porridge, каша
port, порт
porter, носильщик
position, положение
possibility, возможность
possible, it is, можно 162
post office, почта
pound, фунт
power station, гидростанция
powers (creative), творчество
prepare, готовить 105; приготовить
 138; собираться (I), собраться 215
prepared, готовый, готов 124
presence, in the (of), при (prep.) 255
present, знакомить, познакомить 149

president, председа́тель (m.), президе́нт
prettily, ми́ло
price, цена́
principality, кня́жество
print, печа́тать (I), напеча́тать (I)
problem, зада́ча
process, проце́сс
production, произво́дство
professor, профе́ссор 161
program, програ́мма
promise, обеща́ть (I), пообеща́ть (I)
proprietor, хозя́ин
proprietress, хозя́йка
province, о́бласть
pull yourself together! понату́жься!
pupil, учени́к, учени́ца (f.)
purchase, покупа́ть, купи́ть 138
purchase, поку́пка (о)
pure, чи́стый
pursuit (occupation, job), заня́тие
push apart, раздвига́ть, раздви́нуть 215
put (lay), класть 46, положи́ть 170
put (stand upright), ста́вить, (ста́влю, ста́вишь, ста́вят), поста́вить
put! ставь!
put on, одева́ться 125, оде́ться 131

Q

quantity, коли́чество
quarter, че́тверть
question, вопро́с
queue, о́чередь
quick (ly), бы́стрый, ско́рый, бы́стро, ско́ро (soon)
quiet, споко́йствие; споко́йный, ти́хий
quiet down, стиха́ть, сти́хнуть 262
quieter, ти́ше
quite, совсе́м, соверше́нно
quite well, ничего́

R

radio, ра́дио 34
rag, тря́пка (о)
rain, дождь (m.)
rainy, дождли́вый
raising, подня́тие
rarely, ре́дко
raw materials, приро́дные бога́тства
reach, добира́ться, добра́ться 262

read, чита́ть, почита́ть; **(through)** прочита́ть, проче́сть 174
ready, гото́вый, гото́в 124
reality, реа́льность
really, действи́тельно
rear (of the), тылово́й
reason (cause), причи́на
receive, получа́ть, получи́ть 160; принима́ть, приня́ть 149
recently, неда́вно
reception, приём
reception room, приёмная, гости́ная 216
recline, лежа́ть 67, полежа́ть (II)
recognize, узнава́ть, узна́ть 160
recover, поправля́ться (I), попра́виться 171
red, кра́сный
reform, рефо́рма
regards, give to, кла́няться (I), поклони́ться 193
region, край; о́бласть
region of extraction, райо́н добы́чи
region of processing, райо́н обрабо́тки
relate, расска́зывать, рассказа́ть 183
relation (attitude), отноше́ние, сноше́ние
relaxation, о́тдых
religion, рели́гия, ве́ра
relish, заку́ска (о)
remarkable, замеча́тельный
remember, по́мнить (II); запомина́ть (I), запо́мнить (II)
remove, убира́ть (I), убра́ть 139
rent, сдава́ть, сдать 160; снима́ть (I); снять 171
rent, to be for, сдава́ться, сда́ться 160
replace, заменя́ть (I), замени́ть (II)
report, докла́д
resembling, похо́жий (на)
resolute (ly), реши́тельный, реши́тельно
resound, раздава́ться, разда́ться 193
respected, much, многоуважа́емый
rest, о́тдых
rest, отдыха́ть, отдохну́ть 193
restaurant, рестора́н
result, результа́т
rich, бога́тый
richer, бога́че
riches, бога́тство
ride, е́хать, пое́хать 47

ride away, уезжа́ть (I), уе́хать (like
   е́хать)
ride in, въезжа́ть, въе́хать
ride out, выезжа́ть, вы́ехать
ride through, проезжа́ть, прое́хать
ride up to, подъезжа́ть, подъе́хать
rifle, ружьё
right (direction), пра́вый, прав 124
right, to the, напра́во
ring, звони́ть 95, позвони́ть
rise, встава́ть 122, встать (вста́ну,
   вста́нешь, вста́нут); поднима́ться,
   подня́ться 193
river, река́
road, доро́га
roast meat, жарко́е
role, роль (m.)
room, ко́мната, ме́сто
room in a hotel, но́мер
round (about), круго́м
rouse, буди́ть, разбуди́ть 215
route, путь (m.)
rubber tree, каучуконо́с
ruble, рубль (m.)
rug, ковёр (†е)
run, бе́гать, бежа́ть 239
rural, дереве́нский
rush, броса́ться, бро́ситься 251; спе-
   ши́ть (II), заспеши́ть (II)
Russia, Росси́я
Russian, ру́сский
Russian (in), по-ру́сски

S

sail, па́рус
sail, плыть 225, 239
sail, set, поплы́ть 225
sailor, матро́с
sale, распрода́жа
saleslady, продавщи́ца
salesman, продаве́ц (†е)
salt, соль
same, одина́ковый, ра́вный
samovar, самова́р
satisfied, дово́льный, дово́лен 124
Saturday, суббо́та
say, сказа́ть 138, говори́ть (II)
say goodbye, проща́ться (I), про-
   сти́ться 160
scatter, расходи́ться, разойти́сь 252
scene, сце́на
schedule, расписа́ние
scholar, учёный 216

school, шко́ла
scientific, нау́чный
scream, визг
sea, мо́ре
search for, иска́ть, поиска́ть 238
season, пора́
secretary (m.) секрета́рь
secretary (f.), секрета́рша
see, ви́деть, уви́деть 138
seed, се́мя 194
seem, вы́глядеть 215; каза́ться, по-
   каза́ться 152
seldom, ре́дко
select, избира́ть (I), избра́ть (like
   брать)
semester, семе́стр
send, присыла́ть, присла́ть; посыла́ть,
   посла́ть 296
send off, отправля́ть, отпра́вить 160
senior, ста́рший
separate, отделя́ть (I), отдели́ть (II);
   отде́льный (adj.)
September, сентя́брь (m.)
serious, серьёзный
set sail, плыть, поплы́ть 225
set the table, накрыва́ть (I), накры́ть
   (накро́ю, накро́ешь, накро́ют)
settle, населя́ть (I), насели́ть (II)
several, не́сколько
shark, аку́ла
sharp, ре́зкий
shave, бри́ться, побри́ться 131
she, она́ 27, 150
sheet (of paper), лист 193
shell, снаря́д
ship, кора́бль (m.)
shipbuilding, кораблестрое́ние
shop, ла́вка (о)
shore, бе́рег
short, коро́ткий 124
shot, вы́стрел
shoulder, плечо́ 184
shout, крича́ть, кри́кнуть, закрича́ть
   139, 140, 251
shouting, крик
show, пока́зывать, показа́ть 138
shriek, визг
sick, больно́й, бо́лен 124
sick, to be, боле́ть (I)
sickness, боле́знь
side, сторона́
side by side, наряду́ с, со
side dish, заку́ска (о)

sight, catch (of), увидеть 138
sight see, осматривать (I), осмотреть 171
silk, шёлк
silver, серебро; серебряный
simple, простой, просто
simplicity, простота
sing, петь, спеть 105
singer, певец (†e)
singer (f.), певица
Sir, господин 171
sister, сестра (ё)
sit, сидеть, посидеть 131
sit down, садиться, сесть 125; сядь!
situation, положение; обстановка (о)
six, шестеро 255
skin, кожа
skinny, худой
sky, небо
Slav, славянин
slavery, рабство
Slavic, славянский
sleep, спать, поспать 88
slipper, туфля (e)
sliver, щёпка (о)
slowly, медленно
small, маленький
smaller, меньше 216
smell, нюхать, понюхать (I)
smoke, дым
snack, закуска (о)
snapshot, фотография
sniff, нюхать, понюхать (I)
snow, снег
so, так
soap, мыло
society, общество
sofa, диван
soft, мягкий
soil, почва
soldier, солдат 162
solve, разрешать, разрешить 149
so many, much, столько (gen.)
some, несколько, некоторые
sometimes, иногда
something, что-то 263
son, сын 194
song, песня (e)
soon, скоро
sound, звук
soup, суп
source, источник
south, юг
southern, южный

Soviet, советский
space, место
speak, говорить, поговорить 141, 142
specialist, специалист
speech, речь
speed, скорость
splendid, прекрасный
spoon, ложка (e)
sport, спорт
spread, распространять (I), распространить (II)
spring, весна, весенний (adj.)
spring, in the, весной
square, площадь
staff, штаб; штабный (adj.)
staff commander, начальник штаба
stage, сцена
stand, стоять, постоять 225
standard, знамя 194
stand out, отличаться (I), отличиться (II)
star, звезда
state, государство, государственный (adj.); штат
station (railroad), вокзал, станция
station (waterpower), гидростанция
steamship (steamer), пароход
step, шаг
step away, see go away
stifling, душный
still, ещё
stop, прекращать (ся), прекратить (ся) 252; кончать (ся) (I), кончить (ся) (II)
stopper, пробка (о)
store, магазин
story, история, рассказ; (floor) этаж
stout, полный, полон
straight, прямо
straightaway, прямо
strange, странный
stream, течение
street, улица
streetcar, трамвай
strength, сила
strength, beyond (one's), непосильно
strict, строгий
strike (the hour), пробивать (I), пробить (like бить)
strive, стараться, постараться (I)
strive for, добиваться (I), добиться 273
strong, крепкий; сильный

stronger, крéпче
student, студéнт, учени́к
student, girl, студéнтка (о); учени́ца
study, занимáться (I), заня́ться 183;
   изучáть, изучи́ть 183; учéние
subject, предмéт
subordinate, подчинённый
subsequently, в дальнéйшем
subside, стихáть (I), сти́хнуть 262
substitute, заменя́ть (I), замени́ть
   (II)
subway, метрó 34
success, успéх
successfully, благополýчно
such (a one), такóй
suddenly, вдруг
suffering, мýка
sufficient, достáточно
sugar, сáхар, сáхарный (adj.)
suitcase, чемодáн
summer, лéто; лéтний (adj.)
summer home, дáча
summer, in the, лéтом
sun, сóлнце 150, 184
Sunday, воскресéнье
sunset, закáт (сóлнца)
sup, have supper, ýжинать, поýжи-
   нать (I)
supper, ýжин
sure, to be, прáвда 276
surprise, удивлéние
surrender, сдавáться, сдáться (like
   давáть, дать)
sweet, слáдкий
sweeter, слáще
sweets, слáдкое
swim, плыть, поплы́ть 225; плáвать
   (I) 239
system, системá

T

table, стол
tablecloth, скáтерть
take, брать, взять 159
take a look, посмотрéть 160
take leave, прощáться, прости́ться
   160
take off, снимáть (I), снять 171
take place, происходи́ть, произойти́
   262
tale, расскáз
talk, бесéда, разговóр
taxi, такси́

tea, чай
teach, учи́ть 95, 183, вы́учить; пре-
   подавáть, преподáть 183
teacher, учи́тель (m.) 161
teacher, lady, учи́тельница
teaching, учéние
tea pot, чáйник
tear, разрывáть (ся), разорвáть (ся)
   262
tedious, скýчный
telegram, телегрáмма
telephone, телефóн
telephone operator, телефони́ст
television set, телеви́зор
tell, сказáсь 138; рассказывать, рас-
   сказáть 183; говори́ть (II)
temperature, температýра, жар
   (fever)
tennis, тéннис
term, семéстр
territory, террито́рия
textbook, учéбник
than, чем 218
thank, благодари́ть, поблагодари́ть
   (II)
thanks to, благодаря́
thank you, спаси́бо
that, что (conj.) 35, 124; (rel. pron.)
   284; тот, та, то 27, 195
the . . . the, чем . . . тем 218
theater, теáтр
their (s), их 116
then, потóм, тогдá, же 275
there, там
therefore, поэ́тому 276
there is, есть 41
there is no, нет 52
there (to), тудá
they, они́ 151
thick, тóлстый
thicker, тóлще
thief, вор
thin, тóнкий; худóй; жи́дкий (mainly
   of fluids)
thing, вещь
think, дýмать, подýмать (I)
thinner, тóньше; жи́же (mainly of
   fluids)
this (one), э́тот, э́та, э́то 27, 194
thither, тудá
thou, ты
though, хоть; хотя́ бы (if only) 276
thought, мысль
threesome, трóе 255

throat, го́рло
through, че́рез (acc.) 89
Thursday, четве́рг
thus, так
ticket, биле́т
tidy (up), убира́ть (I), убра́ть 139
till, до (gen.)
time, вре́мя 150, 194; пора́; раз (one
   time)
time, for a long, до́лго
time, in the course of, в дальне́йшем
time, it is, пора́
times, at, времена́ми
time table, расписа́ние
tin, жесть
tired, уста́лый
to, к, ко (dat.) 61, 255
today, сего́дня
together, вме́сте
toil, труд
tomorrow, за́втра
tone, тон
tongue, язы́к
too, сли́шком; (also) то́же; (likewise) та́кже 218
too bad, жаль
torment, му́ка
tourist, тури́ст
toward, к, ко 61, 255
tower, ба́шня (е)
town, го́род 161
trade, торго́вля, торго́вый (adj.)
tradesman, продаве́ц (†е)
traffic, движе́ние
train, по́езд 161
transfer, переводи́ть, перевести́ 171
translate, переводи́ть, перевести́ 171
translation, перево́д
translator, перево́дчик
transmit, передава́ть, переда́ть 273
transport, вози́ть, везти́ 239
travel, е́здить 69, 141, е́хать 47
treat, лечи́ть 122, полечи́ть; вы́ле-
   чить (II)
treated, to be, лечи́ться 122, поле-
   чи́ться
tree, де́рево 193
tribe, пле́мя 194
trunk, сунду́к
truth, пра́вда
try, стара́ться, постара́ться (I)
try hard! понату́жься!
Tsar, царь (m.)
Tuesday, вто́рник

tundra, ле́со-степь
turn, поворо́т; о́чередь (one's)
turn, повора́чивать, поверну́ть 171
twosome, дво́е 255

U

unavoidable, необходи́мый
uncle, дя́дя 206
uncomfortable, неудо́бный, неудо́бно
under, под (instr.) 89, 97
understand, понима́ть, поня́ть 238
undoubtedly, несомне́нно
unhappy, несча́стный
unification, объедине́ние
universal, универса́льный
university, университе́т
unpleasant, неприя́тный, неприя́тно
until, до (gen.)
up (ward), вверх
up to, до (gen.)
urban, городско́й
usually, обыкнове́нно

V

vain, in, напра́сно
varied, разнообра́зный
various, ра́зный, разнообра́зный
vegetables, о́вощи
verdant, зелёный
very, о́чень
vestibule, пере́дняя 216
view, осма́тривать (I), осмотре́ть 171
view, вид
village, дере́вня (е); дереве́нский
violin, скри́пка (о)
visit, быва́ть, быть 195
vivid, живо́й
vodka, во́дка (о)
voice, го́лос 161
voyage, путь (m.)

W

wage war, воева́ть, повоева́ть 262
wait (for), ждать 81, 82, подожда́ть
   (conjugated like ждать)
waiting, ожида́ние
wake (someone), буди́ть, разбуди́ть
   215
wake (up), просыпа́ться, просну́ться
   (I)
walk, ходи́ть 69, 141, походи́ть
walk (take a), гуля́ть, погуля́ть (I)

walk with its characteristic prefixes (входи́ть, выходи́ть etc.), see 245, 246
wall, стена́
want, хоте́ть 76, 82; захоте́ть 139; жела́ть (I), пожела́ть (I)
war, война́
warm (ly), тёплый, тепло́
wash, мы́ться 122, вы́мыться 138
watch, часы́ (pl.)
water, вода́
waterpower station, гидроста́нция
wave, волна́
way, доро́га
we, мы 151
wealthy, бога́тый
wear, носи́ть, поноси́ть 239, 240
weather, пого́да
Wednesday, среда́
week, неде́ля
welcome! ми́лости про́сим!
well, здоро́вый, здоро́в 124
well, хорошо́
well! ну!
well, to get, поправля́ться (I), попра́виться 171
went, шёл, шла, шло, шли
west, за́пад
western, за́падный
what, что 35, 124
what kind, sort of, како́й
when, когда́ 40
whence, отку́да
where, где 21, 40
where from, отку́да
where (to), куда́
which, како́й; кото́рый 284
while, пока́
white, бе́лый
who, кто 124; кото́рый 284
whole, це́лый; весь, вся, всё 226, 227
whose, чей, чья, чьё 185
why, почему́
wide, широ́кий
wider, ши́ре
wife, жена́
wind, ве́тер (†е)
window, окно́ (о)
wine, вино́
wineglass, рю́мка (о)
winter, зима́; зи́мний (adj.)

winter, in the, зимо́й
wish, жела́ть, пожела́ть (I); хоте́ть 76, 82
with, с, со (instr.) 68
within, че́рез (acc.)
without, без (gen.) 53
woman, же́нщина, ба́ба (country woman)
woman, beautiful, краса́вица
wood (material), де́рево 193
woods (forest), лес 161
wool, шерсть
word, сло́во
work, рабо́та; слу́жба; труд
work, рабо́тать, порабо́тать (I)
worker, рабо́чий 216
work out, разраба́тывать (I), разрабо́тать (I)
world, свет; мир
worry, беспоко́йство
worse, ху́же
write, писа́ть 52, написа́ть 131
writer, писа́тель (m.); а́втор
written language, пи́сьменность

Y

yard, двор
year, год 150
yell, крик
yellow, жёлтый
yes, да
yesterday, вчера́
yet, ещё (still); одна́ко (however) 276; всё-таки (nevertheless)
you, ты 150 (fam. sing.); вы (Вы) pol. and fam. pl.) 151
young, молодо́й
younger, мла́дше; моло́же
younger, youngest, мла́дший
young people, молодёжь
youngsters, ребя́та 172
your (s), твой, твоя́, твоё (fam. sing.); ваш, ва́ша, ва́ше, (pol. and fam. pl.) 116, 185
youth, мо́лодость; молодёжь (young people)

Z

zone, зо́на

INDEX

393

ADDITIONAL FEATURES